« Partage du savoir » est une collection qui tend à rendre compte des réalités complexes, des préoccupations humaines et contemporaines. Elle a vocation à dépasser le seul cadre disciplinaire de la recherche universitaire. Il s'agit ici de rétablir les passerelles entre la science et le citoyen.

EDGAR MORIN

LA MÉSENTENTE CORDIALE

Voyage au cœur de l'espace interculturel franco-anglais

CHRISTINE GEOFFROY

LA MÉSENTENTE CORDIALE

Voyage au cœur de l'espace interculturel franco-anglais

Préface de

CLAUDE HAGÈGE

BERNARD GRASSET
LE MONDE DE L'ÉDUCATION

Ce livre a reçu le soutien de la Fondation d'entreprise Banques CIC pour le livre et de la Fondation Charles Léopold Mayer pour le progrès de l'homme.

SOMMAIRE

PRÉFACE

C'est à un voyage insolite que nous convie ce livre. Certes, l'omniprésence de l'anglais dans l'univers d'aujourd'hui n'est pas vraiment un fait d'une confondante nouveauté. Pourtant, Christine Geoffroy exploite avec talent et force persuasive une idée intéressante, à savoir les difficultés de communication qui, dans une situation inégale où des Français sont employés par une filiale d'une maison mère anglaise, sont liées non seulement au degré de connaissance que chacun possède de la langue de l'autre, mais aussi à tout ce que chaque langue recèle d'implications, d'attitudes invétérées, de conceptions du rapport social.

L'ethnocentrisme des Anglais et celui des Français aboutissent, comme il est joliment montré dans ces pages, à une tentation qu'il est difficile de maîtriser : celle de mettre sa conception du monde, et ce qui s'en reflète dans sa langue, au centre de tout. De là les fréquents malentendus et dysfonctionnements de la communication, et les incapacités à interpréter de manière adéquate les comportements. Mais la langue n'est pas seule en cause. Il existe aussi des stéréotypes bien enracinés, comme la froide hypocrisie des Anglais vus par les Français, ou l'arrogance des Français vus par les Anglais.

L'emploi des formes d'adresse et de référence, dont les marques personnelles, que l'auteur étudie finement, implique des différences de perception accusées. Ainsi, le *you* esquive les insondables problèmes que pose la confrontation du *vous* et du *tu*. Les Français, habitués à désigner les autres par « M. » ou « Mme X », verraient à tort une prétention ridicule dans l'énoncé des titres, simple point de repère pour désigner quelqu'un, tout comme ils auraient du mal à s'adapter à l'usage des prénoms, où ils croiraient voir une intimité ou une réduction des distances, alors que ces traits sont tout à fait absents et que les prénoms n'ont d'autre fonction que de simplifier l'échange quotidien.

Bien qu'il y ait quelques points communs, dont le culte des formulations euphémiques par les Anglais aussi bien que par les Français, les stratégies d'énonciation sont fort différentes, et ce livre le montre clairement. Dans l'humour anglais, le code de politesse est préservé, bizarrerie pour les Français, qui n'y sont pas immensément perméables, tout comme ils ne sont pas, à moins d'avoir bien étudié la langue et les mœurs de leurs opaques voisins, préparés à comprendre la tendance très fréquente à atténuer ou bémoliser le propos, notamment par les innombrables *tags* par quoi se terminent tant de phrases, et que rend si imparfaitement la platitude du *n'est-ce pas* français. Les Anglais, pour leur part, ne sont guère préparés non plus à la manière française de s'emparer de la parole en interrompant l'autre.

Il s'agit ici d'une étude pénétrante et efficace, conduite par une spécialiste bien informée des travaux de linguistique, de pragmatique et de psychologie sociale consacrés à deux nations entre lesquelles la cordialité de la mésentente, creusée par les siècles, ne devrait pas faire place au malentendu de la cordialité.

Claude HAGÈGE, décembre 2000.

AVERTISSEMENT AU LECTEUR

Tel un voyageur, laissez-vous guider dans cette exploration d'un monde interculturel à la fois familier et méconnu. Choisissez vos escales à loisir et, si d'aventure vous n'étiez ni anglophone, ni anglophile, ne craignez point que votre voyage en souffre : tous les témoignages et citations en langue anglaise ont été traduits en français par l'auteur. Merci à John et à Andrew qui ont tenu à témoigner en français et nous offrent un accès plus direct et personnalisé à la compréhension de leur vision des Français.

Entre nous

Entre le « nous » de modestie français, qui est aussi le « nous » de majesté, le « je majuscule » et le « nous » souverain anglais, je préfère le « je minuscule » qui a le mérite d'échapper à la fausse modestie et le « nous » d'écriture anglais qui associe lecteur et auteur.

INVITATION AU VOYAGE

> « Tandis que le train quittait lentement et majestueusement la gare de King's Cross, il songea, comme il le faisait chaque fois, à cette surprenante banalité qu'en l'espace d'une vie — la sienne — Paris était devenu plus accessible que Glasgow, Bruxelles qu'Edimbourg. Il pouvait moins de trois heures après avoir quitté sa maison dans le nord de Londres, suivre la légère déclivité du boulevard de Magenta, sans même un passeport en poche [1]. »

Le héros de Julian Barnes, cet « Anglais d'un certain âge » qui se rendait à Paris « pour affaires », nous invite, à la faveur d'une traversée souterraine trans-Manche, à partager son sentiment d'effacement de la distance qui sépare Londres de Paris. Quel passager « d'un certain âge », qu'il soit français ou anglais et qui aurait au cours de sa vie emprunté les différents modes de traversée de la Manche, n'a-t-il jamais éprouvé, lors de son premier passage du tunnel, ce sentiment étrange de perte de repères géographiques entre les deux pays, ce sentiment d'abolition temporelle, jusqu'à la confusion et l'effacement de la notion de frontière, oblitérée par les profondeurs d'une nuit à la fois souterraine et sous-marine ? Le long isolement légendaire de l'île et du continent a été officiellement rompu le 7 mai 1994, jour de l'ouverture du tunnel qui allait dorénavant relier les deux peuples d'Europe ayant entretenu la plus durable des rivalités, comme si l'Angleterre et la France n'avaient pu, au cours de longs

1. Julian Barnes, *Outre-Manche*, 1998, p. 222.

siècles, se passer l'une de l'autre, se passer de leur proximité et de leur éloignement, de leurs complémentarités et de leurs paradoxes. Est-ce à dire que le rapprochement est entériné, que l'entente cordiale est définitivement scellée entre ces deux grands modèles européens pris sous l'influence de leur inspiration mutuelle, au point que leurs avancées culturelles et techniques se soient poursuivies à des rythmes parallèles et se soient inscrites dans leurs langues respectives à des périodes très voisines ? Il est significatif de constater qu'un terme aussi important que le mot « civilisation »[1], par l'apport du concept auquel il est lié, soit apparu presque simultanément à la fin du XVIIIe siècle dans l'une et l'autre langue, attestant le parallélisme de l'histoire des idées chez les Anglais et les Français.

Ce lien, établi de manière physique entre les deux nations, n'a pas pour autant signé l'union parfaite que le fort symbolisme dont était chargée la construction historique du tunnel sous la Manche laissait espérer. La période contemporaine n'échappe pas à l'alternance des sentiments d'anglophobie / anglophilie, francophobie / francophilie. Sinon, comment expliquer les mouvements de migration ou d'attirance, symétriques et quelque peu paradoxaux au premier abord, des Anglais vers la France et des Français vers la Grande-Bretagne ; on évalue à environ 500 000[2] le nombre de retraités anglais dans le sud-ouest de la France tandis que 36 %[3] des jeunes Français de 18 à 24 ans disent qu'ils choisiraient la Grande-Bretagne s'ils devaient travailler à l'étranger : 100 000[4] jeunes Français travaillent déjà à Londres seul et le lycée Charles-de-Gaulle qui compte quelque 3 000 élèves[5] va

1. Emile Benvéniste, 1966, pp. 336-345.
2. Evaluation M. Bruillon, *British Area Studies Conference*, 20-21/9/96.
3. Sondage *Paris-Match*, 12/2/98.
4. *Le Nouvel Observateur*, 28/5/98.
5. *Paris-Match*, *op. cit.*

devoir s'agrandir devant l'afflux des enfants de jeunes couples français venus travailler et s'installer dans la capitale anglaise ; dans le même temps et parallèlement à ces mouvements d'attirance, la publication d'ouvrages qui portent pour titres : *Je déteste les Français : manuel officiel*[1], *Nos meilleurs ennemis*[2] ou la publication de revues qui affichent en couverture : *Pourquoi les Anglais nous détestent*[3] se font l'écho de sentiments de mise à distance, de rejet ou d'inquiétude sur les relations franco-anglaises.

La langue elle-même reste objet d'attirance ou de rejet, soit parce qu'elle véhicule un sentiment de domination, appliqué ou subi, à l'image des rivalités historiques linguistiques, soit qu'elle repose sur la difficulté à apprendre une langue étrangère, donc étrange car différente, et conduisant à ce que Schumann[4] nomme le choc linguistique*[5], ce sentiment d'insuffisance ressenti comme un manque de compétence dans la langue étrangère.

Rousseau ne disait-il pas déjà :

> « Pour savoir l'anglois il faut l'apprendre deux fois, l'une à le lire et l'autre à le parler. Si un Anglois lit à haute voix et qu'un étranger jette les yeux sur le livre, l'étranger n'aperçoit aucun rapport entre ce qu'il voit et ce qu'il entend. Pourquoi cela ? Parce que l'Angleterre ayant été successivement conquise par divers peuples, les mots se sont toujours écrits de même tandis que la manière de les prononcer a souvent changé[6]. »

Laissons à Rousseau, indépendamment du bel exemple de linguocentrisme* dont il nous gratifie, la responsabilité de ses explications, mais nul ne pourra manquer de noter la similitude des difficultés éprouvées, de nos jours

1. Scott,1992.
2. Gibson,1995.
3. *L'Européen*, 8-14/7/98.
4. *In* Jensen, Jaeger, Lorentsen, 1995, p. 31.
5. Voir glossaire.
6. Rousseau (1781) 1995, p. 393.

encore, par les Français dans l'apprentissage de la langue orale anglaise.

Dans le cadre de la construction européenne, communiquer dans la langue de nos voisins semble le plus évident des principes de base pour la mener à bien. Nous apprenons les langues étrangères à l'école et à l'université dans l'espoir d'être armés efficacement pour communiquer avec eux, trouver un emploi, ou simplement voyager.

Que nous possédions quelques rudiments qui nous permettent de parler la langue de nos voisins européens, ou que nous ayons une maîtrise parfaite de leurs langues, sommes-nous pour autant aptes à communiquer avec eux ?

Les premiers à avoir soulevé l'insuffisance de la compétence linguistique dans la communication avec un étranger sont les dirigeants des multinationales qui, après avoir cru que les phénomènes de globalisation allaient permettre de créer des modèles planétaires et gommer les particularismes, se sont trouvés confrontés à des problèmes de communication culturelle qu'ils n'avaient pas prévus. La dernière décennie a vu l'éclosion de multiples cabinets de management interculturel qui, à l'image des cabinets et conseillers américains, garantissaient une bonne préparation à l'expatriation et aux difficultés liées à ce qu'on a coutume d'appeler le « choc culturel ».

« Choc culturel » : l'expression, par son intensité, témoigne du bouleversement intime que peuvent éprouver deux individus ou groupes d'individus issus de cultures différentes, lors de leur confrontation. Nous sommes le plus souvent invités à penser la situation de « choc » en termes de différences profondes que nous identifions à un éloignement géographique. Est-ce à dire que des peuples géographiquement très proches, comme les peuples d'Europe, seraient exempts de ces réactions de « choc » ? L'illusion de proximité nourrie par la proximité géographique ne garantit en rien le succès de la communication. Que se passe-t-il derrière l'écran de la chaîne de télévision *Arte*, par exemple, entre ces présentateurs hommes et femmes qui connaissent visiblement bien les langues allemande et française ? Leurs relations paraissent si faciles ! Mais bien peu de téléspectateurs savent les difficultés de communication à résoudre pour la bonne réalisation des programmes. Dans le cas des Français et des Anglais, ceux-ci auraient-ils acquis, au fil des siècles, un mode de relations qui les mettrait à l'abri de réactions de défense et de rejet ? La maîtrise de la langue anglaise par un Français ou de la langue française par un Anglais n'est en aucun cas un gage suffisant de bonne communication entre Français et Anglais, comme en témoignent les réactions de rejet, la permanence des stéréotypes et des préjugés dans leurs interactions de communication sur la scène politique et économique, sur leur lieu de travail, ou même dans un environnement touristique.

Ainsi, nos contemporains anglais et français portent-ils encore profondément, malgré le rapprochement spatial et temporel dont ils bénéficient, le poids de leur histoire réciproque qui interfère dans les interactions de communication qu'ils entretiennent entre eux. Baignés dans les eaux de notre histoire mêlée, noyés dans l'héritage de nos représentations réciproques, abreuvés de nos stéréotypes séculaires, suspendus entre deux rives si familières et si lointaines à la fois, pouvons-nous trouver un lieu d'abordage de l'autre qui ne soit plus le mirage d'une entente cordiale mythique et qui nous permette de vivre nos relations de citoyens, de travailleurs ou de touristes européens ?

C'est une invitation au voyage que je propose au lecteur, un voyage en pays interculturel, selon un itinéraire qui traverse des régions aussi diverses que la langue, les comportements ou la mémoire d'un peuple. Tout voyageur interculturel a besoin de repères et de stratégies pour arriver à bon port. L'objet de ce récit est de cerner à la fois les régions stériles et les régions fertiles qui permettront au voyageur, au-delà de la maîtrise technique de la langue locale, de se découvrir lui-même et de découvrir l'autre au cœur des échanges interculturels et, plus largement encore, au cœur des échanges humains.

CHAPITRE I

Préparation du voyage

Les jugements que portent les nations les unes sur les autres nous informent sur ceux qui parlent, non sur ceux dont on parle.
Todorov.

— LES ÉTAPES DU VOYAGE —

Avant d'embarquer pour le voyage, rien de plus naturel que d'en prévoir soigneusement les étapes.

Une idée simple s'imposa bientôt au chercheur-explorateur. Si Anglais et Français éprouvent des difficultés à s'entendre et coopérer, comment tenter de les comprendre sans aller les rencontrer sur le terrain, sans les faire témoigner de leur expérience de communication singulière ? Ce terrain d'interaction quotidienne, il suffisait de l'explorer sur les lieux mêmes de travail, au sein d'entreprises européennes ou internationales qui avaient un partenariat de travail franco-anglais.

De plus, comme le précise le chercheur interculturel franco-allemand Jacques Pateau[1], ce terrain d'interaction constitue un champ où « les difficultés liées à la confron-

1. Pateau, 1998.

tation des diversités nationales y sont amplifiées par les rivalités et concurrences engendrées par les enjeux d'ordre économique ».

Recueillir les témoignages des collaborateurs de diverses entreprises ayant une interaction franco-anglaise permettait de marquer les étapes du voyage et d'observer à la loupe les phénomènes d'interaction linguistique et comportementale, moins perceptibles dans le contexte de séjours linguistiques ou touristiques.

La démarche présentait aussi l'avantage, pour l'enseignant-chercheur que je suis, de renforcer le lien université-entreprise, du simple fait que certaines de ces entreprises seraient peut-être le futur lieu d'intégration de mes étudiants et plus largement de tout jeune étudiant français ou anglais. A cet effet, il paraissait indispensable de recueillir des données authentiques, d'une part, parce que seuls les acteurs de l'interaction pouvaient fournir le témoignage de leur vécu et, d'autre part, parce que la sélection d'extraits de leurs témoignages alimenterait une banque de données exploitable pour la formation des étudiants ou la formation continue de tout public de l'entreprise.

L'itinéraire de recherche se mettait donc en place selon les étapes suivantes :

• maison mère anglaise en relation avec une filiale française ;

• maison mère française en relation avec une filiale anglaise ;

• multinationale comprenant une société anglaise et une société française en interaction ;

• entreprise binationale anglaise / française.

C'est ainsi que je visitai dix entreprises différentes ; chacune était concernée par un domaine d'activité différent : confiserie, eau, emballage, machines à laver industrielles, marketing, mécanique, peintures et résines, plastiques, transports et verre. Je rencontrai soixante personnes anglaises et françaises et recueillis leurs témoignages sur un petit enregistreur baladeur que j'avais choisi en fonction de sa petite taille et de sa discrétion.

Très vite, il apparut que les rapports de pouvoir entre maisons mères et filiales exerçaient des tensions à double sens : d'une part le refus du joug de la société mère par la filiale, d'autre part le jugement négatif ainsi que le mécontentement affichés de la société mère concernant le travail de la filiale, favorisaient l'émergence de bon nombre de stéréotypes.

Oui, les Anglais qualifiaient toujours les Français « d'arrogants et d'agressifs », voulant imposer leurs idées à tout prix, tandis que les Français s'insurgeaient toujours avec virulence contre « l'hypocrisie et les non-dits » des Anglais.

On aurait pu penser que les entreprises binationales auraient échappé à cet écueil, surtout lorsque l'organisation privilégiait la répartition égale du personnel, tant sur le plan hiérarchique que sur le plan de la nationalité. Mais curieusement, les mêmes critiques, les mêmes méfiances s'exprimaient dans la conviction du personnel anglais de subir le joug d'une direction française et dans la conviction inverse du personnel français !

— LES COMPAGNONS DE RENCONTRE —

Mes compagnons, je les rencontrai au fil des étapes. Ce sont les soixante femmes et hommes, anglais ou français, qui ont accepté de partager un peu de leur temps en se laissant enregistrer, de quarante-cinq minutes à une heure ou plus, dans le cadre de leur vie professionnelle. Ils résident dans leur pays d'origine ou sont expatriés et ont tous une interaction de communication franco-anglaise ou anglo-française. Parmi ceux qui résident dans leur pays d'origine, certains ont bénéficié d'une ou plusieurs expatriations en pays étranger anglophone ou non, d'autres ne l'ont jamais quitté.

Une attention particulière devait être portée aux Britanniques ; leur origine anglaise, écossaise, galloise ou irlandaise pouvait en effet interférer avec l'interprétation des données. Les Français, de leur côté, ne se préoccupaient guère de la distinction entre « Britanniques » et « Anglais », la plupart d'entre eux employant un mot pour l'autre, bien que le terme « Britannique » soit plus neutre et rarement associé à un stéréotype, sauf sous sa forme anglaise de *British*.

La tranche d'âge et les différents postes occupés constituaient des points de repère précieux pour l'analyse. Trois tranches d'âge furent concernées et réparties comme suit :

- 25 % de personnes de moins de trente ans ;
- 50 % de personnes entre 30 et 45 ans ;
- 25 % de personnes de plus de 45 ans.

Sur l'ensemble des personnes interviewées, 50 % occupaient une position de cadre avec les variations suivantes : cadres commerciaux, chefs de projet, directeurs de ressources humaines, gérants de société, responsables de gestion comptable et financière, ingénieurs ou techniciens en hydraulique, informatique, mécanique.

La variété des âges et des postes occupés, ainsi que le domaine d'activité, permettaient de recouper les informations recueillies dans les témoignages, soit entre collaborateurs, soit entre supérieurs hiérarchiques et subalternes, soit par l'intermédiaire de personnels non reliés au même département. Je pouvais ainsi bénéficier d'un éclairage, ou bien en miroir, ou bien décalé, et mettre en évidence l'évolution des comportements en fonction de l'âge.

Les compétences en anglais chez les Français, et en

français chez les Anglais étaient très variables suivant le type d'études suivies et le secteur d'activité, ce qui permit des remarques intéressantes des témoins sur l'approche de la langue de leur interlocuteur, à quelque niveau de compétence linguistique qu'ils fussent.

— LES OUTILS D'EXPLORATION —

Une fois établies les étapes et les rencontres du voyage, il fallait trouver les outils et la méthodologie qui permettraient d'analyser les témoignages recueillis au fil des rencontres.

Les outils du management

Les lieux d'enquête choisis dirigeaient les recherches préparatoires vers les spécialistes de l'entreprise.

En premier lieu, s'imposaient les études de l'anthropologue Hall [1]. Sa prise en compte des variables de temps et d'espace ainsi que des variables de communication implicite ou explicite, avait constitué un apport fondamental dans l'approche exploratoire de différentes cultures au début des années 60. L'avantage de ces variables repose sur leur simplicité : elles sont applicables à un grand nombre de cultures et permettent de saisir des différences culturelles générales. Cette simplicité et cette généralisation se muaient toutefois en obstacle pour la recherche franco-anglaise. Il n'était pas envisageable de se limiter à un niveau descriptif de l'exploration qui ne prendrait pas en compte l'interaction et la genèse des deux cultures en présence. La lecture des travaux ultérieurs de Hall ne

1. Hall, 1959.

comblait guère cette lacune, dans la mesure où ces ouvrages, pourtant plus récents et traitant de la communication avec une culture déterminée, se révélaient davantage des guides de savoir-faire généralisants ne laissant guère de place aux nuances. Même le dernier ouvrage[1] qui traite des différences entre Allemands, Français et Américains, reste avant tout descriptif et semble davantage constituer un livre de conseils et recettes pour hommes d'affaires pressés. Enfin, bien que Hall admette que les Anglais et les Américains sont « deux grands peuples séparés par une langue », il est regrettable de constater qu'il n'a jamais commis son savoir interculturel à un guide traitant de la communication entre Américains et Anglais.

Venaient ensuite les travaux du psychosociologue hollandais Hofstede[2] : travaux ambitieux et de grande envergure qui avaient proposé plus de 110 000 questionnaires aux salariés d'une grande multinationale et ses filiales dans 53 pays. L'objectif était de définir des paramètres universaux avec lesquels le sociologue établirait des grilles de description des cultures nationales. A l'issue du traitement des questionnaires, quatre grands paramètres avaient été retenus : la distance hiérarchique, le degré de contrôle de l'incertitude, le degré d'individualisme ou de collectivisme, l'indice de masculinité ou de féminité.

Mais certains résultats semblaient pour le moins étranges. Comment accepter, par exemple, que la Grande-Bretagne fasse partie en fonction de son indice (66/100) des pays masculins définis comme « durs » et qui pensent que les conflits doivent « se résoudre par une bonne bagarre » à l'inverse des pays dits féminins plus « tendres », dont la France ferait partie avec un indice de 35/100, et

1. Hall, 1990.
2. Hofstede, 1994.

qui préfèrent « venir à bout des conflits par le compromis et la négociation » ? Ou encore comment croire que la France, en conformité avec le pôle féminin qui la définirait, puisse choisir la hiérarchie et la coopération dans son milieu de travail ?

Quant au paramètre de distance hiérarchique, il gagnerait à être affiné, car le concept hofstedien de *distance hiérarchique* ne permet pas la distinction entre distance hiérarchique et pouvoir réel, distinction qui paraît incontournable pour deux pays tels que la France et l'Angleterre. Dans l'étude des Français, dont l'indice marque une grande distance hiérarchique, le paramètre d'obéissance n'est pas pris en compte. Certes la distance hiérarchique, que ce soit en entreprise ou en politique, est très marquée mais les Français semblent retrouver leur liberté dans la mise en œuvre des décisions qu'ils subissent. En effet, face aux règles et procédures de l'entreprise française, « chacun en prend et en laisse en fonction de son appréciation personnelle », note le sociologue Philippe d'Iribarne[1].

A l'inverse, les Anglais, malgré leur faible distance hiérarchique, ne semblent pas prendre autant de liberté avec les règles et procédures fixées dans leur milieu de travail. Lorsque, de plus, on croise le paramètre de distance hiérarchique avec le fort indice de masculinité des Anglais, on a du mal à comprendre le besoin d'encadrement, de règles et de procédures affiché dans le milieu de travail anglais, alors que ce besoin avait été défini comme un trait des pays à fort indice de féminité.

L'avancée de Hofstede sur les travaux de Hall réside cependant dans une tentative d'explication des origines des différences constatées par l'analyse des fondements socio-historiques de ces cultures. Mais cette grande enquête de type quantitatif ne pouvait qu'aboutir à des

1. D'Iribarne, 1989.

conclusions trop généralisantes qui, de toutes façons, se révèlent insuffisantes à étudier les interactions de communication entre Anglais et Français. De plus, les questions proposées dans l'enquête ne traitaient pas de la perception et de la représentation d'une autre culture, ou de la difficulté à communiquer et coopérer entre cultures, ce qui était l'objet de notre exploration.

Etait-il envisageable de faire référence aux travaux du chercheur franco-hollandais Trompenaars[1] ? Sur les traces de Hofstede dont il fut l'élève, Trompenaars avait, lui aussi, mené une enquête de grande envergure : 15 000 managers interrogés dans 30 multinationales d'une cinquantaine de pays, sans oublier des séminaires interculturels dans 18 pays différents. Au bout du compte, la grille établie s'inspire à la fois des variables culturelles de Hall et des dimensions de Hofstede. Les cultures nationales y sont décrites à l'aide de sept dimensions fondamentales :

- universel / particulier ;
- individuel / collectif ;
- objectif / subjectif ;
- limité / diffus ;
- performance / attribution ;
- relation au temps ;
- relation à la nature.

Le nombre de paramètres retenus par Trompenaars, ainsi que le renouvellement permanent de sa base de données grâce à la poursuite des enquêtes lors de séminaires, lui permettent, encore aujourd'hui, de compléter les études de ses prédécesseurs. Il s'y applique notamment dans l'analyse des relations interpersonnelles et dans l'examen de la typologie des cultures d'entreprise.

Sans doute ces grandes enquêtes quantitatives constituaient-elles un apport indéniable dans l'analyse des liens

1. Trompenaars, 1993.

de l'entreprise avec les cultures nationales, mais ne restaient-elles pas ancrées dans un mythe universaliste de management déjà dénoncé par André Laurent :

> « Il existe autant de modèles potentiels de management et d'organisation qu'il existe de cultures. Chaque culture dispose de talents spécifiques, uniques et différenciés dans ce domaine, comme dans les autres domaines de l'expression artistique[1]. »

L'itinéraire que j'avais prévu empruntait, certes, les chemins de l'entreprise, mais mon exploration ne visait pas la vérification de tendances culturelles françaises et anglaises évaluées à une échelle mondiale. Dans ce cas, un simple constat des différences entre Anglais et Français aurait conclu au caractère inévitable des malentendus et des conflits entre deux peuples si différents.

Non, mon voyage exploratoire devait se distinguer d'une étude de management interculturel d'entreprise, même s'il pouvait y contribuer par ses découvertes et même si les témoins avaient été rencontrés sur leur lieu de travail.

Non, mon voyage exploratoire ne pouvait être réductible à une collection de dimensions ou de paramètres indépendants, même si je ne marquais pas autant de sévérité que Hofstede envers son ancien élève Trompenaars dont il qualifiait l'étude, pourtant proche de la sienne, d'« approche *fast food* de la diversité et de la communication culturelle ».

La singularité des relations entre l'Angleterre et la France, la singularité de leurs langues respectives en interaction requéraient une préparation beaucoup plus soignée et appropriée à cette rencontre culturelle particulière.

1. Laurent, 1997.

La linguistique et l'ethnographie de la communication

Alors quels bagages, quels outils se prêteraient-ils à l'exploration interculturelle ?

Ce qui aiguisa mon intérêt de linguiste, ce fut la découverte que la plupart des témoins interrogés ne se rencontraient eux-mêmes que très rarement ; leurs jugements n'étaient fondés que sur des échanges téléphoniques, des courriers ou des fax.

Si échanges téléphoniques, courriers, fax, sans véritable face-à-face, provoquaient déjà des réactions de rejet et renforçaient même jugements et stéréotypes au fil des interactions, n'était-ce pas la preuve que la langue elle-même, écrite ou orale, utilisée pour communiquer, était porteuse de références culturelles telles qu'elles étaient susceptibles d'engendrer toute une cascade de réactions entre les deux groupes linguistiques en présence ?

Il fallait donc suivre une première piste qui explorerait les actes de langage susceptibles de provoquer surprise, malaise ou colère chez les interlocuteurs respectifs ; et c'étaient les acteurs de l'interaction eux-mêmes, les premiers concernés, qui seraient mes témoins privilégiés et me permettraient de construire un modèle de leurs propres interactions de communication.

C'est grâce à la pragmalinguistique, cette science du langage qui étudie la langue en contexte, c'est-à-dire la langue dans des situations vraies de dialogues quotidiens, et non pas dans des exemples tirés de livres de grammaire, que je pourrais donc découvrir les zones sensibles de la communication entre Français et Anglais.

Quelques doutes affleuraient encore avant de choisir définitivement ce premier bagage : l'échantillonnage retenu était-il suffisamment représentatif de chaque pays, notamment côté anglais ?

Il fallut soigneusement vérifier l'origine des anglophones afin de tenir compte des nuances introduites par des perceptions ou des comportements écossais ou gallois, par exemple.

Le nombre réduit des personnes rencontrées suffisait-il à constituer une base de données fiable ?

Il est vrai que cette base de données ne souffrait pas la comparaison avec celles des travaux de Hofstede et de Trompenaars qui concernent des milliers d'individus. Comment alors ne pas douter de la validité de ces données restreintes ?

Mon budget, le temps disponible n'avaient aucune commune mesure avec ceux consacrés à ces enquêtes de masse et surtout les buts étaient différents. La solution consistait à adopter l'exploration qualitative, de préférence à l'exploration quantitative de masse ; en effet, celle-ci correspondait et se prêtait mieux au type d'entretiens semi-directifs que j'avais choisi. A l'inverse de la recherche quantitative, les entretiens qualitatifs ne visent pas à vérifier, à l'aide d'un questionnaire unique, des connaissances sur un sujet donné pour en donner un rapport statistique, mais les questions suivent les réactions des interviewés dans le but de comprendre leurs attitudes et leurs comportements. Chaque entretien peut durer une heure ou plus et leur nombre total ne doit pas excéder le seuil de cent. Cette méthodologie se situe dans le champ de la recherche qualitative définie par Brenner[1] et que sociologues ou linguistes utilisent couramment. Je citerai l'exemple de la linguiste Anna Wierzbicka[2], qui, à partir de banques de données restreintes, parvient à décrire les règles en vigueur dans différentes communautés.

Grâce aux 60 témoignages de longue durée que j'avais

1. Brenner, 1987.
2. Wierzbicka, 1991.

recueillis — un nombre restreint certes, mais qui les situait dans le cadre de la recherche qualitative — il me serait donc possible de sélectionner des actes de langage dans chacune des langues et de faire émerger dans un premier temps, par la parole des interviewés eux-mêmes, les différences et spécificités des stratégies langagières, reflet de différences culturelles enracinées au plus profond de leur mémoire.

Partir de la rencontre entre deux cultures différentes par l'intermédiaire de l'interaction verbale n'est d'ailleurs pas une idée nouvelle. Les travaux de pragmalinguistique en offrent de nombreux exemples. Les études de John Gumperz (1982) et celles de Deborah Tannen (1982, 1990) ont mis en évidence des stratégies d'interaction conversationnelle très différentes entre locuteurs natifs anglophones dont les différences d'origine « ethnique » remontaient pourtant à plusieurs générations. Cette forme d'analyse relève de l'ethnographie de la communication. Le chercheur, tel un ethnologue, investit le domaine de la linguistique avec des paramètres sociaux, culturels et contextuels, qui lui permettent de ne pas réduire une langue à des règles purement linguistiques et lui offrent des perspectives de recherche sur les normes et les règles comportementales propres aux peuples qui la parlent.

Ainsi, la langue considérée comme le reflet d'une culture, peut, d'une part, devenir outil d'investigation de cette même culture dans le cadre de l'étude des relations interculturelles et, d'autre part, permettre de mettre en évidence le lien indissociable entre langue, culture et traits culturels profonds.

D'autres outils précieux d'exploration : les stéréotypes

Les attitudes d'ethnocentrisme* et d'exotisme* étaient présentes aussi bien chez les Français que chez les Anglais rencontrés et ne pouvaient échapper à l'analyse. Les comportements dits ethnocentriques et exotiques définissent le degré de fermeture ou d'ouverture à l'altérité culturelle.

L'ethnocentrisme s'impose le premier à l'observation car il se présente comme notre premier mouvement face à l'altérité, ainsi que le révèle Lévi-Strauss[1] :

> « L'attitude la plus ancienne, et qui repose sans doute sur des fondements psychologiques solides puisqu'elle tend à réapparaître chez chacun de nous quand nous sommes placés dans une situation inattendue, consiste à répudier purement et simplement les formes culturelles : morales, religieuses, sociales, esthétiques, qui sont les plus éloignées de celles auxquelles nous nous identifions. »

Bonne volonté, tolérance, curiosité sont sans doute un point de départ vers l'ouverture à l'autre mais ne suffisent pas à instaurer cette ouverture. « Notre regard sur l'autre est toujours de nature projective et ne peut avoir pour fondement et pour référence que notre propre culture[2]. » Ainsi aurons-nous tendance à interpréter ce qui est autre en l'identifiant dans le registre de ce qui nous est familier, semblable, commun, ou bien à l'inverse en le rejetant car trop différent et incompréhensible à notre jugement normé.

L'ethnocentrisme* sera générateur de phénomènes de stéréotypisation, formes bien rassurantes d'explications qui schématisent, rationalisent, généralisent et que l'on partage avec ceux qui possèdent la même norme. Le stéréotype lui-même reste peu clair quant à sa définition, comme le souligne Ruth Amossy[3], dans une tentative de cerner sa définition par l'utilisation qui en est faite en sciences sociales et en littérature :

1. Lévi-Strauss, 1961.
2. Ladmiral & Lipianski, 1989.
3. Amossy, 1989.

« Tantôt concept et tantôt idée, il est aussi croyance, attitude, jugement, image, représentation... En bref le stéréotype désigne tout ce que l'on sous-entend lorsqu'on catégorise quelqu'un comme un intellectuel, un banquier international ou un Bolchévique. »

Quelle qu'en soit leur définition, les stéréotypes ont la vie dure. Comparables à une sorte de cristallisation à un moment propice de l'histoire, ils se fondent dans une évidence d'explication partagée et survivent parfois plusieurs siècles à leur naissance très mystérieuse. Ne les reconnaissons-nous pas déjà dans ces impressions de voyageurs français livrées par le prêtre Estienne Perlin dans sa *Description des Royaulmes d'Angleterre et d'Ecosse* en 1558[1] :

« L'on peut dire des Anglois qu'ils ne sont point tant forts à la guerre et point dignes de foi en temps de paix.

Ce peuple puissant et séditieux a mauvaise conscience et ne tient jamais parole comme en témoigne l'expérience. »

Ou encore dans cette description par Gibson[2] des personnages français de Shakespeare dans *Henry V* :

« Tous les personnages français, sauf un seul, sont sémillants, suffisants, snobs et vaniteux. »

Depuis plus de quatre siècles survivent, de façon inexpliquée, les stéréotypes de la « perfide Albion » ou de la « frivolité » et de « l'arrogance » des Français. Ce sont ces mêmes stéréotypes qui confortent, de nos jours encore, les témoins de mon enquête dans leur jugement et leur analyse des différences et des difficultés qu'ils rencontrent, ce sont ces mêmes « différences reconnues [qui] vont pouvoir se servir mutuellement d'alibi[3] ».

L'ethnocentrisme* se déclinera également en linguo-

1. *In* Gibson, 1995.
2. Gibson, *ibid.* (traduit par l'auteur).
3. Demorgon, 1989.

centrisme* et mettra en évidence au niveau de la langue le manque d'ouverture à l'autre qui représente, là aussi, le « barbare », le « sauvage », celui que l'on rejette hors de sa propre humanité, une « humanité » qui « cesse aux frontières de la tribu, du groupe linguistique, parfois même du village[1] ». C'est ainsi que chacun fondant son jugement sur ses propres catégories langagières « normales » sera persuadé d'avoir raison, notamment en matière de traduction de documents de travail.

A l'opposé de l'ethnocentrisme, l'exotisme* manifeste un degré d'ouverture excessif à la culture de l'autre. Les phénomènes de stéréotypisation vont dans ce cas idéaliser l'autre, sa culture, sa langue et ses différences : « Là où l'ethnocentrisme privilégie les valeurs de la culture propre, l'exotisme valorise l'autre et l'ailleurs[2]. » Un des Français rencontrés ira jusqu'à idéaliser une culture mondialisée en affirmant :

« *Moi, je trouve que les Anglais sont tout à fait comme nous, tout comme je me sens proche d'un Chinois.* »

Souligner l'aspect négatif des attitudes ethnocentriques* ou exotiques* n'était nullement dans les intentions du chercheur, dans une exploration qui se garde de tout jugement. Les rejeter du discours des personnes interviewées aurait fait perdre une occasion de déceler une information utile qui apporterait une explication complémentaire à l'objectif de recherche. Puisque le but était de mettre en évidence des zones de tensions et de conflits possibles, l'émergence de réactions d'ethnocentrisme* ou d'exotisme* permettait de souligner les frustrations et les malaises de ceux qui manifestaient ces réactions. Ainsi prévenue de ces phénomènes de distorsion, qui ne sont distorsion que dans l'esprit des personnes qui en font

1. Lévi-Strauss, *op. cit.*
2. Ladmiral & Lipiansky, *op. cit.*

usage, le chercheur pouvait s'appuyer sur leurs perceptions pour les réutiliser dans une perspective d'interprétation de leurs attitudes verbales et comportementales, en plein accord avec les propos de François Poirier[1] :

> « La façon dont chacun représente l'autre se fonde davantage sur des préoccupations internes que sur une curiosité honnête : ce que les voyageurs français disent sur le Lancashire ou le pays de Galles est plus révélateur de leur conception de l'identité française qu'éclairant sur les contrées qu'ils visitent. »

Des outils interdisciplinaires

Le désir de comprendre dépasse le stade de l'observation.

Dans la démarche choisie, linguistique et ethnographie de la communication* apportaient un premier éclairage sur les spécificités culturelles, mais comme l'écrit Marina Yaguello[2], « si la linguistique a le droit et le devoir de s'ériger en science autonome (...), elle ne s'en situe pas moins sur un continuum avec les autres sciences de l'homme : puisque l'homme est au centre du langage et réciproquement ».

La volonté d'afficher le lien indissociable entre langue et culture rendait indispensable l'ouverture de l'exploration à d'autres domaines des sciences humaines. Le linguiste Edward Sapir énonçait déjà en 1929 qu'il est difficile pour un linguiste moderne de se confiner à son sujet traditionnel :

> « A moins qu'il ne soit dépourvu d'imagination, il ne peut faire autrement que de partager certains ou tous les intérêts mutuels qui le lient à l'anthropologie et à l'histoire des cultures,

1. Poirier, 1996.
2. Yaguello, 1984.

à la sociologie, à la psychologie, à la philosophie, et, de façon plus lointaine à la physique et la physiologie[1]. »

Comprendre les phénomènes culturels que j'avais identifiés dans la langue et les actions de communication reposait sur l'exploration de la mémoire des peuples anglais et français. Les résultats trouvés par l'analyse du discours seraient donc orientés vers une genèse des tendances culturelles observées. Il s'agirait de dresser le profil mémoriel des deux peuples, afin de mieux comprendre comment s'étaient cristallisées les idéologies contemporaines dans leur imaginaire respectif, sous forme de traits spécifiques qui transparaissent dans leurs pratiques linguistiques et communicatives.

Des spécialistes comme Jacques Pateau[2] ou Jacques Demorgon[3] ont tous deux souligné l'importance de l'histoire dans l'étude de l'interaction entre les peuples. Jacques Pateau propose un modèle diachronique d'exploration interculturelle tandis que Jacques Demorgon développe dans ses travaux la nécessité de recourir à l'histoire pour aborder l'étude de la résistance ou de la disparition des caractéristiques culturelles :

> « Les racines de nos conduites d'aujourd'hui se sont constituées au voisinage des conduites adaptatives d'hier. Comment ce sur quoi nous nous sommes ensuite produits dans nos propres originalités pourrait-il disparaître de sa place de base première ? Les problématiques demeurent en profondeur les mêmes. »

La réflexion sur l'histoire ne pouvait éluder les travaux de Pierre Nora[4] sur les lieux de mémoire français. Selon Pierre Nora, il faut entendre ces lieux à tous les sens du mot :

1. Sapir. *In* Verschueren, 1995, p. 13 (traduit par l'auteur).
2. *Op. cit.*
3. Demorgon, 1996.
4. Nora, *Les lieux de mémoire*, tome I : *La République*, 1984 ; tome II : *La Nation*, 1986 ; tome III : *Les France*, 1992.

> « Du plus matériel et plus concret, comme les monuments aux morts et les Archives nationales, au plus abstrait et intellectuellement construit, comme la notion de lignage, de génération, ou même de région et d'"homme-mémoire" [1]. »

Le modèle développé par Nora pour rendre compte de la construction de la mémoire d'un peuple n'est pas exclusif d'autres applications. Son extension aux représentations de l'identité du peuple anglais constitue une richesse supplémentaire dans l'exploration interculturelle franco-anglaise, notamment avec l'exploration de « lieux-carrefours, traversés de dimensions multiples [2] » : dimension historiographique, dimension ethnographique, dimension psychologique, dimension politique, toutes dimensions elles-mêmes traversées par le regard croisé de l'histoire des deux peuples en présence.

Je décidai donc à mon tour d'interroger l'histoire, ou plus exactement, l'histoire des idées des deux peuples en présence pour tenter de découvrir comment ces conduites avaient pu, en quelque sorte, se cristalliser à un moment propice de l'histoire de leur culture respective. Les modèles proposés par Pateau et Demorgon, la lecture des travaux de Pierre Nora m'incitèrent à explorer plus particulièrement des lieux de mémoire aussi prégnants que l'héritage anthropologique et les représentations des structures familiales, les mythes de filiations symboliques, l'histoire des affinités religieuses et enfin, symbole du métissage et du foisonnement croisé de nos destins idéologiques : l'histoire du dialogue des philosophes anglais et français du Contrat social.

1. Nora, 1997, p. 15.
2. Nora, *ibid.*

— LES LIMITES DU VOYAGE —

L'interprétation ethnocentrique du chercheur lui-même

Un risque de distorsion évident était lié au regard du chercheur lui-même. Ce risque déjà présent dans la situation d'interview, puisque l'origine française de l'enquêteuse était susceptible d'influencer le processus d'interaction, posait les mêmes problèmes de déformation au moment de l'analyse et de l'interprétation des données. Consciente de ce danger, j'ai très souvent fait appel à des Anglais qui ont eux-mêmes relu certaines interprétations et avec qui je pouvais discuter les effets pervers possibles de ma propre identité. Si j'espère avoir limité les effets de ma subjectivité, je ne peux toutefois prétendre à une neutralité complète !

D'autre part, les entretiens semi-directifs présentent davantage d'impartialité et j'ai pris la précaution, chaque fois que possible, de recouper les témoignages des personnes interviewées afin de ne pas tomber dans une interprétation trop hâtive et orientée unilatéralement des données. Même si parfois un seul exemple est cité pour illustrer une tendance, cet exemple a été sélectionné parmi d'autres qui apportent confirmation du trait observé.

Finalement, après avoir interprété mes données, j'ai comparé mes résultats avec ceux d'Helga Schenzer[1] qui avait elle-même mené une série d'interviews auprès d'acteurs de la coopération franco-britannique. La nationalité de l'enquêteuse allemande apportait un critère de validation supplémentaire à l'objectivité que je m'efforçais d'atteindre.

---

1. *Op. cit.*

C'est donc avec le souci d'éviter le piège d'interprétations qui se seraient approprié le discours de mes interviewés pour le reconstruire dans mes propres catégories que j'ai élaboré mon analyse. La conscience de l'élément humain présent dans toute collecte de données ainsi que leur interprétation fut constamment à l'origine d'un processus de remise en question :

• dans quelle mesure la sélection des interviewés n'affectait-elle pas déjà l'analyse des données : pourquoi avaient-ils accepté l'entretien ? Qui les avait sélectionnés ?

• dans quelle mesure avais-je la compétence pour recueillir et analyser les données ?

• dans quelle mesure mes résultats ne constituaient-ils pas une production particulière de mon interaction avec un individu ?

• dans quelle mesure mon interprétation n'allait-elle pas affecter les résultats et graphiques que j'allais présenter ?

Selon Pierre Bourdieu[1], la situation d'enquête crée une conjoncture artificielle :

> « [Elle est] un artefact linguistique que produit le seul fait de la mise en relation d'un "compétent" et d'un "incompétent", d'un locuteur autorisé et d'un locuteur qui ne se sent pas autorisé. »

William Labov[2] avait réussi à briser cet artefact linguistique grâce à une méthode qui reposait sur l'anonymat de l'enquêteur, notamment lors de son enquête sur la stratification sociale de la prononciation du *r* auprès des vendeurs de trois grands magasins new-yorkais. Les magasins sélectionnés pour cette enquête étaient chacun représentatifs d'une strate sociale différente et devaient, selon l'hypothèse de Labov, produire chez les employés des comportements linguistiques en relation avec le plus ou moins grand pres-

1. Bourdieu, 1984.
2. Labov, 1976.

tige de la clientèle. L'enquêteur se faisait passer pour un client et demandait un renseignement sur l'emplacement d'un rayon précis — en l'occurrence au quatrième étage — ce qui lui permettait tout naturellement et systématiquement d'obtenir en réponse, voire de faire répéter, l'acte de langage : prononciation du *r* dans *fourth* (quatrième), sur lequel il travaillait. On l'aura compris, ce type de procédure anonyme qui est concevable dans le cadre d'une enquête quantitative sur la prononciation, ne saurait être mis en place pour aborder les questions sur la perception de la langue et de la culture de l'autre.

Il fallait donc bien, au terme de ce questionnement préparatoire au voyage interculturel, se lancer dans l'aventure. Et vous, lecteur qui m'accompagnez dans cette exploration, vous en conviendrez sans doute : s'il est vrai que l'objectivation des problèmes et des dangers qui guettent le chercheur l'aide à réduire l'influence de sa subjectivité, celui-ci se doit également de se montrer parfois hardi dans son approche, car qui, à part lui, puisqu'il est chercheur, donc quelque peu aventurier, pourrait manifester une telle audace et accéder à la découverte ?

C'est dans cet état de veille de voyage que je vous convie maintenant à m'accompagner sur la voie de la découverte et à suivre notre exploration qui débute par l'investigation de la langue elle-même et de ses liens avec la culture.

CHAPITRE 2

Aborder les rives de la langue de l'autre

Les sons sont des signes arbitraires et indifférents de quelque idée que ce soit, un Homme peut employer tels mots qu'il veut pour exprimer à soi-même ses propres idées ; et ces mots n'auront jamais aucune imperfection, s'il se sert toujours du même signe pour désigner la même idée (...). La principale fin du langage dans la communication que les Hommes font de leurs pensées les uns aux autres, étant d'être entendu, les mots ne sauraient bien servir à cette fin (...) lorsqu'un mot n'excite pas, dans l'esprit de celui qui écoute, la même idée qu'il signifie dans l'esprit de celui qui parle.

Locke.

La compréhension est un cas particulier du malentendu.

Culioli.

Aborder la langue de l'autre pour explorer sa culture n'est pas une préoccupation récente, ainsi que le rappellent Ladmiral et Lipiansky[1] :

> « Le lien profond et subtil entre une langue et les traits caractéristiques d'une culture est une intuition qui s'inscrit dans une longue tradition. »

De Rivarol à Valéry, l'intuition de ce lien est formulée parfois de façon naïve :

1. Ladmiral & Lipiansky, 1989, p. 96.

> « [Il y a] dans la langue de France des traits et des singularités que je ne puis m'expliquer que par les caractères mêmes de la nation[1]. »

La linguistique a trouvé au XXe siècle de nouvelles formulations plus rigoureuses. L'hypothèse Sapir-Whorf, qui associe le nom de deux linguistes, énonce que les langues parlées par des locuteurs natifs construisent des catégories qui agissent comme une grille à travers laquelle nous percevons le monde et qui régissent la façon dont nous classons et conceptualisons différents phénomènes. Cette thèse, largement discutée, a elle aussi ses limites, ne serait-ce que parce qu'une même langue peut être parlée dans des lieux géographiques et culturels très divers. Si l'on ne se contente pas de réduire le rapport entre langue et culture à un rapport morpho-syntaxique et si l'on inverse la proposition de Sapir-Whorf, on dira que nos représentations du monde vont influencer la façon dont nous construisons notre langue. Ainsi, considérant que « la langue est un miroir culturel[2] », on pourra y trouver trace de la construction de notre univers social et culturel.

Aux côtés des linguistes[3], les didacticiens des langues[4] soulignent la prise en compte inévitable de la culture dans l'apprentissage d'une langue étrangère. Sociologues et anthropologues se sont également intéressés au lien entre langue et culture. Pierre Bourdieu[5] soutient qu'on ne peut analyser les phénomènes d'interactions linguistiques sans prendre en compte les rapports qui sont transcendants à la situation :

> « La description interactionniste des rapports sociaux (...) devient dangereuse (...) si on oublie que ce qui se passe entre

1. Valéry cité par Ladmiral & Lipiansky, *ibid.*
2. Yaguello, 1978, p. 8.
3. *Culture happens when you learn to use a second language*, Agar, 1994, p. 20.
4. Kramsch, 1993.
5. Bourdieu, 1984, p. 127.

deux personnes, entre une patronne et sa domestique ou entre deux collègues ou entre un collègue francophone et un collègue germanophone, ces relations entre deux personnes sont toujours dominées par la relation objective entre les langues correspondantes, c'est-à-dire entre les groupes parlant ces langues. Quand un Suisse alémanique parle avec un Suisse francophone, c'est la Suisse allemande et la Suisse francophone qui se parlent. »

De leur côté, les anthropologues cognitivistes ont appliqué au discours leur recherche sur les *cultural models*[1]. Ces modèles culturels, « modèles du monde présupposés, considérés comme allant de soi partagés par les membres d'une société[2] », transposés dans le contexte de la langue, vont s'affronter en situation d'échange entre locuteur natif et locuteur de langue étrangère et seront susceptibles de provoquer étonnement, surprise, frustration ou malentendus.

Dans le cadre de l'interaction linguistique de la communication franco-anglaise, ces thèses semblent particulièrement fondées. Bien que, pour la plupart, les échanges se limitent à une communication par téléphone, par fax ou par courrier, les témoignages des personnes interviewées font état de difficultés et de réactions, parfois très fortes, à ce qu'on pourrait penser n'être que des échanges neutres et professionnels. A travers la langue elle-même se profile donc déjà une confrontation au niveau de stratégies linguistiques caractéristiques de chaque culture et qui est susceptible de générer des malaises et des rejets. Comment chaque locuteur appréhende-t-il l'apprentissage de la langue de l'autre ? Comment apprécient-ils leurs niveaux de compétence réciproques ? Quelles sont les zones de dysfonctionnement identifiables au cours des échanges ? Ce sont ces représentations croisées que vous présentent directement les témoins de l'enquête.

1. R. d'Andrade. *In* Holland & Quinn, 1987, p. 112.
2. *Ibid.*, p. 4 (traduit par l'auteur).

— LA MAÎTRISE DE LA LANGUE DE L'AUTRE —

Qui peut se targuer de n'avoir jamais senti une onde d'appréhension le parcourir, avant de se lancer, en conditions réelles, dans son premier dialogue en langue étrangère ? Anglais et Français n'échappent pas à la règle et les deux communautés avouent leur inquiétude [1] à l'anticipation d'un premier échange. Toutefois cette inquiétude est très variable suivant les compétences linguistiques et suivant la situation de communication.

Dans la situation de communication en anglais avec des non-natifs, Italiens ou Allemands, par exemple, les Français font preuve d'une plus grande confiance en eux, à la différence de la situation de communication qui les met en présence de natifs anglophones :

« On ne se sent pas jugés sur notre niveau de langue quand on parle en anglais avec des Italiens ou des Allemands », rapportent-ils.

Dans la seconde situation évoquée (Français face à des natifs anglophones, ce qui est notre cas d'étude) il semble que les deux groupes soient à égalité face à l'approche de la langue de leur interlocuteur et au jugement de valeur sur leur niveau, jugement redouté et qui se trouve à l'origine consciente ou inconsciente de leur appréhension.

1. Une inquiétude qui pourra même les mener à ce que les linguistes nomment : *choc linguistique**, Schumann, *op. cit. In* Jensen & *al.*, 1995.

Ceux qui n'ont pas ou peu de compétence en langue étrangère

Les Français qui ne parlent que peu ou pas anglais

Imaginez l'appréhension de Jean, les premiers jours de travail dans la filiale française d'une société britannique, sachant que ses fonctions l'amènent à traiter quotidiennement par téléphone avec des collègues anglais et qu'il ne sait pas parler anglais. Quel ne fut pas son soulagement de découvrir que ses interlocuteurs attitrés parlaient français !

« Donc, vous avez toujours un interlocuteur qui parle français ?... Mais est-ce que c'est un Français ?

— Quasiment, oui.

— Un Français quasiment ?

— Non, non, les interlocuteurs de la section internationale, c'est pas des Français, la plupart sont anglais, sauf une qui est une des responsables, qui est belge... ce qui est bien pratique (petit rire gêné) *... parce qu'elle est francophone. »*

Il avouera que son appréhension concernait non seulement son incapacité à parler anglais, mais également la capacité de ses interlocuteurs anglais à parler français.

Même inquiétude des premiers jours pour François, malgré un bagage linguistique qu'il qualifie de « niveau d'étudiant français moyen ». Son appréhension sera bien vite levée puisqu'il sera amené à téléphoner cinq à six fois par jour en Angleterre. Son appréhension de départ a été levée non seulement par la fréquence d'utilisation lors d'appels téléphoniques, mais également par le modèle offert par son supérieur hiérarchique :

« Et puis ça se lève très, très rapidement cette appréhension. Il suffit d'écouter N. parler. Elle a un niveau de

vocabulaire et de construction, de syntaxe anglaise qui est tout à fait correct, mais elle a un accent ! Alors là, il faudrait l'enregistrer cinq minutes, c'est à mourir de rire, à mourir de rire. »

Sa peur de « faire des fautes » ou de « mal prononcer », cette latophobie [1] très française et sans doute favorisée par l'approche française de l'apprentissage, s'était en effet bien vite évanouie devant le peu de complexes affichés par sa directrice quant à son niveau de production de l'anglais.

Virginie, elle, ne montre pas vraiment d'inquiétude mais apprécie que la communication puisse être facilitée du fait d'avoir à traiter avec un interlocuteur francophone :

« *Souvent, ils mettent les Français sur les études françaises, ça aide !* » dit-elle.

Les Anglais qui ne parlent que peu ou pas Français

Interrogé sur ses connaissances en langue étrangère, Bruce admet son incompétence et déplore son inaptitude à apprendre le français :

« *Lorsque je suis arrivé ici, il y a trois ans, j'avais vraiment espéré apprendre rapidement le français. Complètement faux !* »

Il ira jusqu'à avouer sa honte de n'avoir pu progresser et sa déception devant ce qu'il considère comme un échec personnel important.

Stephen, qui travaille pour la même société, explique que leur lieu de travail ne les éloigne pas suffisamment du Royaume-Uni et par conséquent de leur sphère anglophone :

« *Le problème que nous avons ici, c'est la proximité.*

1. Claude Hagège, 1996.

Ça nous est très facile, trop facile de retourner au Royaume-Uni. Ajoutez à cela le problème du nord de la France avec l'accès à la télévision britannique, c'est pour cela que je n'ai pas appris le français, c'est à cause de l'anglais, en fait ! »

Bruce conclura avec humour sur les raisons de la lenteur de leurs progrès en disant qu'*« il n'y a pas assez de français à Calais »* ; comprenez le peu de diffusion de la langue française et non pas le nombre de personnes françaises.

Pamela souligne la difficulté et même l'obstacle difficilement franchissable que représente l'apprentissage du français pour un Anglais. Les Français, placés en situation d'utilisation d'une langue étrangère lui semblent faire preuve d'une plus grande réussite et d'une plus grande assurance :

« Je parle français sans doute plus lentement qu'un Français qui parlerait anglais, parce que je pense que les Français ont davantage confiance et s'en sortent mieux avec une langue étrangère. »

Lorsque la confiance en soi s'instaure, à l'inverse des Français qui paraissent se diriger vers une compétence écrite, l'assurance, côté anglais, concerne la langue orale :

« Je me sens particulièrement sûr de moi quand je parle, pas quand j'écris », dira Robin, tandis que Donald remarquera :

« Souvent, les Français écrivent l'anglais bien plus clairement que nous ne le faisons. »

Le choix de la langue de communication : qui parle la langue de qui ?

Remarques des Français : une pseudo-supériorité linguistique des Français ?

Il semble qu'un certain degré de connaissance de l'autre soit nécessaire pour que l'interlocuteur anglais se risque à user spontanément du français au téléphone.

Le choix de la langue dépend avant tout de celui qui appelle. Les Français remarquent que lorsqu'ils ont un interlocuteur anglais au bout du fil, celui-ci n'engagera pas spontanément la conversation en français à moins que son interlocuteur français n'ait lui-même « démarré » en français.

Tout en se défendant de tout jugement, François souligne la réticence des Anglais à employer spontanément le français dans les communications téléphoniques. Interrogé plus avant sur les raisons de cette réticence, il met l'accent sur l'appréhension et le complexe d'infériorité qu'éprouveraient, selon lui, les Anglais :

« Moi je déclare à qui veut l'entendre que j'ai un anglais non pas parfait, loin d'être bilingue, mais je me débrouille dans n'importe quelle situation, n'importe quel endroit de la planète. Point. L'anglais francophone se sous-estime, selon moi, c'est-à-dire au niveau de l'accent ou du niveau de langage acquis ; quand bien même ils auraient un niveau plus qu'excellent. Disons, je le ressens comme ça, c'est peut-être faux, mais je le ressens comme ça. »

Le choix initial de la langue d'échange n'exclut pas quelques aménagements. Virginie décrit ces « petites conversations particulières » où l'on change de langue au beau milieu du dialogue, parce que l'on sait que les connaissances réciproques de la langue de l'autre permettent de jongler sur un pseudo-bilinguisme :

« Mais par contre on va parfois avoir des conversations un petit peu particulières : je vais embrayer en français parce que tout d'un coup je trouve plus le mot, je suis fatiguée ou n'importe quoi et cela va continuer en anglais. Comme ils sont tous bilingues et on le sait et que eux, ils savent qu'on est aussi bilingues anglais, même s'ils parlent français et qu'ils trouvent pas un mot, ils vont me le dire en anglais et on va déjà s'expliquer et vice versa quoi. »

Cette forme de « bilinguisme » joue, en arrière-plan, un effet sécurisant sur les deux communautés linguistiques qui savent avoir la possibilité de recourir à leur propre langue au cours de l'échange, en cas de défaillance. La connection à l'une ou l'autre langue au cours d'un échange ou *code-switching** est, du reste, un phénomène souvent décrit par les ethnographes de la communication [1].

La même stratégie est adoptée par Odile qui veut avoir l'assurance de se faire mieux comprendre d'Anglais dont, dira-t-elle, « le français laisse à désirer ».

Même si le choix de la langue utilisée dépend de celui qui appelle, on constate le plus souvent la tendance à adopter l'anglais comme langue privilégiée dans l'échange, quel que soit le niveau de compétence des Anglais en français. Suprême évidence, me direz-vous. Sachez pourtant que ce sont les Français eux-mêmes qui vont favoriser cet usage. Lorsqu'on entend Laurence affirmer qu'elle choisit d'elle-même de parler en anglais avec ses interlocuteurs, s'agit-il de *code-switching* ? Interrogée sur sa préférence à entretenir la conversation en anglais, Laurence l'attribue à une moindre compétence de ses interlocuteurs à s'exprimer en français. En conséquence,

1. *A change in languages within a single speech event*, Muriel Saville-Troike, 1989, p. 58.

c'est bien elle qui choisira d'imposer la langue anglaise à ses interlocuteurs anglais !

Jacques préfère également l'anglais au français dans les échanges pour éviter, dit-il, les risques de malentendus dus aux erreurs d'interprétation. Il consent toutefois à parler français avec son interlocuteur anglais lorsque celui-ci en manifeste le désir et « pour lui faire plaisir », mais insiste sur sa préférence à parler en anglais.

On le décelait déjà dans le témoignage d'Odile : c'est le manque de confiance de Laurence et Jacques dans la capacité de leurs interlocuteurs à s'exprimer en français qui les conduit à quasiment imposer leur propre compétence de conversation en anglais. Cette pseudo-supériorité des Français en anglais est-elle de l'arrogance vis-à-vis des Anglais trop modestes ? Qu'en pensent les Anglais eux-mêmes ?

Remarques des Anglais : avis partagés

Côté anglais, l'aveu du manque de compétence en français est immédiat et le choix de la langue de communication ne se pose même pas :

« Cela vous arrive-t-il de parler en français avec les gens de la filiale française ?

— Non, je ne parle pas un mot de français. »

Tom, en manière d'explication, avancera le fait que peu de gens parlent français en Angleterre. Quelque peu embarrassé, il avouera que ses compatriotes comptent sur les autres pour parler leur propre langue.

Robin, plus jeune de quinze ans, commencera par commenter le système scolaire anglais qui ne favorisait guère, « de son temps », c'est-à-dire dans les années 70 à 80, l'apprentissage des langues étrangères. Il est vrai qu'à cette époque, l'étude des langues ne faisait pas partie des matières communément étudiées, ni obligatoires. A l'inverse de Tom, Robin exprime une vive désapprobation à l'encontre de ses compatriotes et de leur désintérêt pour les langues étrangères. Lui-même parle couramment français et utilise spontanément la langue française pour communiquer avec ses collègues français, mais son parcours scolaire est particulier puisqu'il a vécu avec ses parents en Belgique, y a effectué une partie de sa scolarité et y a appris le français. De retour en Angleterre ses études lui ont permis de faire des stages à l'étranger. A l'époque de l'enquête, il travaillait en France dans une entreprise où il était le seul employé anglais.

Bien entendu, il faut reconnaître que la différence d'âge entre Tom et Robin (55 ans / 30 ans) et la différence de cursus scolaire ne leur permettent pas d'avoir le même regard sur le niveau de compétence des Français.

L'appréciation du niveau de l'autre

Côté anglais : l'admiration

Interrogé sur la qualité de l'anglais parlé par les Français de sa société, Robin s'exclamera :

« *Superbe, superbe ! La plupart des professionnels français parlent anglais. On ne peut pas en dire autant des Anglais. On trouve très peu de gens qui parlent français en Grande-Bretagne à un niveau professionnel.* »

Tom, qui pourtant affichait une certaine gêne sur la non-réciprocité des compétences, se félicite que les leçons d'anglais prises par le personnel français du groupe aient été très bénéfiques à la compréhension réciproque. Il précise toutefois, en manière d'excuse (?), que la langue anglaise est la langue standard de communication dans la société. Pour lui, les obstacles à la communication se limitent à des problèmes de maîtrise de langue, notamment la traduction des termes techniques. On retrouvera, côté français, les mêmes remarques sur des traductions de détail.

Pour Tony, l'appréciation de la compétence passe par une analyse des deux langues et des techniques d'enseignement. Dans sa forme écrite, le français lui paraît une langue très « formelle » qui s'appuie sur des connaissances formelles de la langue, à la différence de l'anglais, langue qu'il trouve plus « informelle » et qui, en conséquence, se satisferait d'un apprentissage plus informel auprès des écoliers britanniques. La différence d'enseignement irait jusqu'à expliquer, selon lui, que des non-natifs puissent comprendre plus facilement que des natifs la structure de la langue anglaise. Mieux entraînés grâce à l'apprentissage de leur langue maternelle difficile, les Français seraient plus aptes à l'étude de la structure et de la compréhension de l'anglais que les Anglais eux-mêmes !

« J'ai remarqué, dit-il, *que les Français quand ils étudient l'anglais, comprennent la structure de la langue certainement mieux que les Britanniques eux-mêmes. A cause de la difficulté peut-être à comprendre le français du fait de sa structure, les Français viennent à l'anglais avec cette connaissance de la structure au plus profond d'eux-mêmes, ce qui est un grand avantage. »*

Donald confirme l'avantage des Français sur les Anglais : pour lui, la grammaire a été une véritable révélation !

« Quand je suivais les cours de français à Z., je me suis aperçu que tout était dans la grammaire et ça, c'est quelque chose qu'on ne nous apprend pas en Grande-Bretagne. »

Il relate sa difficulté à différencier les verbes et les temps, face aux Français qui lui semblent « mieux armés », de ce point de vue, pour aborder l'allemand, l'italien, l'espagnol ou toute autre langue. Il ajoutera que les

Français savent bien mieux écrire l'anglais que les Anglais eux-mêmes !

L'analyse très pertinente de Tony, qui a une longue expérience de travail en contexte international, ainsi que le témoignage de Donald reprennent l'opposition oral / écrit remarquée plus haut. Très souvent les Anglais associeront, dans leurs témoignages, l'aspect formel de la langue et des structures françaises à une compétence de l'écrit, en opposition avec l'aspect informel et pragmatique de la langue anglaise orientée vers une compétence orale.

Côté français : de la complicité indulgente à la critique

Jean, on l'a vu, ne parle pas du tout anglais. En situation d'infériorité, du fait de son ignorance de la langue anglaise, il reconnaît dans un premier temps le niveau de compétence de ses interlocuteurs et apprécie le plaisir qu'ils semblent prendre à manier la langue française. Son appréciation se teinte toutefois d'une petite restriction lorsqu'il souligne que les formules employées sont souvent « stéréotypées » :

« Ils parlent pas mal, hein ! Il faut dire aussi qu'on a des échanges téléphoniques avec des formules stéréotypées liées au type de travail qu'on fait. »

Dans un deuxième temps il s'étonne, sans s'irriter, de quelques petits problèmes de traduction : les nuances, l'emploi fréquent du mot *versatile* dans un sens, dit-il, « *qui n'a rien à voir avec le français* ».

L'étonnement de Jean n'est pas surprenant. En égard à une compétence limitée en anglais, son jugement ne peut être que très centré sur les catégories de sa propre langue maternelle. On pense ici à la *folk theory of language* [1], qui

1. Kay. *In* Holland & Quinn, 1987, p. 68.

repose sur l'idée que tout lexique naturel implique une conceptualisation tacite et structurée de la matière à laquelle les mots de ce lexique font référence. En d'autres termes, nous construisons une théorie tacite et inconsciente de notre langue et de notre discours, susceptible de nous conduire à un manque de sensibilité aux limites de notre propre langue et de provoquer des réactions de linguocentrisme*. Le centrage sur les catégories de la langue maternelle s'exprime notamment dans l'*a priori* du natif qui juge avoir toujours raison lorsqu'il s'agit de sa langue, puisque c'est « sa » langue. Le manque de sensibilité à la perception des limites de la compétence linguistique en matière de traduction sera à l'origine de débats houleux entre natifs anglophones et natifs francophones, chacun arguant d'une meilleure compétence et se repliant sur ses propres catégories langagières.

Odile qui travaille dans la même société que Jean se heurte, elle aussi, à ce type de problèmes, d'autant plus que son travail ne la limite pas à l'utilisation de termes et de codes précis comme Jean, mais comprend l'interprétation et la traduction de questionnaires d'enquête. Sous la pression de ses partenaires anglais, elle essaie de dépasser le stade du linguocentrisme pour accéder à une plus grande sensibilité à la langue et à une plus grande fidélité de sa traduction :

« Il y a certaines personnes qui me font comprendre, "t'es pas aussi bonne que ça, tu ne peux pas te permettre de nous faire croire que ta traduction est parfaite". Et je leur dis, "attendez, je suis française, je sais comment on dit les choses" et ils vont tout faire, ils poussent en disant, "nous, on sait qu'il y a mieux que ça". Donc, ça me pousse à réfléchir et souvent, je demande, je vais voir d'autres départements, j'en parle avec ma collègue et à d'autres moments, pour avoir une idée toute fraîche, je

vais voir quelqu'un à l'extérieur qui ne travaille pas du tout dans le sujet. »

Si Jean en restait au stade de l'étonnement et Odile acceptait de se remettre en question, Virginie, en revanche, tout en reconnaissant le bon niveau de compétence linguistique de ses correspondants anglais, s'irrite de la correction qu'ils veulent exercer sur la traduction de documents anglais en français.

« Au lieu de marquer une phrase qui veut dire exactement la même chose, si c'était pas le mot qu'ils voulaient employer, ça va pas aller et pourtant ils sont pas français, donc en plus....

— Dans la langue française ?

— Dans la langue française, donc, en plus, parfois c'était extrêmement pénible de se faire corriger en français, alors que nous, on est sûrs de notre coup, on sait que ce mot-là est plus employé que celui-là par exemple, que nos interviewés[1] *vont mieux comprendre le mot X, alors que si on emploie un mot Y qui veut dire la même chose, mais quand même, c'est pas le même langage, ça n'ira pas. Ben non ! Eux sont persuadés que c'est le mot X et pas le mot Y... C'est vrai qu'ils parlent, pour beaucoup, parlent très, très bien français, enfin bon, ce sera jamais aussi bien que nous évidemment, mais enfin, c'est vrai qu'il y en a qui parlent vraiment très, très bien français, donc ils sont assez sûrs d'eux et de ce qu'ils avancent par rapport à l'anglais. C'est aussi le problème de traduction, c'est-à-dire qu'eux, ils comprennent que cette phrase en anglais, ils comprennent très, très bien le sens, nous, on le comprend mais pour le retraduire, on n'est pas forcément sur la même longueur d'ondes donc, eux estiment que ce mot-là est plus fidèle à cette traduction, mais nous,*

1. Virginie travaille pour une société de marketing qui a recours à la technique de sondage par interview.

en tant que Français, on estime que ce mot-là est plus fidèle, alors là, on se bat un peu parce que eux, ils disent, ben nous, on est anglais, donc on comprend mieux ce qu'on a voulu dire mais nous, on est français alors on sait bien qu'il vaut mieux dire ça pour le faire comprendre. Donc ça, ça m'est déjà arrivé de dire, bon attendez, là, ça suffit on va pas corriger cinquante millions de fois, on est français, on sait ce qu'on a à dire et il faut quand même respecter, parce que c'est après tout, nous, notre pays et notre langue. Donc ça, c'est vrai que c'est parfois énervant quand on est français de se faire corriger du français. Bon, je parle pas de l'orthographe parce que ça, ça arrive mais sur des mots de vocabulaire, le nombre de fois où, effectivement, il a fallu se battre pour dire c'est ce mot-là et pas un autre, et c'est vrai que pour ces problèmes de traduction, c'est pas toujours évident. »

Dans ce long extrait au rythme haché, martelé de répétitions qui expriment la tension éprouvée par le locuteur, l'agacement ne porte plus seulement sur le linguocentrisme* de chacun des interactants — le natif a toujours raison, la fidélité de la traduction ou la compréhension des limites de traduction — mais sur un abus de pouvoir exacerbé par les relations maison mère anglaise / filiale française. Cette lutte de pouvoir est ressentie à travers l'imposition et la trahison de modèles linguistiques inacceptables de part et d'autre, puisque cela conduit à « se battre ».

Un paradoxe étonnant

Une fois passées les premières appréhensions de l'utilisation de la langue étrangère et du jugement sur son propre niveau ou son accent, on constate que chacun s'installe dans un système de relations qui tient compte du niveau de compétence ou du degré de connaissance qu'il a de son interlocuteur. Selon les témoignages recueillis, un Anglais n'utilisera pas spontanément le français, sauf s'il est suffisamment confiant, car sûr d'en avoir une maîtrise parfaite, ou lorsqu'il sait que son interlocuteur ne parle pas anglais, ou bien parce que l'ayant rencontré en Angleterre, il a établi une relation personnelle avec lui, ou encore parce qu'il se sentira invité à le faire lorsque celui qui l'appelle s'adresse à lui en français.

Les Français, malgré leur réputation de piètres locuteurs de langues étrangères, semblent faire preuve d'une plus grande compétence en anglais que les Anglais en français. Ils remarquent une certaine réticence des Anglais à utiliser le français, et les Anglais reconnaissent la non-réciprocité de compétence. On note donc le paradoxe suivant : la langue anglaise qui domine les échanges peut engendrer un sentiment de supériorité chez certains Anglais, tandis que la compétence en langue anglaise des Français peut, à l'inverse, engendrer un sentiment d'infériorité chez ces mêmes Anglais.

Lorsque l'échange a été instauré entre collaborateurs, des aménagements sont possibles avec des bascules d'une langue vers l'autre, c'est-à-dire le *code-switching**, suivant le degré de compétence ou de fatigue des interactants. Les tensions naissent le plus souvent lorsque les échanges entre collaborateurs nécessitent une traduction de messages ou de questionnaires. Dans ce cas, chaque partie reste très centrée sur sa langue, arguant de son origine pour faire valoir une plus grande sensibilité à l'interprétation du lexique ou des expressions idiomatiques. C'est ce que l'on a appelé le linguocentrisme* qui, lorsqu'il entre en combinaison avec les relations de pouvoir, pourra exacerber tensions et conflits entre maison mère et filiale. Le linguocentrisme* se manifeste particulièrement à travers les transferts que je vous propose d'analyser dans la section qui suit.

— LES TRANSFERTS —

Bien des échecs de communication sont dus aux réactions de linguocentrisme*. Dérivés du linguocentrisme*, les transferts de la langue maternelle vers la langue cible ou l'interlangue* produisent un discours où le locuteur va user de formes ressenties comme équivalentes mais qui, à la réception, seront évaluées très différemment. C'est ce que Jenny Thomas[1] définit comme l'échec pragmalinguistique (*pragmalinguistic failure*) et l'échec sociopragmatique (*sociopragmatic failure*).

Les linguistes ont tenté de distinguer deux sortes de transferts : tout d'abord, les transferts ayant trait à la sémantique, ce que Leech[2] décrit comme la compétence grammaticale et que Jenny Thomas définit comme le système décontextualisé d'une langue ; ensuite les transferts ayant trait à la pragmalinguistique[3], c'est-à-dire une situation où le locuteur va orienter son discours afin de produire un effet sur son interlocuteur. Les transferts sémantiques liés à une maîtrise insuffisante de la langue étrangère donneraient lieu à des erreurs de type lexical, syntaxique, voire prosodique. En voici quelques exemples.

Transferts dits lexicaux

Les erreurs de traduction illustrent les problèmes posés par les mots identiques dans la langue maternelle et la

1. Thomas, 1983.
2. Leech, 1983.
3. « The use of language in a goal-oriented speech situation in which S [the speaker] is using language in order to produce a particular effect in the mind of H [the hearer] », Thomas, *op. cit.*

langue seconde. Martin a parfaitement cerné l'écueil représenté par ces mots d'apparence identique en français et en anglais, les « faux amis » ; il en fait même une des causes principales de malentendus entre Anglais et Français :

« La plupart du temps, ce qui se passe provient de malentendus basés sur la langue, sur des mots qui se ressemblent beaucoup mais ont une signification différente. »

Dans le témoignage de Jean *(supra)*, le mot *versatile* est un exemple typique de l'emploi d'un « faux ami ». Si l'on consulte le dictionnaire français [1], on trouve la définition suivante : *sujet à changer brusquement de parti, à tourner selon le vent ; exposé à des revirements soudains*, ce qui implique que le sujet est changeant, inconstant, voire lunatique.

Dans le dictionnaire anglais, la définition est tout autre [2] : *having many different kinds of skill or ability, easily able to change from one activity to another ; having many different uses*. On constate donc que l'implication en anglais n'est pas péjorative, ce qui confirme la traduction du dictionnaire bilingue *Robert and Collins Senior* : *aux talents variés, doué en tous genres ; souple ; universel, encyclopédique*.

Est-il possible de parler de transfert lexical dans le cas des « faux amis » ? A la lumière des théories récentes d'acquisition d'une langue seconde [3], le transfert relèverait d'une appropriation de la similitude représentée par un mot dans un processus où la reconnaissance sémantique n'a pas encore été marquée par l'étudiant. Reste que ce processus peut engendrer surprise ou non-compréhension de la part de celui qui reçoit le message. Si dans le cas de Jean, c'est l'étonnement qui prévaut, le processus de non-

1. *Le Robert*, volume 6.
2. *Longman Dictionary of Contemporary English*.
3. McLaughlin, 1987.

reconnaissance sémantique qui sous-tend sa réaction repose sur une interprétation lexicale à sens unique, tournée vers la langue maternelle et que nous avons appelée plus haut linguocentrisme*.

Cependant le souci exagéré d'éviter l'écueil des faux amis dans la traduction peut conduire, là encore, à des malentendus. Dans la société où travaille Odile, l'obstination des Anglais à vouloir traduire le mot *snack* en français par *produit de grignotage* provoqua dans un premier temps l'hilarité des Français. Ensuite, lorsque ni Anglais, ni Français ne voulurent céder du terrain, chacun arguant d'une meilleure compétence d'interprétation et de traduction, puisque c'était « leur » langue, les esprits s'échauffèrent. L'affaire s'envenima avec l'imposition par la maison mère anglaise de la traduction proposée initialement par les Anglais. On imagine sans peine, dans ces petites rivalités linguocentriques, le ressentiment des Français vis-à-vis de la maison mère qui a fait fi de leur compétence et « injustement » abusé de son pouvoir pour imposer une traduction « ridicule ».

Si Odile, ou Virginie, de façon plus violente, expriment leur sentiment de trahison à l'issue de ces joutes linguistiques, Martin, lui, s'amuse de la façon dont ses interlocuteurs français insistent sur leur meilleure appréciation du sens des mots, avant d'avouer finalement sa frustration quand la discussion n'est pas possible :

« Ce que je trouve assez amusant, c'est quand les gens insistent vraiment pour dire qu'ils ont raison et que c'est vous qui ne les comprenez pas. Alors on essaie de dire : "Eh bien, vous voulez dire ce mot dans un sens légèrement différent peut-être ? Pourriez-vous m'expliquer exactement ce que vous voulez dire ?" Mais ils vous disent juste : "Non, c'est ce mot-là, il faut comprendre, vous savez, c'est celui-là et je sais que c'est celui-là." Et ça, ça peut être vraiment frustrant. »

Pour Martin, malgré une expérience multiculturelle en France et en Espagne et sa compréhension des erreurs possibles, c'est l'amertume qui prendra le pas sur les efforts d'ajustement qu'il aura préalablement tentés.

Transferts dits syntaxiques

Quel Français pourrait oublier ses difficultés d'emploi des très célèbres *present perfect* et *preterit* anglais qui restent des écueils notoires pour tout jeune Français désireux d'apprendre l'anglais ? On attribuait récemment encore les difficultés d'emploi des temps à un transfert syntaxique de la part des locuteurs. Le *present perfect* était converti en passé composé et le *preterit* en imparfait français, et vice versa dans la transposition du français vers l'anglais [1]. Les spécialistes de grammaire linguistique et de traduction nous en fournissent de nombreux exemples. Claude Rivière [2] cite des phrases susceptibles d'être dites par des Anglais, afin de faire comprendre aux Français la bizarrerie de certaines erreurs qu'eux-mêmes risqueraient, à l'inverse, de commettre en anglais :

J'ai connu votre mari depuis plus de dix ans.

La reine Victoria régnait pendant soixante ans.

Peu de témoignages cernent les difficultés posées par l'emploi des temps, ce qui est bien naturel car, en l'absence de connaissances appropriées dans ces domaines, les erreurs sont ignorées par les locuteurs de langue étrangère. Cliff sera fier de signaler, à l'occasion de leçons de français, sa découverte du subjonctif, découverte beaucoup plus marquante pour lui que les nuances d'emploi du présent et du passé :

1. Françoise Grellet, 1992.
2. Claude Rivière, 1988.

« Si je n'avais pas fait de français, je n'aurais jamais su ce qu'était un subjonctif ! »

Il avouera qu'il n'avait jamais eu conscience de l'existence du subjonctif dans sa langue maternelle.

On trouve en revanche des difficultés signalées par les Anglais dans le choix du genre. Justement, là où la pseudo-identité de fonctionnement n'est pas repérable, la difficulté sera ressentie d'autant plus intensément. Comment affecter, quand on est anglophone, un genre à un objet inanimé qui est neutre en anglais ? C'est la plus importante difficulté signalée par Pamela :

« Ce n'est pas naturel de penser les choses au masculin ou au féminin, on les pense simplement neutres ! »

A l'inverse, affecter un genre à un objet inanimé constituera une source d'erreur fréquente chez les Français en cours d'apprentissage de l'anglais : *she* et *her* pour une table, par exemple.

Transferts dits prosodiques

Des analyses plus fines de transfert concernant la prosodie mettent également au jour des malentendus possibles. Ruth Huart[1], dans son étude de l'activité langagière, introduit une dimension phonosyntaxique de l'anglais. Elle donne l'exemple d'une question simple comme : *What do you mean ?* Que voulez-vous dire ?, dont les variations sur le schéma accentuel permettent de varier les effets. Selon que l'accent porte sur l'auxiliaire, le prédicat ou les deux à la fois — ce qui est atypique — cette petite question, en apparence anodine, n'aura pas simplement un but informatif mais pourra être chargée de sentiments forts « d'incrédulité, d'exaspération, voire de désespoir ».

1. Ruth Huart, 1995.

Comment délimiter les différents types de transferts ?

On s'aperçoit, à la lumière des quelques exemples cités qu'il est difficile de tracer une limite précise entre des transferts qui seraient d'ordre de la compétence sémantique, syntaxique, lexicale ou prosodique et des transferts pragmalinguistiques ou sociolinguistiques. William Labov [1] ne s'interrogeait-il pas sur cette frontière entre sociolinguistique et linguistique :

> « Le langage est une forme de comportement social, tous les manuels l'affirment. Les enfants qui grandissent dans l'isolement ne l'emploient pas ; seuls s'en servent les êtres humains placés dans un contexte social, lorsqu'ils se communiquent leurs besoins, leurs idées, leurs émotions (...). Qu'est-ce qui peut bien séparer la "sociolinguistique" de la "linguistique" ? »

Prenons l'exemple de l'expression de l'obligation en anglais. Sur ce point précis, Jenny Thomas [2] fait remarquer que les étudiants de langue, déroutés par le grand nombre de possibilités d'exprimer l'obligation en anglais, en choisissent une seule qu'ils utilisent dans toutes les circonstances où ils doivent exprimer l'obligation.

Lorsqu'un locuteur français sélectionne systématiquement *must* pour exprimer l'obligation, de quel type d'erreur s'agit-il ? S'agit-il d'une erreur syntaxique alors que son expression est grammaticalement correcte ? Confronté à un style de discours non familier ou inattendu, le locuteur français ne peut que se référer à un schéma d'évaluation qui lui est familier dans sa propre communauté linguistique et accaparer une seule forme correspondant à

1. William Labov, 1976.
2. « Foreign learners, bewildered by the large number of possible ways of expressing obligation in English (must, ought, should, have to, etc.), often select one which they then use in all contexts. » Thomas, *op. cit.*, p. 103.

ce schéma, *must,* en l'occurrence, pour exprimer toute idée d'obligation en anglais.

L'ennui, c'est que ce procédé de surgénéralisation se révèle inadéquat dans la plupart des emplois de *must.* Il est, du fait de l'ignorance de l'emploi de la modalité dans la langue étrangère, l'indice d'un transfert pragmalinguistique où l'énoncé est sémantiquement et syntactiquement équivalent mais où le biais interprétatif lui confère une force différente dans la langue cible. Les transferts pragmalinguistiques sont à l'origine de l'échec pragmatique, *pragmatic failure,* selon Thomas : « l'incapacité à comprendre ce qui est signifié par ce qui est dit[1] ». Ainsi l'échec pragmatique se produira, toujours selon elle, chaque fois qu'il y aura non-ajustement de la perception de la force d'un énoncé entre émetteur et récepteur.

Ces mêmes transferts seront, à l'insu du locuteur, générateurs de malentendus dans les relations interculturelles. Autant une erreur de syntaxe repérée comme telle par le natif sera excusable et entraînera un jugement sur la maîtrise de la langue par le locuteur de langue étrangère, autant le transfert pragmalinguistique, non repéré comme erreur de syntaxe par le récepteur natif, fera porter un jugement sur la personne même du locuteur. Rappelons avec Gumperz[2] que « toute façon de dire quelque chose est perçue comme un choix et que ce choix ne peut seulement être expliqué qu'en contraste avec d'autres possibilités ».

Les malentendus issus du transfert pragmalinguistique engendreront ainsi des stéréotypes sur les locuteurs de différentes nationalités, « ils sont presque certainement à l'origine de stéréotypes nationaux peu obligeants et blessants, tels que la causticité russe ou allemande, l'obséquio-

1. « The inability to understand what is meant by what is said », Thomas, *ibid.*, p. 91.
2. Gumperz, 1982, p. 30.

sité indienne ou japonaise, la mauvaise foi des Américains et la froideur des Britanniques[1] », souligne Jenny Thomas.

L'arrogance du Français sera évaluée à partir de l'usage qu'il fait de *must* à la place de *have to*, par exemple, usage qui renvoie pour le récepteur natif à une relation de pouvoir et d'imposition. De la même manière, on peut penser que le choix de privilégier *to be to* par les Russes dans l'expression de l'obligation est à l'origine de la perception stéréotypée de leur prétendue causticité et de leur autoritarisme : dans une perspective pragmatique *to be to* est réservé à des relations de pouvoir très inégalitaires[2].

Oui, mais !

Un des exemples les plus connus de transfert pragmalinguistique est l'utilisation de *but* en anglais par les Français. Très souvent, les Français calquent l'emploi de *but* sur celui de *mais*. Cette habitude typiquement française qui s'apparente à un tic, dans l'ouverture des phrases à la prise de parole, n'a souvent d'autre but que de marquer une transition, de prendre un contact plus direct avec l'interlocuteur en signalant la reprise du tour de parole, sa position personnelle ou l'ajout d'un élément supplémentaire dans la discussion[3]. Il n'y a pas d'intention de contrer l'interlocuteur ou de soulever une objection à ce qui précède, la conjonction *mais* étant vidée de son contenu sémantique. Ce faisant, les Français ignorent qu'en anglais l'utilisation de *but* lors de la prise de parole sert à introduire une opinion divergente, une objection ou une forte contradiction[4].

On imagine aisément la surprise, le malaise, voire la

1. Thomas, *op. cit.*, p. 97 (traduit par l'auteur).
2. Thomas, *ibid.*, p. 103.
3. Béal, 1994, p. 67.
4. Gumperz, Aulakh & Kaltman. *In* Gumperz, 1982, p. 22 *sq.*

défiance engendrés par le transfert de cette stratégie : « un mot, une tournure bizarre ou une intonation mal comprise, pourront gravement affecter la confiance des participants[1] ». Le Français sera perçu comme contestataire, voulant faire valoir son opinion envers et contre tout. Les qualificatifs de « braillards, contrariants, arrogants » souvent affectés aux Français dans les témoignages des interviewés anglais trouvent, sans nul doute, une de leurs origines dans les interprétations divergentes de stratégies de prise de parole.

La démonstration de la neutralité de l'emploi de *mais* en français apparaît encore plus évidente, lorsque, vidé de sa valeur adversative, ce même *mais* va pouvoir être combiné à d'autres termes d'introduction. Ann Vicher et David Sankoff[2] font remarquer la richesse des combinaisons des particules introductives en français parlé. Cette particularité du français européen, disent-ils, va même jusqu'à combiner deux, trois particules et plus dans une seule formule introductive. On en trouve de multiples exemples dans le discours de nos interviewés :

Oui, mais alors...
Oui, mais justement
Non, mais d'tout'manière

Tous ces transferts pragmalinguistiques pourront en situation de communication interculturelle avoir des effets négatifs sur la construction de la relation interpersonnelle. La confiance entre participants de l'échange peut s'en ressentir profondément, d'autant plus que la situation d'échange se situera dans un rapport de maison mère à filiale qui exacerbe les tensions et introduit un climat d'hostilité.

1. Gumperz, J.J. & Cook-Gumperz, J. *In* Gumperz, *ibid.*, p. 8 (traduit par l'auteur).
2. Vicher & Sankoff, 1989, p. 81.

— CONSTRUCTION DE LA RELATION INTERPERSONNELLE —

Dans la construction de la relation interpersonnelle, une place importante est occupée par les marqueurs relationnels*. En français comme en anglais, le système de ces marqueurs paraît peu complexe en comparaison avec des langues comme le coréen ou le japonais. Si l'on prend l'exemple du pronom d'adresse de deuxième personne, il existe six formes en coréen et cinq en japonais pour désigner l'autre en fonction de son statut social. Mais ainsi que le fait remarquer Catherine Kerbrat-Orecchioni[1] :

> « Ce n'est pas parce que les locuteurs francophones se désignent toujours par "je", ou que les anglophones désignent indifféremment par "you" leur interlocuteur, qu'ils doivent renoncer à exprimer la nature de leur relation à autrui. »

On l'aura compris, l'observation des stratégies et de leurs représentations chez les interlocuteurs anglais et français souligne le plus souvent l'interaction de la grammaire avec les valeurs socioculturelles. Les marqueurs de la relation en anglais et en français en sont un exemple supplémentaire. Ce champ du discours défini comme la sociopragmatique met en jeu le système de croyances de l'apprenant, notamment son jugement de la distance hiérarchique ou sociale.

Sans prise de conscience de ces valeurs, la communication est une fois de plus mise en péril avec les effets de frustrations et les conflits qui en résultent. Observons ces marqueurs de la relation et les perceptions croisées engendrées par leur emploi.

---

1. Kerbrat-Orecchioni, 1992, p. 34.

*Marqueurs de la relation interpersonnelle**

Parmi les marqueurs relationnels*, les termes d'adresse occupent une place privilégiée puisqu'ils permettent de signifier la relation à autrui sur un axe de plus ou moins grande distance.

> « Les termes d'adresse ont à la fois une valeur déictique (pour se référer à l'interlocuteur) et une valeur relationnelle [1]. En choisissant un terme plutôt qu'un autre, le locuteur donne un certain nombre de renseignements sur son propre milieu social et sur la manière dont il évalue son locuteur », note Christine Béal [2].

On imagine aisément les variations possibles à l'intérieur d'une même langue et à plus forte raison d'une langue à l'autre, variations sous-tendues par les valeurs de chaque culture et les modèles que ces cultures engendrent.

Dans la langue française où coexistent deux formes déictiquement équivalentes, *tu* et *vous* qui désignent un allocutaire unique, le choix d'un terme en contraste avec l'autre permet de signifier le lien social en situant la relation dans un rapport de distance ou de familiarité.

Dans la langue anglaise où le seul pronom personnel d'adresse est *you*, il n'existe aucun contraste qui permette de savoir quel est le contenu social affecté au terme choisi :

> « L'information sociale encodée dans la sélection de la forme *you* avoisine zéro. La seule information sociale que l'on puisse déduire de l'usage de *you* dans la langue standard de tous les jours, c'est l'absence de timidité du locuteur qui utilise une forme de référence renvoyant de façon explicite à son interlocuteur, ce qui n'avance pas à grand-chose [3]. »

---

1. C'est-à-dire qu'ils expriment la nature du lien social qui existe entre les individus.
2. Béal, 1994, p. 179.
3. Braun, 1988, p. 258 (traduit par l'auteur).

Quels sont, alors, les termes d'adresse auxquels le locuteur pourrait avoir recours lorsqu'il veut signifier une plus ou moins grande distance dans les affects, la hiérarchie et le pouvoir ? Prénoms, noms, surnoms ou appellatifs professionnels peuvent-ils remplir cette fonction ?

Termes d'adresse en anglais (vus par les Français)

Les prénoms

Les Français le savent, ils vous le disent : le prénom s'emploie très facilement dans un contexte anglo-saxon. L'usage du prénom s'est même répandu ces dernières années en France, notamment dans les relations téléphoniques de type commercial où l'usager entend son interlocuteur lui répondre : « Sylvie à votre service » ou « Ici, François, que puis-je faire pour vous ? ». Et pourtant, la plupart de ces mêmes Français interviewés sont frappés par la prévalence de l'usage du prénom dans les relations de travail avec leurs partenaires anglais. Voici ce que rapporte un cadre français :

« Du point de vue relationnel avec les clients, tout de suite, il y a comme une complicité très rapide avec eux, chose qu'on n'a pas tout de suite avec nos clients français. Ne serait-ce que déjà, vous vous appelez par votre prénom. Tout de suite, c'est Bidule, c'est Truc. On vous appelle tout de suite par votre prénom. Et à chaque fois, le fait de s'appeler par les prénoms, c'est un détail, mais ça rapproche les gens, très facilement. »

La première impression de relation facile et amicale conduit rapidement à la déception chez les Français lorsqu'ils découvrent que cet usage des prénoms n'implique pas forcément un niveau de relation proche et personnelle avec leurs partenaires ou collègues anglais :

« Tout de suite, la relation est cordiale, directe, amicale, etc., mais en fait, il n'y a pas grand-chose derrière. »

Le sentiment de déception conduira même certains à des accusations de roublardise, l'impression de « se faire avoir » :

« Les relations individuelles sur un premier plan, t'as l'impression sont vachement sympa, ça se passe bien et en réalité quand tu reprends un peu de champ par rapport à ça, tu te dis, attends, je viens de me faire rouler dans la farine et j'ai rien compris... Ne serait-ce que le coup des prénoms, qui donne quelque chose d'assez facile comme accès et qui en fait, ne veut rien dire. »

Ce cadre n'est pas le seul à signaler sa déception, accompagnée du sentiment d'être victime d'une imposture. Les cadres ou salariés français interviewés sont nombreux à faire état de leur frustration et à renouveler les accusations d'hypocrisie et de perfidie envers les Anglais.

Ce dont les Français n'ont pas conscience, c'est que le système français des termes d'adresse interpersonnels, qui associe une valeur d'intimité à l'usage des prénoms, influence leur perception et leur interprétation de l'usage anglais. Ils interprètent cet usage à l'aune de leur propre système et c'est encore une fois un transfert de stratégie, un transfert sociopragmatique qui sera à l'origine de leur fausse représentation et de la persistance de stéréotypes. Du reste, l'emploi de l'expression « le coup des prénoms » indique bien la profondeur de la frustration, de la fausse interprétation et du malentendu.

Même si les relations de travail privilégient l'usage du prénom, ce fameux « coup des prénoms » ne renvoie pas à une relation personnelle privilégiée qui pourrait faire penser que la langue anglaise, bien que ne possédant pas de forme de tutoiement, dispose d'autres moyens, tel l'usage facile du prénom dans les relations de travail, pour signifier la réduction de distance entre locuteurs. Mais que faut-il entendre par réduction de distance ? N'y a-t-il pas méprise sur le critère de distance et son évaluation ?

Wierzbicka apporte un éclairage intéressant sur la définition de ce critère. En effet, si on évalue l'usage des prénoms sur un axe de distance interpersonnelle, on pourrait être tenté, comme les Français interviewés, de voir la langue anglaise comme « une langue hautement sensible à l'intimité [1] ». Mais cela ne serait qu'illusion et Wierzbicka poursuit en nous expliquant que toutes les formes d'adresse américaines ou anglaises telles que *Bob, Tim, Tom* ou *Kate*, par exemple, n'ont rien à voir avec l'intimité ; même si ces formes impliquent une moindre distance, elles n'approchent en rien le potentiel d'intimité contenu dans le polonais *ty* ou le français *tu*. Pour Wierzbicka, ces formes sont informelles et amicales, mais non intimes, et l'anglais n'aurait aucun moyen de signifier l'intimité, c'est-à-dire une relation personnelle très proche entre deux interlocuteurs.

A la lumière de cette analyse, on entrevoit la confusion entre deux systèmes de signalisation de la distance, l'un par l'intermédiaire d'un axe de plus ou moins grande intimité qui souligne un lien personnel privilégié, l'autre par l'intermédiaire d'un axe de plus ou moins grande formalité qui se garde de tout lien personnel ou intime dans une relation professionnelle neutre et égalitaire. Le Français « se laisse prendre » à une apparente marque d'intimité évaluée sur un axe de distance qui ne correspond pas à celui du système de référence anglais.

Wierzbicka [2] poursuit son étude en démontrant qu'une langue qui ne possède pas de tutoiement serait justement le témoignage du refus d'intimité. Son analyse s'appuie sur le concept de *privacy*, concept anglo-saxon caractéristique, selon elle, qui implique la volonté de l'individu de se protéger, « de construire un petit mur autour de lui ».

---

1. Wierzbicka, 1991, p. 48 (traduit par l'auteur).
2. Wierzbicka, *ibid.*

Dans ce cadre, le *you* anglais qui n'implique aucun contraste entre forme de tutoiement et forme de vouvoiement, ne serait plus considéré seulement comme un pronom d'adresse très démocratique, *a great social equaliser*, mais plutôt comme un moyen de mise à distance dans une culture où l'on évite les contacts physiques. L'absence de tutoiement ne serait que le reflet de la distance psychologique attendue entre deux individus, le besoin de protection de soi, physique et psychologique.

Le tutoiement, qui implique une relation personnelle proche avec l'interlocuteur en français, est utilisé conjointement avec le prénom qui se charge de la même valeur de relation intime. A l'inverse, si l'on suit l'analyse de Wierzbicka, dans le contexte anglais de respect de l'intimité et des distances interpersonnelles, dans ce contexte de souci d'égalité sociale, le prénom, à l'image du pronom d'adresse *you*, ne renverrait qu'à une forme d'adresse neutre, une relation égalitaire et réciproque, qui ne peut transmettre ni l'intimité d'un tutoiement, ni la politesse d'une forme de vouvoiement.

La neutralité d'adresse du prénom en anglais et l'absence d'implication personnelle pourraient-elles alors rendre compte de l'emprunt du prénom d'un collègue absent lors d'échanges téléphoniques ? Ainsi s'étonne un employé français quand il téléphone à son homologue en Angleterre et que celui-ci est absent :

« *Ils ont une particularité, d'ailleurs, qui m'a toujours étonné, les Anglais, c'est que quand on leur téléphone par exemple, chacun a un numéro de poste, ce qui est normal, et si la personne n'est pas là, si c'est quelqu'un d'autre à sa place, il va répondre disant que c'est la personne qui a le poste. C'est très curieux, ça ! Alors des fois, tu as, vous avez un homme qui décroche et il dit : "bonjour, Sarah machin !"* »

L'emprunt d'identité ne peut que souligner l'absence de

marque de relation intime et personnelle établie entre les locuteurs avec toutes les conséquences que cela implique dans la conception des relations de travail et de l'organisation du travail. On verra dans une analyse ultérieure que cet usage est également révélateur d'une certaine conception du travail.

Les diminutifs et les surnoms

On pourrait penser que le recours aux diminutifs et aux surnoms en anglais, tout en introduisant une nuance de familiarité, permettrait d'affaiblir la distance entre locuteurs et d'accéder à une plus grande intimité. Dans un souci d'égalitarisme, les personnages publics n'y échapperaient pas : *Lady Di* pour Lady Diana, *Maggie* pour Margaret Thatcher. Malgré le diminutif, la déférence subsiste pour la princesse avec l'adjonction d'un titre de noblesse. La réduction de la distance semble s'effectuer dans le sens négatif aussi bien que dans le sens positif : les sentiments vis-à-vis de Lady Diana et de Margaret Thatcher ne répondent sans doute pas aux mêmes affects, la familiarité s'accompagnant de reconnaissance et d'émotion pour l'une, et le plus souvent de reproches pour l'autre !

Si l'on se limite à l'étude spécifique des diminutifs en anglais, on s'aperçoit que leur production n'est pas très importante, mis à part certaines formes du langage « bébé » : *doggie* (le oua-oua) pour *dog* (le chien) ou *handies* (les mimines) pour *hands* (les mains). Ces diminutifs se forment grâce à l'adjonction de la terminaison - *y* ou - *ie* et il est remarquable de souligner que lorsqu'ils s'appliquent à des personnes, ils désignent le plus souvent des personnages féminins ! *Auntie / aunty*, *grannie / granny* ou *girlie / girly* (tata, mamie, fifille) n'ont pas leur contrepartie côté masculin. Il semble alors bien difficile de parler uniquement de réduction de distance quand des diminutifs à valeur soi-disant affective deviennent si discriminatoires.

Par déduction, que penser de l'emploi de *Frenchie* ou de *Froggie*, sinon que la connotation péjorative et discriminatoire s'opère par la féminisation et l'infantilisation du sujet désigné ?

On avait déjà souligné que le fait de s'adresser à quelqu'un par son prénom en anglais n'impliquait pas un degré plus élevé d'intimité, parallèlement à la neutralité d'adresse impliquée par le pronom *you*. De la même manière, l'emploi du diminutif ou du surnom ne permet pas d'accéder à un haut degré d'intimité. Les surnoms masculins comme *Bobby* ou *Timmy*, observe encore Wierzbicka[1], sont des marques d'affection à destination des enfants. Or affection et intimité sont des choses différentes particulièrement dans les interactions de type adulte-enfant.

Ce complément d'étude à l'usage des prénoms confirmerait donc l'absence de degré d'intimité dans l'évaluation du système des marqueurs de la relation interpersonnelle en anglais.

Titres / Appellatifs professionnels

Les titres ont une fonction de déférence dans les écrits, documents officiels, presse et dans les milieux académiques et universitaires : *Dr X., Professor Y.* En entreprise, les fonctions occupées et les grades vont apparaître sur les cartes de visite ou dans la correspondance. Cet usage provoque l'étonnement des homologues français, mais l'étonnement se transforme vite en agacement envers un usage perçu comme un trop grand attachement aux « titres » :

1. Wierzbicka, 1991, p. 106.

« Ça, ils sont très : "tu es quoi ?" "Ah, tu es Senior, tu es Junior". Ils signent leurs lettres comme ça, ils signent pas Virginie Machin, ils signent Richard Truc, Senior Executive, machin truc. Moi, ça me viendrait jamais à l'idée. Ça, c'est un truc qu'on n'a pas en France, on n'a pas Chargé d'étude Senior, Junior, on le dit quand on se présente mais jamais on n'aura sur une carte de visite écrit ça et surtout, on signera jamais nos lettres marquées "Senior". »

Dans l'esprit du locuteur français, il semble qu'il y ait confusion entre titre honorifique et grade ou fonction occupée, d'où confusion entre les honneurs soi-disant recherchés parce que stipulés par l'homologue anglais et la neutralité d'adresse — signalée déjà plus haut pour le prénom — et qui ne viserait qu'à informer sur la fonction exacte du collègue ou collaborateur anglais. *Titre* serait donc un marqueur de *fonction* du côté anglais à la différence de la perception française, comme le remarque Caroline :

« On aime attribuer des rôles et des titres aux gens dans ce pays, chose que vous ne faites pas en France. »

On avait noté effectivement qu'un collaborateur qui répond à la place de son collègue empruntera le nom et la qualité de celui-ci dans un but d'information. Le témoin interviewé en avait du reste conclu de lui-même qu'on répond pour le poste plus que pour soi-même.

Les définitions de *title* données par les dictionnaires anglais[1] semblent appuyer le rôle informatif de ces appellatifs : « *Title* s'emploie comme marque d'un rang ou d'une profession. » Dans un environnement professionnel, la définition ne laisse place à aucune ambiguïté : « un nom qui décrit le travail ou le statut dans une organisation ».

La définition de *title* contraste avec celle de *honorific* :

1. *Longman* et *Collins*.

« une marque de respect ou d'honneur ». Et n'est-ce pas justement la définition de *honorific* qui correspondrait à la perception française des *titles* ? Fort justement d'ailleurs, puisque la perception française reflète la définition de « titre » en première entrée du dictionnaire français [1] : « désignation *honorifique* exprimant une distinction de rang, une dignité ».

Le premier locuteur français perçoit cependant quelque peu le but informatif des *titles* quand il concède que cet usage peut avoir son importance lors de la présentation des collaborateurs de l'équipe aux clients :

« Mais eux, je pense que, pour les clients aussi en Angleterre, c'est très important. Ils disent toujours l'équipe sera formée d'une Manager machin, une Senior qui est là depuis je ne sais pas combien d'années, une Junior et un Trainee qui sera là pour assister. »

Termes d'adresse en français (vus par les Anglais)

Nom ou prénom ?

Sélectionner le nom de famille pour s'adresser à un interlocuteur est la difficulté majeure signalée dans l'usage des termes d'adresse par les interviewés anglais :

« Le plus difficile, c'est d'arriver à appeler les gens par leur nom de famille », dit Robin.

Cet usage paraît tellement surprenant à Tony qu'il avoue se demander ce qui se passe lorsqu'on s'adresse à lui de cette manière :

« Si quelqu'un m'appelle Mr B., ma première réaction, c'est de dire : "Eh, qu'est-ce qui ne va pas ? Il y a quelque chose qui ne va pas ?" Parce que normalement on emploie toujours le prénom. »

1. *Le Robert*, volume 6.

Robin déclare ne pas aimer cette forme d'adresse et la compare lui aussi à l'usage des prénoms en anglais :

« Je n'aime pas ça, parce qu'en Grande-Bretagne, si on me présente à quelqu'un, c'est "Permettez-moi de vous présenter Jim Davidson" et à partir de ce moment-là, vous l'appelez Jim, pas Mr Davidson, c'est très formel et pas nécessaire. »

« Mr, Mrs *ou* Miss *suivi du nom de famille, c'est un usage d'une extrême formalité* », souligne encore Tony.

Alors pour Robin, seul salarié anglais d'une entreprise française, il n'y a qu'une stratégie à adopter, c'est celle d'attendre d'être invité à utiliser le prénom.

Ces différences d'usage donnent lieu à des situations assez cocasses lorsque dans une même entreprise, on voit les Français faire précéder le nom de leur supérieur hiérarchique de *Monsieur*, tandis que les Anglais désigneront la même personne, qui est également leur supérieur hiérarchique, par son prénom.

Pour Cliff, c'est un moyen de briser une forme d'adresse jugée, comme par Tony plus haut, trop protocolaire suivant ses propres normes d'adresse. Il insistera pour que ses collaborateurs perdent l'habitude de s'adresser à lui par son nom de famille et adoptent l'usage de son prénom.

L'ordre d'annonce des noms se révèle encore plus surprenant, voire déroutant pour nos interviewés :

« Un de mes collègues français donne toujours mon nom de famille avant mon prénom, moi je suis complètement perdu ! » s'exclame Tony.

Robin signale cet usage dans la langue écrite où nom de famille et prénom sont séparés par une virgule et exprime vigoureusement son incompréhension :

« Ça n'a absolument aucun sens ! »

« Tu » ou « vous » ?

Le même embarras est constaté vis-à-vis de la sélection entre tutoiement et vouvoiement. Le vouvoiement, parallèlement à l'usage du nom de famille est, lui aussi, perçu comme très formel par Alison :

« Les Français sont bien plus formels et puis ils ont toute cette histoire de tu *et* vous *que moi, en tant qu'Anglaise, je ne comprends pas. »*

Confronté à un choix là encore trop difficile, Robin s'en tient, comme pour le prénom, à une stratégie d'attente :

« J'emploie toujours vous, *jusqu'à ce qu'on me dise, non, s'il vous plaît dites-moi* tu, *et ça peut durer des années comme ça ! »*

Pamela, elle, a choisi d'employer systématiquement *vous* :

« J'utilise de préférence le vous *formel car il me vient plus naturellement et je suppose que s'il est formel, il ne pourra pas être impoli. »*

Elle ajoute que de cette façon, elle ne prend pas de risque : *« Je me dis, utilise* vous, *c'est plus sûr ! »*

Comment ne pas comprendre les difficultés de cette locutrice anglaise ? La complexité du choix se pose pour les Français eux-mêmes, car le système repose souvent sur une question d'appréciation personnelle et sociale, donc très fluctuante et très souvent divergente entre locuteurs. Dans certaines situations il paraît impossible de sélectionner l'une ou l'autre forme même si trois alternatives semblent offertes : tu + prénom / vous + prénom / vous + Monsieur. Comment apprécier et distinguer le degré de distance, de politesse, de familiarité ou d'intimité quand on est anglais, alors que les Français s'y perdent eux-mêmes et recourent à des stratégies d'attente et de négociations avant d'arrêter un choix définitif ? Le « on » est parfois bien pratique et tout à fait explicite dans la formule : *Et si on se tutoyait ?* comme le rapporte Kerbrat-Orecchioni :

> « Le "on" est dans ce cas bien commode, car il permet d'éviter les inconvénients opposés de "je peux vous tutoyer ?" (qui apparaît quelque peu contradictoire), et de "je peux te tutoyer ?" (qui prend trop audacieusement les devants)[1]. »

| *Titres / Appellatifs professionnels*

Les Français manifestaient étonnement et agacement devant l'usage des appellatifs professionnels par leurs homologues anglais. Implicitement ils signifiaient l'absence de cet usage en France. Les Anglais sont, de leur côté, déroutés par la différence d'usage qui, ajoutée à la mobilité de certains personnels dans l'espace et les départements de l'entreprise, ne leur fournit pas la description et les repères nécessaires sur la structure hiérarchique professionnelle :

« Il y a un flux perpétuel des gens d'un département à l'autre. Vous savez, cela fait un mois que je suis ici et les personnes du bureau voisin, je ne sais toujours pas qui est responsable du secteur commercial, qui est responsable de la comptabilité, parce qu'elles ne sont jamais assises au même bureau ni à la même place dans le même bureau. »

La compétence socioculturelle entre Français et Anglais

Dans le cadre de relations interculturelles, la méconnaissance ou le malentendu sur les termes d'adresse illustre particulièrement bien le fait que la compétence lin-

1. Kerbrat-Orecchioni, 1992, p. 50.

guistique* n'est pas synonyme de compétence de conversation c'est-à-dire de compétence socioculturelle :

> « Acquérir une langue, c'est acquérir la connaissance de l'ensemble des règles de grammaire de la communauté (invariables et variables) inséparablement de la conscience de la valeur sociale de chacune des formes qu'elles engendrent[1]. »

Le locuteur d'une langue étrangère ne possède pas nécessairement une compétence interculturelle lui permettant d'approcher la compétence socioculturelle du natif[2]. Inévitablement ses références seront celles de sa propre culture et de ses modèles qu'il partage avec les membres de la société où il vit et agit, ce que Saussure[3] exprimait en disant que la langue « est la partie sociale du langage (...), elle n'existe qu'en vertu d'une sorte de contrat passé entre les membres de la communauté ».

A première vue, pour un Français, l'usage des prénoms implique une relation « sympa » et instaure un climat de relation personnelle privilégiée. En effet, sans initiation aux situations de conversation et d'interaction dans l'échange social étranger, le locuteur ne peut que réagir et juger à l'aune de ses propres schémas interactionnels, c'est-à-dire son *habitus linguistique* tel que le définit Pierre Bourdieu[4]. Les sophistes n'avaient-ils pas souligné l'importance de la notion de *kairos* chez les professeurs de parole ?

> « Professeurs de parole, ils savaient qu'il ne suffisait pas d'enseigner aux gens à parler, mais qu'il fallait en plus leur enseigner à parler à propos... Le *kairos*, à l'origine, c'est le but de la cible.

1. Encrevé. *In* Labov, 1976, p. 33.
2. Cf. *Le médiateur interculturel*, concept développé par Byram & Zarate.
3. *In* Labov, *op. cit.*, p. 259.
4. « L'habitus linguistique grossièrement défini se distingue d'une compétence de type chomskyen (notion d'acceptabilité réduite à la grammaticalité) par le fait qu'il est le produit des conditions sociales et par le fait qu'il n'est pas simple production de discours mais production de discours ajusté à une "situation", ou plutôt ajusté à un marché ou à un champ. » Pierre Bourdieu, 1984, p. 21.

Quand vous parlez avec à-propos, vous touchez le but. Pour toucher la cible, pour que les mots fassent mouche, pour que les mots payent, que les mots produisent leurs effets, il faut dire non seulement les mots grammaticalement corrects mais les mots socialement acceptables[1]. »

Même si, à l'heure actuelle, les techniques d'enseignement de l'anglais et des langues étrangères ont beaucoup évolué, la démarche d'apprentissage ne donne pas l'entraînement nécessaire aux situations d'interaction bilingues, c'est-à-dire à un discours ajusté à une situation, un discours socialement acceptable dans un contexte étranger.

Les chercheurs cognitivistes en intelligence artificielle se sont heurtés aux mêmes difficultés dans leur tentative de faire résoudre par l'ordinateur les problèmes de traduction. Leur travail sur la traduction automatique a confirmé, dès les années 80, combien il était difficile de comprendre, voire de traduire une langue sans référence à une connaissance très étendue du monde[2]. Récemment, *Courrier international*[3] relatait les tests comparatifs effectués par *L'Hebdo de Genève* entre deux logiciels de traduction automatique fréquemment proposés sur le marché et un traducteur humain. L'expérience portait sur trois textes, l'un politique, le deuxième scientifique et le troisième littéraire. La production automatique déclenche l'hilarité lorsqu'on découvre que le premier logiciel a traduit *I can* (je peux) par *je bidon* et que le deuxième logiciel n'est pas en reste avec la traduction de *water ice at both of the lunar poles* (présence de glace sur les deux pôles de la lune) par *le sorbet à tous les deux des poteaux lunaires*. On mesure, au-delà du résultat cocasse de l'expérience, le travail incommensurable de saisie de données à la fois linguistiques, sociales, culturelles et interactionnelles qui

1. Pierre Bourdieu, *ibid.*, p. 122.
2. Quinn & Holland, 1978, p. 5.
3. *Courrier international*, 14 octobre 1999.

permettrait de faire rivaliser les machines contemporaines avec le traducteur humain, sachant que le traducteur humain a lui aussi ses limites quant à la connaissance du monde, que ce monde lui soit propre ou autre et étranger.

Le manque de compétence socioculturelle et socio-pragmatique est perçu par les Français, comme par les Anglais. Ils notent en particulier la différence entre la langue enseignée à l'école et la langue dite « naturelle » d'usage courant. Alison trouve que la langue apprise à l'école est trop « formelle » et Martin estime qu' *« il est très difficile d'apprendre comment fonctionne une conversation en France à partir d'un livre car la langue et le registre sont totalement différents ».*

D'où les remarques sur le bénéfice d'un séjour en immersion dans le pays étranger où souligne Robin, *« télévision en français, radio en français, les gens qui parlent français autour de vous, vous permettent assez naturellement d'accéder à une façon de penser dans la langue ».*

Encore faudrait-il, vous en conviendrez, posséder une bonne dose d'intuition et de sens du tact afin que le séjour à l'étranger permette, lors de situations d'échange, d'apprendre progressivement à repérer la structure des conversations, le principe des tours de parole, les moments où il est possible d'interrompre un locuteur, ou comment introduire un nouveau sujet de conversation.

S'il est vrai que l'exposition à un environnement étranger ne peut qu'être bénéfique, il faut en rappeler les limites. Bien que l'initiation à une compétence pragmatique de l'interaction puisse se faire très rapidement, le risque encouru est celui d'en rester au stade de l'initiation. Il n'est en effet pas rare d'observer que des adultes qui arrivent en Grande-Bretagne en parlant déjà couramment anglais n'accèdent jamais à un haut niveau de compétence pragmatique, même si tel était leur désir. Il semble que la compétence pragmatique ne puisse se greffer sur la compétence grammaticale, ce qui pose la question de savoir s'il n'existe pas un seuil, c'est-à-dire une forme de « fossilisation pragmatique [1] », au-delà duquel il serait très difficile d'acquérir des normes pragmatiques autres.

A l'écoute du témoignage de Mark, comment douter de la nécessité de prendre en compte les normes d'interaction dans l'apprentissage d'une langue étrangère. Son sentiment douloureux d'insuffisance de compétence, en même temps que son sentiment de rejet, lors des premières rencontres avec sa belle-famille française, sont le plus émouvant des plaidoyers :

« Tout le monde semblait parler à la fois. C'était très dur de savoir à quel moment je pouvais prendre la parole. Tout allait si vite. Finalement, je préférais ne pas parler... »

Mark met en évidence un fonctionnement très différent des tours de parole chez les Anglais et chez les Français. Les enregistrements des entretiens en témoignent. Les enchaînements en français sont beaucoup plus rapides, les pauses sont inexistantes, conduisant à des chevauchements qui sont le plus souvent perçus par les Français comme des marques d'intérêt et de coopération à la conversation.

La déroute de Mark était compréhensible. Les enregistrements des entretiens avec nos interviewés anglais ne comportent pas de chevauchement. Si l'enquêteuse essaie d'intervenir, l'interviewé interrompt de suite son discours, marquant même une pause pour offrir la parole à son interlocuteur. La prise de parole ne se fait qu'en alternance. La règle est de laisser s'exprimer son interlocuteur jusqu'à ce qu'il sollicite, par une invite verbale ou une pause, la participation de l'autre locuteur. Le Français qui déroge à ce principe d'alternance court le risque de passer pour impoli et, une fois encore, pour arrogant. Il sera

1. *Op. cit.*, p. 110.

perçu comme un individu peu ouvert aux idées de son interlocuteur, qui veut toujours avoir raison, contestataire et voulant faire prévaloir son discours à tout prix.

Une fois repérées les règles qui ont trait à l'alternance parole / pauses et silences, il faut ensuite apprendre à repérer la durée des pauses. Certaines études[1] mesurent les temps de pause dans la conversation : un silence de plus de quatre secondes n'est pas acceptable, par exemple, entre deux locuteurs anglais, ce qui signifie qu'au terme de ces quatre secondes, les locuteurs éprouveront un certain embarras et se sentiront obligés de dire quelque chose, ne serait-ce qu'à propos du temps qu'il fait.

Or, c'est souvent dans les conversations informelles ou familières — perçues à tort comme anodines — qu'il est important de réussir l'échange. C'est dans ces petits « ratages »[2] que se jouent les relations interculturelles, si bien qu'un échange dont le but premier était d'obtenir une information peut générer un sentiment de malaise et de frustration de type relationnel.

> « Même lorsqu'ils sont incontestablement chargés de contenu informationnel, les énoncés possèdent toujours en sus une valeur relationnelle : quête de consensus, désir d'avoir raison (ou raison de l'autre), souci de ménager la face d'autrui, ou de la lui faire perdre[3]. »

On l'a vu, pour un Français, la méconnaissance de l'usage des prénoms peut engendrer un sentiment de frustration, du fait du caractère de proximité et de complicité qu'il attache à cet usage ; la méconnaissance de l'usage des termes professionnels attachés aux postes et grades peut engendrer surprise et agacement, car cette pratique est jugée trop ostentatoire, alors qu'il ne s'agit que de

1. Trudgill, 1995, p. 111.
2. Béal, 1994.
3. Kerbrat-Orecchioni, 1992, p. 13.

signaler une fonction bien délimitée. Ce souci de délimiter la tâche transparaît jusque dans l'emprunt d'identité signalé plus haut lorsqu'un correspondant répond à la place d'un collaborateur absent.

Pour les Anglais, l'usage du nom de famille en français peut paraître à l'inverse aussi déroutant que l'usage des prénoms en anglais pour les Français. En effet les Anglais attachent un caractère formel à l'usage du nom de famille comparé au prénom qui est une forme d'adresse neutre. La sélection entre « tu » et « vous » provoque aussi la perplexité car l'association que les Français font entre : prénom + tu et nom de famille + vous, ne correspond pas aux catégories interactionnelles de l'usage anglais. Nombreux sont les Anglais qui avouent dans leur témoignage adopter une stratégie d'attente jusqu'à ce qu'ils soient invités à tutoyer et à utiliser le prénom. Le non-usage d'appellatifs professionnels par les Français déroute également les Anglais qui manquent de repères pour identifier la tâche et la fonction de leurs collègues ou correspondants.

En poursuivant notre exploration, on découvre bien d'autres situations de ratage, notamment dans un domaine que l'on pourrait appeler celui de la politesse et qui nécessite lui aussi un apprentissage de l'interaction culturelle.

De nombreux ouvrages ont été consacrés à la politesse. Leech[1] soumet les échanges à six maximes de politesse : tact, générosité, approbation, modestie, accord, sympathie. Brown et Levinson[2] s'appuient sur les notions de face négative et de face positive, et développent une théorie qui présuppose que, dans toute interaction, les actes de langage constituent des actes potentiellement menaçants pour la face négative ou la face positive de celui qui les accomplit ou qui les subit.

1. Geoffrey, N. Leech, 1983.
2. Brown & Levinson, 1987.

Si elles ont le mérite de souligner l'agression perçue dans les interactions lorsque les normes de politesse sont enfreintes, ces théories ont été conçues par des linguistes nord-américains à partir de travaux de recherche portant sur les stratégies langagières nord-américaines. La question de définir les normes de politesse en fonction des cultures d'origine n'y est pas abordée.

La même vision universaliste de principes de politesse semble se perpétuer dans une représentation de la *netiquette* qui serait le code de bonne conduite des échanges par courrier électronique. Mais à quel code fait-on, là encore, référence ? Nombre de linguistes émettent à l'heure actuelle des réserves sur l'universalité de principes universels de politesse, notamment les linguistes de la pragmatique interculturelle[1].

Comme pour les termes d'adresse, le locuteur d'une langue étrangère ne possède pas nécessairement la compétence socio-pragmatique qui lui permette d'approcher la compétence du natif. Inévitablement, ses références en matière de politesse seront celles de sa propre culture et des modèles qu'il partage avec les membres de la communauté dans laquelle il vit et agit. L'étude de la politesse en contexte interculturel est donc bien l'étude de la politesse de l'autre, avec toutes les variations de modèles et le décalage d'appréciation fondé sur des valeurs culturelles divergentes.

— LA POLITESSE DE L'AUTRE —

Dans cet espace interculturel franco-anglais, se croisent les réactions ou commentaires suscités par toutes les for-

1. Wierzbicka, 1991 ; Janney & Ardnt, 1993.

mules dites de politesse, les formulations indirectes ou les formules d'atténuation repérées par les informateurs anglais et français.

« L'hypercourtoisie » des Anglais / leur « sécheresse » de style / « l'expressivité » des Français dans les rituels du courrier

Les Français se plaignent des formulations polies utilisées dans la correspondance anglaise. Ils sont agacés par ce qu'ils jugent un excès de courtoisie, surtout lorsque des formules comme *best regards* ou *yours sincerely* contrastent avec la « sécheresse » de style d'un fax. La valeur d'« hypercourtoisie » construite sur des rituels de fin de correspondance viendra à propos renforcer et justifier l'adage « trop poli pour être honnête », surtout dans les moments de tension entre maison mère et filiale. Pourtant ces formules sont complètement stéréotypées, donc plus ou moins désémantisées pour un locuteur natif et n'ont pas plus de force illocutoire* que des formulations françaises telles que : « meilleurs sentiments » ou « salutations distinguées ».

Côté anglais, les expressions de courtoisie qui jalonnent le courrier officiel français sont accueillies avec beaucoup d'étonnement. La tournure citée le plus souvent par les Anglais étant : *Veuillez avoir l'obligeance / Veuillez avoir l'extrême obligeance de...*

Il est sans doute « absurde de ramener les formules rituelles à leur contenu informationnel, et plus encore, à leur sens littéral : leur signification est d'abord relationnelle, et leur fonction commune est d'abord d'attester la bonne volonté sociale du locuteur [1] ». Pourtant, même si les formules rituelles de fin de lettre sont fortement désé-

1. Kerbrat-Orecchioni, 1992, p. 310.

mantisées, on remarquera qu'elles se sont forgées sur des notions différentes. Les formules *yours faithfully* et *yours sincerely* concernent les valeurs de fidélité et de sincérité, la formule *kindest regards* fait appel à la notion d'égards et d'estime. Que retrouve-t-on dans les formules anglaises sinon les valeurs d'honnêteté et de tact dues à celui auquel le courrier est adressé ? Les formules françaises, quant à elles, soulignent une plus grande intensité émotive puisqu'elles se fondent sur les nuances affectives des *sentiments* (distingués, cordiaux, meilleurs) ou du *souvenir* (bon, affectueux, meilleur).

Comment, pour un Anglais, saisir le détournement que Nathalie, par exemple, effectue de l'usage de ces formules ?

« La formule à la fin sera toujours très, très courtoise. Et moi, de temps en temps, je trouve que c'est bien de pouvoir taper sur la table, de leur part ou de la nôtre. Et c'est vrai que le peu de fois où je l'ai fait, ça a surpris : "Mais que se passe-t-il ?" »

Bien sûr, son énervement ne peut être compris par l'interlocuteur anglais qui, lui, ne voit pas ce qu'il a à se reprocher. Le locuteur français va, une fois de plus, renvoyer à son interlocuteur anglais l'image stéréotypée du Français nerveux, irritable, contestataire.

Dans ce jeu de miroir et d'images croisées, admirez l'humour de Bruce et sa présentation contrastée du Français et de l'Anglais. Sans jamais citer Français ou Anglais, mais en jouant sur la connivence de son interlocutrice française, il introduit les adjectifs *sanguine* et *phlegmatic* dans sa description. Officiellement les adjectifs sont choisis pour renseigner sur la théorie médicale des humeurs cardinales du corps et leurs effets sur le « tempérament » décrits par Galien [1] :

1. « La doctrine des humeurs "cardinales" de Galien (IIe siècle de notre ère) : sang, pituite, bile, atrabile, dont les effets dépendaient du "tempérament" constitua pendant plus d'un millénaire un canon intangible de la médecine » (*Encyclopædia Universalis*, vol. 10, p. 684).

« Prenez une personne, disons flegmatique ou sanguine pour décrire son caractère. Rappelez-vous ce concept de la nature d'une personnalité basée sur l'équilibre des différentes humeurs du corps. Une personne qui avait plus de sang appartenait au type colérique, de fait elle avait plus de chance d'avoir mauvais caractère. Une personne flegmatique, elle, avait plus de flegme, ce qui la rendait plus calme. »

Par un processus d'assimilation entre formules de courtoisie et traits de caractère des Anglais, Nathalie va se conformer à cette image caricaturale du Français « sanguin » en contraste avec celle de l'Anglais « flegmatique » et, du même coup, conforter son propre stéréotype de Français nerveux et irritable :

« ... Et j'vous dis, le flegme anglais, voilà, c'est le mot que je cherchais, qui est assez réputé, et c'est vrai que c'est une réalité, c'est assez agaçant pour des Français qui sont un peu... Ce qui m'horripilait le plus, c'est que c'était toujours dans un calme, dans une neutralité implacable avec un grand sourire, et personne ne s'énerve jamais, et parfois c'est très pénible parce qu'on a envie de... »

Force est de constater que par un jeu de miroir déformant « chacun des partenaires tend à assumer l'identité (même dans sa dimension négative) qui lui est renvoyée par l'autre [1] », démonstration imparable que « le stéréotype est bien manifestement un acte commun de l'imaginant et de l'imaginé [2] ».

Cet échec dans la communication illustre, là encore, l'incapacité de l'un ou l'autre locuteur à identifier et relativiser les normes de ses propres stratégies, incapacité qui le conduit à transférer leur mise en œuvre dans la langue de l'autre.

1. Ladmiral et Lipianski, 1989, p. 221.
2. *Ibid.*, p. 269.

Les formes « détournées » des Anglais / la « franchise » des Français

La plupart des locuteurs de toutes cultures semblent prudents à l'égard de formulations trop directes. Il est difficile par exemple de poser de façon abrupte des questions concernant l'âge, la situation familiale, le montant du salaire sans qu'elles soient ressenties comme une agression ou une intrusion dans l'espace privé d'un individu. Chaque communauté linguistique, voire chaque individu élabore des stratégies plus ou moins directes de communication. En anglais comme en français, on aura tendance à employer des adoucisseurs afin de rendre ces questions moins menaçantes :

How old are you, if I may ask ?

How much did you pay for it, if you don't mind telling me ?

Do you mind if I ask if you are married.

Puis-je me permettre de vous demander votre âge ?

Combien vous l'avez payé, si c'est pas indiscret ?

Etes-vous mariée, si je puis me permettre de demander ?

Comme pour les formules de courtoisie et de politesse, la non-maîtrise de ces stratégies et le transfert pragmatique d'une formulation directe ou indirecte peuvent conduire à des malentendus : ces malentendus, très fréquents déjà, entre les membres d'une même culture, ou de ce qui semble être une même culture, sont caractéristiques de la communication interculturelle[1].

La différence de stratégie apparaît dans des formulations très simples : un Français transforme facilement *je veux* en *I want...* là où un Anglais emploie *I would like...* ou *could you....*

---

1. Tannen. *In* Gumperz, 1982, p. 217.

Cécile, tout en étant consciente du transfert qu'elle opère, ne peut et ne souhaite pas refréner son envie de calquer la formulation française très directe :

« Moi, quand je veux quelque chose, je leur dis I want. *Je sais bien qu'eux, ils utilisent des formules plus..., plus détournées, mais je vois pas pourquoi je leur dirais pas* I want. »

Ce faisant, Cécile ne réalise pas que le refus de prendre en compte la stratégie anglaise se traduira par un jugement de valeur sur sa propre personne, car elle opte sans le savoir pour une formulation réservée à des locuteurs en situation d'exiger et de commander à des subalternes. Côté anglais, Martin confirmera que les Français, au lieu de formuler des questions, s'expriment *« comme s'ils donnaient des ordres ou avaient des exigences »*.

Jenny Thomas l'avait déjà démontré :

> « Lors d'interactions avec des gens de statut égal ou supérieur au leur, les locuteurs étrangers ont involontairement recours à des stratégies pragmatiques ou discursives qui sont, pour des locuteurs natifs, associées de façon caractéristique à une personne en situation de pouvoir[1]. »

Si l'on ajoute que l'assertion est abondamment utilisée dans le discours des Français[2], on constate une fois de plus que Cécile, en se cramponnant à ses normes propres et en transférant les modèles assertifs directs du français, confortera ses collègues anglais dans un jugement stéréotypé du caractère arrogant et agressif des Français, un jugement qui fera bien sûr obstacle à une bonne qualité de la relation.

« Et ce n'est pas forcément ce qu'ils disent réellement, commentera généreusement Martin, *mais si quelqu'un vous sort une phrase comme ça, même tout à fait innocem-*

1. Thomas, 1984, p. 227 (traduit par l'auteur).
2. Kerbrat-Orecchioni, 1987, p. 342, citée par Béal, 1994, p. 204.

ment, eh bien, vous n'entrez pas en relation avec cette personne aussi bien que si elle avait effectivement formulé une question de façon légèrement différente. »

Les requêtes adoptent du côté anglais une formulation indirecte : *would you mind... ?*, *could you do me a favour ?* là où le locuteur français non initié transférera *can you... ?* C'est ce que Donald appelle « les subtilités de la langue » et ce que Martin désigne comme un « ton adouci ». Le Français apparaîtra sans-gêne et impoli, *discourteous or domineering*[1], à l'Anglais dont la stratégie serait guidée, selon Trudgill[2], par le souci d'éviter de blesser un interlocuteur en position de supériorité hiérarchique ou d'intimider celui qui occuperait une position inférieure à la sienne. *A contrario*, l'Anglais sera accusé par le Français de tourner autour du pot avec ses formulations « détournées » et « obséquieuses », soi-disant contraires à l'esprit français de franchise.

Des stratégies langagières plus masculines ou plus féminines ?

Un éclairage sur ces appréciations divergentes nous est apporté par les travaux de Deborah Tannen[3] concernant les stratégies de conversation entre hommes et femmes. Son étude systématique des stratégies comparées de communication au sein du couple démontre que certains types de communication favorisent spécialement les erreurs d'interprétation entre maris et femmes.

Ces travaux sont particulièrement intéressants car ils

1. Thomas, *op. cit.*, p. 227.
2. Trudgill, 1995, p. 119.
3. « Systematic study of comparative communicative strategies was made by asking couples about experiences in which they become aware of differing interpretations of conversations. It became clear that certain types of communication were particularly given to misinterpretation — requests, excuses, explanation : in short, verbalization associated with getting one's way. » Tannen. *In* Gumperz, *op. cit.*, pp. 220-221.

trouvent une application dans le domaine des relations interculturelles. Nombre de remarques de Tannen sur les stratégies de communication du couple — que le mari et la femme aient la même culture d'origine ou une origine différente — démontrent que les malentendus sont dus à des différences de stratégie de culture masculine ou féminine, qui sont des différences de stratégies de formulation directe ou indirecte.

Le concept de culture spécifiquement masculine et spécifiquement féminine a été également étudié par Marina Yaguello qui constate le manque d'assertivité des filles dans son ouvrage *Les mots et les femmes*[1]. Commentant Lakoff[2] pour qui « les femmes choisissent plus souvent la formule la plus polie, les hommes la formule la moins polie », elle souligne le manque d'assertion des formules de politesse :

> « Les structures de la politesse veulent que l'on suggère au lieu de s'affirmer, qu'on laisse ouverte la possibilité de refus, qu'on ne dévoile pas ouvertement de sentiments hostiles mais qu'au contraire on soit le plus souvent possible en accord avec la partenaire. »

Loin de suggérer que les pratiques langagières des Anglais s'identifient à celles des femmes, puisque Yaguello fait également remarquer qu'à Madagascar ces mêmes pratiques sont la norme chez les hommes qui « excellent à ce jeu d'allusion et de sous-entendu[3] », on ne peut s'empêcher de rapprocher et comparer pratiques langagières de politesse et pratiques langagières anglaises. D'autant plus que, comme nous le verrons plus loin, la langue anglaise abonde en moyens de signifier la quête de l'approbation.

1. Yaguello, 1978, p. 1978.
2. Lakoff, 1975.
3. Yaguello, *op. cit.*, p. 37.

Les travaux de Tannen révèlent que le temps n'améliore pas les relations de communication et peuvent même figer et renforcer des comportements d'incompréhension :

> « On pense souvent que les hommes et les femmes qui vivent en couple et s'aiment, en viennent à comprendre leurs styles de conversation réciproques. Toutefois, la recherche met en évidence que l'interaction répétée ne mène pas forcément à une meilleure compréhension. Au contraire, elle peut renforcer des jugements erronés sur les intentions de l'autre et conforter les certitudes que l'autre continuera à se comporter comme précédemment[1]. »

On conçoit les importantes implications de ces travaux étendus aux situations de communication quotidienne de collaborateurs français et anglais. Ceux-ci vont éprouver des difficultés d'interprétation de la stratégie de leur interlocuteur, comparables à celles éprouvées entre partenaires du couple, et consolideront, de plus, des jugements *a priori* sur leurs interlocuteurs respectifs, jugements qui se renforceront au cours de leurs échanges dans le temps :

> « En cherchant à éclaircir les choses, chaque interlocuteur continue à utiliser la stratégie qui, précisément, a embrouillé l'autre dès le départ. Ainsi, l'interaction a souvent pour conséquence d'augmenter la divergence plutôt que la convergence des styles[2]. »

Le manque d'assertion

Dans ce ballet de fausses interprétations des stratégies de l'autre, les Français vont se heurter à ce qu'ils qualifient de « flou anglais ».

L'adjectif « flou » est souvent utilisé par les Français pour qualifier les réponses orales des Anglais :

---

1. Tannen, *op. cit.* (traduit par l'auteur).
2. *Ibid.*

« D'autres expériences que j'ai eues avec les Anglais, ont toujours quand même été dans le flou. Je veux dire, on n'arrive jamais quelque part à avoir une réponse oui ou non, c'est toujours intermédiaire. »

Un personnage qui ne dit ni oui ni non devient lui-même un personnage « flou » :

« C'est très difficile de savoir parce que le directeur international est extrêmement flou et incapable..., enfin ne veut pas dire exactement ce qu'il en est. »

Les décisions vont elles aussi être cataloguées de « floues » puisqu'elles sont prises par des personnages flous... :

« Il y a toujours en Angleterre des flous artistiques. »

Ce sentiment d'incertitude est interprété par ces mêmes locuteurs français comme une stratégie d'évitement :

« Rien n'est complètement dit, donc à partir du moment où rien n'est complètement dit, toutes les interprétations sont possibles. Celles qui arrangent le plus fort gagneront. »

De là à accuser les Anglais d'hypocrisie, il n'y a qu'un pas :

« Ça confirme, je dirais, un peu l'image qu'on peut avoir des Anglais... assez faux culs, incapables de dire la vérité, de dire ce qu'ils pensent de toutes façons. »

Ce qui permet en contrepartie de se conforter dans l'image stéréotypée du Français « droit et franc » :

« Je ne travaille pas là-bas (en Angleterre). *Moi, je préfère cent fois travailler ici* (en France), *puisque c'est beaucoup plus franc du collier. »*

Image du Français qui, lui au moins, prend des décisions franches puisqu'il est un personnage franc :

« En France globalement, les décisions sont claires, nettes, précises. Il y a toujours en Angleterre des choses qui sont pas claires parce qu'il y a des personnages qui sont pas clairs ! »

L'analyse des dubitatives

L'exploration des *dubitatives* en anglais nous permet de mieux comprendre l'origine des impressions de « flou » et de non-prise de décision perçues par les Français. Ce que Lakoff[1] désigne comme *dubitatives* recouvre des verbes tels que *guess, suppose, believe* et *think* (deviner, supposer, croire, penser) auxquels s'ajoutent les *question-tags* (mini-questions de fin de phrase). Selon lui, ce type de verbes utilisés à la première personne du singulier et les *question-tags* ne décrivent pas des actes où intervient la réflexion mais sont plutôt un moyen d'adoucir une assertion. C'est toute la différence entre :

I believe Clara is Italian (Clara est italienne, je pense)

synonyme de *Clara is Italian, isn't she ?* (Clara est italienne, non ?)

et

I say that Clara is Italian (je le dis, Clara est italienne)

synonyme de *Clara is Italian* (Clara est italienne)

qui, eux, expriment la certitude. La synonymité est de plus attestée par l'intonation.

Aux *dubitatives* décrits par Lakoff, on peut ajouter *I'm afraid* que l'on trouve fréquemment en réponse au téléphone à la question :

Can I speak to Mr X, please ? (Puis-je parler à Mr X, s'il vous plaît ?)

I'm afraid he isn't here. (Je crains qu'il ne soit pas là)

Cet énoncé, bien sûr, ne fait pas référence à un sentiment de crainte, mais est également un moyen d'adoucir une affirmation perçue comme peu courtoise par un locuteur anglais. L'emploi du *oui* ou *non* de façon abrupte

1. Lakoff, 1972, p. 918.

peut surprendre, voire choquer un interlocuteur anglais. Cécile raconte comment elle en a fait les frais :

« J'avais mon avion à prendre à seize heures, et à quinze heures je discutais toujours avec une Anglaise. Pas moyen de m'en sortir, elle n'arrêtait pas de parler. Au bout d'un moment, elle m'a demandé si j'étais pressée et j'ai dit "oui". Elle m'a répondu : "Ah ça, ça a le mérite d'être franc !" J'ai bien senti que j'avais choqué. »

Les question-tags

On connaît la faveur dont jouissent, non seulement les *dubitatives*, mais également les *question-tags*, dans la langue anglaise. Leur fréquence d'usage a provoqué la caricature de ce trait linguistique dans la bande dessinée de Goscinny et Uderzo[1] :

« Ce spectacle est surprenant !
— Il est, n'est-il pas ? »
« Il a un état normal, a-t-il ? »
« Nos voisins sont étonnamment bruyants aujourd'hui, n'est-il pas, Pétula ? »
« C'est bien toi qui m'as piétiné la figure, n'est-il pas ? »

Nul doute que les auteurs avaient visé juste en cernant une caractéristique linguistique dont les Français s'amusent lorsqu'elle est tournée en dérision. Mais c'est justement cette petite manie qui peut, en contexte de travail, irriter les Français, peu sensibles à une marque de respect quasi automatique du locuteur anglais.

L'analyse des linguistes est claire : la fonction du *tag*, c'est de suggérer que celui qui parle, plutôt que de réclamer l'accord de son interlocuteur, ne fait que solliciter son accord, en laissant ouverte la possibilité qu'il ne l'ob-

1. *Astérix chez les Bretons*, 1966.

tienne pas[1]. Ce qui permet de donner une échappatoire à celui auquel on s'adresse et, ce faisant, de préserver la liberté et l'autonomie de décision de l'interlocuteur, mais aussi de courir le risque que l'interlocuteur juge que celui qui s'adresse à lui refuse d'assumer la responsabilité de ses énoncés.

L'analyse de Wierzbicka[2] apporte une nuance supplémentaire. Tout en reconnaissant la recherche d'un accord dans l'utilisation du *question-tag*, elle ajoute que la recherche de l'accord se fait au profit du locuteur qui, en fait, ne s'attend pas à un désaveu de la part de son interlocuteur. Ce désir démentirait l'intention première de recherche d'accord et offrirait l'image d'un locuteur magnanime ou condescendant « qui offre gracieusement la possibilité à son interlocuteur d'exprimer son point de vue » mais s'attend à ce qu'il acquiesce ! C'est la moindre des politesses ! Le procédé devient alors purement conventionnel mais est en même temps significatif sur un plan culturel.

Voici l'interprétation donnée par l'un de nos interviewés anglais, parfaitement conscient des possibilités de jeu que lui offre sa langue :

« Il y a tellement de façons de poser une question, de faire une suggestion ou de demander quelque chose et comme ça, juste au dernier moment, vous entortillez la chose et vous offrez un compromis, exactement à la manière dont vous entortillez une question à la fin. Et ça, c'est vraiment amusant. »

On remarquera que ce petit jeu permet à notre locuteur de sauver la face et de sauver la face de son interlocuteur par la même occasion. En situation de communication franco-anglaise, le principe du jeu échappe au locuteur

1. Lakoff, 1972, p. 917.
2. Wierzbicka, 1991, p. 46.

français qui n'en partage pas ou n'en connaît pas les règles. Le Français sera encore très critique vis-à-vis de cette stratégie verbale qu'il opposera à un idéal de sincérité et à une survalorisation de la franchise.

Éviter le désaccord

S'il était encore besoin de prouver que ces procédés sont significatifs sur le plan culturel, il suffirait de citer quatre stratégies linguistiques supplémentaires[1] répertoriées par les linguistes et qui viennent compléter la liste des stratégies de recherche de l'approbation. En voulant éviter le désaccord, ces procédés, qui ne sont que des pseudo-accords, expliquent là encore les perceptions de « flou » des Français.

Prenons le premier procédé, *The token agreement* ou accord symbolique. Il s'agit d'un mécanisme dans lequel le désir d'accord ou le désir de l'apparence d'accord conduit à rechercher des procédés de simulation d'accord :

A : *What is she, small ?* Comment est-elle ? Petite ?

B : *Yes, yes, she's small, smallish, um, not really small but certainly not very big.* Oui, oui, elle est petite, plutôt petite, euh pas vraiment petite mais certainement pas très grande.

Le deuxième mécanisme répertorié est précisément nommé *pseudo-agreement* ou pseudo-accord. On note ici la fréquence du recours à des marqueurs de conclusion tels que *then* :

I'll be seeing you then. Bon, j'te verrai alors.

Then peut effectivement faire référence à un réel engagement préalable mais il se peut qu'il n'y ait jamais eu d'accord préalable et dans ce cas *then* renvoie à un faux

1. Brown et Levinson, 1987, pp. 113-117.

accord préalable pour faire pression sur l'interlocuteur et s'assurer sa coopération.

Le troisième mécanisme d'évitement poli du désaccord se traduit par l'utilisation de *white lies* ou pieux mensonges. Un interlocuteur confronté à la nécessité d'émettre une opinion préférera mentir plutôt que de porter atteinte à la « face » de son interlocuteur :

Yes, I do like your new hat ! J'aime beaucoup ton nouveau chapeau.

Les deux interlocuteurs peuvent très bien savoir que ce n'est pas vrai mais l'essentiel, c'est de ne pas offenser l'interlocuteur.

Le dernier mécanisme *hedging opinions* nous intéresse particulièrement car il permet de ne pas donner directement son opinion : le locuteur choisit de rester vague en ce qui concerne ce qu'il pense afin de ne pas être considéré comme étant en désaccord.

Le procès lui-même *hedge** n'ayant pas d'équivalent en français est assez révélateur d'un trait culturel caractéristique. En voici la définition donnée par le dictionnaire anglais[1] : *To refuse to answer directly*, ce qui signifie qu'on évite de répondre directement, ou que l'on répond à côté avec une « réponse de Normand », « en tournant autour du pot » ou en « ménageant la chèvre et le chou », toutes formes de réponses connotées négativement, comme on peut le constater dans le lexique français.

Ce mécanisme va permettre de relativiser des adjectifs de haut degré ou des formulations trop « intenses » qui présentent un risque lorsqu'on est en situation de recherche d'accord. Ainsi on trouvera des expressions telles que : *sort of, kind of, like, in a way*, qui seraient l'équivalent des expressions françaises : en quelque sorte, comme, d'une certaine manière.

1. *Longman Dictionary of Contemporary English.*

Le recours à cet outil langagier est loin d'être rare dans le discours de nos interviewés, particulièrement dans la situation d'interview entre une Française et un(e) Anglais(e). Ecoutez Nichola user de ce procédé pour atténuer, lors de son face-à-face avec l'enquêteuse française, les critiques émises sur les Français :

• *Particularly, the older French people are* sort of *holding on to their position...* Les Français les plus âgés, particulièrement, se cramponnent en quelque sorte à leur position.

• *I* sort of *feel that the French are still* kind of... Je trouve dans une certaine mesure que les Français sont plutôt...

Et dans la même situation d'interaction avec Kathryn :

• *You said that French people seem to be slower* Vous avez dit que les Français semblent plus lents...

• *I think* sort of *less...* Je pense qu'ils sont plutôt moins...

• *I am* sort of *quite hesitant to say that it's a French way of doing things.* J'hésite plutôt, j'hésite assez à dire que c'est une manière française de faire les choses.

Ou encore avec Vicky qui tente d'adoucir une critique négative sur ses propres compatriotes :

• *We sometimes are a bit* kind of *shy and* kind of *moan a lot.* Nous sommes parfois un peu timides en quelque sorte, et nous nous plaignons plutôt beaucoup.

La liste de stratégies peut sembler déjà longue, mais je vous engage à poursuivre l'exploration, car on ne saurait appréhender les impressions de flou communiquées aux Français par les Anglais, sans prendre conscience de la richesse et de la multiplicité des procédés d'atténuation, présents dans toute langue, il est vrai, mais particulièrement privilégiés et affectionnés dans le discours anglais.

Quelques autres procédés d'atténuation

| *Litote* / Understatement

La litote définie par Kerbrat-Orecchioni [1] comme la politesse négative sert, elle aussi, à adoucir des actes menaçants pour la « face » de l'interlocuteur. L'exemple le plus célèbre en langue française est donné par la citation de Chimène à Rodrigue dans *Le Cid* de Corneille : « Va, je ne te hais point. » D'autres exemples de litote relèveraient de la modestie, de la critique ou du reproche, mais tous concourent à une forme de politesse qui adoucit l'énoncé :

Il n'est pas sot.
C'est pas mal.
C'est pas très malin de ta part.

| *La litote française est-elle comparable à l'* Understatement ?

Dans son étude comparative de la litote et de l'*understatement*, Elisabeth Chérain [2] fait ressortir qu'en langue française la litote est utilisée pour produire un effet emphatique : « faire entendre le plus en disant le moins » et qu'elle s'accompagne le plus souvent de la négation du contraire. On en trouve plusieurs exemples chez les informateurs français :

Ils (les Anglais) *parlent pas mal, hein !* repris et interprété aussitôt par l'enquêteuse française : « Ils se débrouillent bien ! »

Ou bien : *C'est pas facile !* avec le sens de : « c'est vraiment difficile ».

---

1. Kerbrat-Orecchioni, 1992, p. 211.
2. Chérain, 1995.

Toujours d'après l'étude de Chérain, il est difficile de différencier avec exactitude la litote française de l'*understatement* anglais. Toutefois, les dictionnaires anglais, à l'article *understatement,* mettent l'accent sur le rapport avec la vérité : « une formulation qui se situe en dessous de la vérité ou de la réalité [1] », « une formulation qui n'est pas assez forte pour exprimer complètement les faits ou sentiments réels [2] ».

Leech [3], dans sa tentative d'explication, contraste l'hyperbole qu'il associe à l'*overstatement* avec la litote qu'il ne différencie pas de l'*understatement.* Pour lui aussi, référence est faite à la vérité. « Pour comprendre ces stratégies pragmatiques, il faut tout d'abord être conscient que la véracité n'est pas toujours une question de simple choix entre vérité et mensonge », note-t-il. L'une et l'autre de ces stratégies ne seraient alors qu'une question de degré choisi sur l'échelle de valeur de la vérité, au-dessus pour l'hyperbole et en dessous pour la litote.

Toujours selon Leech, l'*understatement* se justifie par un souci de politesse et se trouve fréquemment dans des énoncés critiques ou dans des énoncés qui relèvent d'un souci de modestie quand il est question de soi-même. Son analyse insiste sur le caractère de crédibilité attaché à l'*understatement* en contraste avec l'hyperbole dont l'exagération provoque l'incrédulité.

Comment interpréter alors des énoncés comme : *John's not a friend*, « John n'est pas un ami » et *John's not an enemy*, « John n'est pas un ennemi » proposés par Brown et Levinson [4] ? Le premier énoncé *John's not a friend*, dit sans accentuation particulière, peut impliquer que John est

1. *O.E.D.* : « a statement which falls beneath *the truth* or fact ».
2. *Longman Dictionary of Contemporary English* : « a statement which is not strong enough to express the full or *true* facts or feelings ».
3. Leech, 1983, pp. 145-147.
4. Brown & Levinson, 1987, pp. 262-264.

un ennemi tandis que le second énoncé *John's not an enemy*, n'implique pas que John est un ami, mais plutôt qu'il n'est ni ami, ni ennemi.

On constate que l'interprétation de Brown et Levinson rejoint l'analyse de Leech sur la notion de degré de vérité introduit dans un énoncé. En affirmant que John est un ami ou que John est un ennemi, le locuteur n'exprimerait pas le degré de vérité requis. Le dernier énoncé grâce au procédé d'*understatement* introduit une gradation entre les notions ami et ennemi et permet de rétablir la vérité.

Ce procédé, pour être correctement interprété, requiert la coopération et la complicité des locuteurs en présence. On imagine sans peine que, lors d'une conversation, la fréquence d'emploi de ce procédé dans la langue anglaise pourra à nouveau être interprétée par un Français comme un désengagement et un refus de prendre position.

Adjectifs et adverbes à valeur d'adoucisseur

Certains adverbes ou adjectifs peuvent jouer le même rôle que l'*understatement* en introduisant également un « gradient[1] », c'est-à-dire des nuances de degré ou d'intensité dans la notion primitivement établie.

On retrouvera la même modération et la réticence à valider un énoncé perçu comme trop absolu par le locuteur anglais. C'est le cas de l'adjectif *reasonable*, très fréquent dans le discours de nos interviewés, soit pour formuler une critique, soit par souci de modestie.

Tom, après avoir fait l'expérience d'un hôtel français peu confortable lors d'un précédent séjour, compare avec son hôtel actuel :

Having said that, I've got a reasonable hotel tonight.
Ceci dit, j'ai un hôtel « raisonnable » ce soir.

1. « Le gradient permet d'effectuer un travail quantitatif sur le qualitatif en distinguant différents degrés des propriétés définitoires de la notion considérée. » Eric Gilbert, 1989.

Un interlocuteur avisé percevra que Tom se défend d'accorder un label de qualité supérieure à son nouvel hôtel. Il veut bien porter une appréciation plus favorable mais, de façon polie, fait sentir qu'il le distingue tout de même de la haute qualité qu'il attribue aux hôtels anglais.

Dans l'exemple suivant, Pamela évite également la validation d'un haut degré mais il ne s'agit plus de critique :

I am at the stage where I can understand a reasonable amount of French conversation. J'en suis au stade où je comprends une part « raisonnable » d'une conversation en français.

La modération contenue dans *reasonable* a pour origine la modestie de la locutrice. Son sens du tact ne lui permet pas de se féliciter de son propre niveau de compétence et la porte à modérer son appréciation.

Cette imprécision peut encore laisser sur sa faim le locuteur français qui, dans la situation de Tom, aurait certainement adopté un ton plus direct, du style : *Bon, cette fois il est acceptable cet hôtel, quoique...* ou dans le cas de Pamela : *Je me débrouille...* car l'emploi de *raisonnable* n'est pas recevable dans la traduction des deux énoncés cités. Certes le terme *raisonnable* n'est pas absent des énoncés français, mais son emploi ne vise pas forcément l'atténuation. En ce sens *reasonable* constitue un mode d'*understatement* avec les implications suivantes signalées dans la définition du dictionnaire anglais[1] : *not too much, not too many, or too great ; fair ; not expensive ; not bad ; quite good* (pas trop, pas trop grand, correct, pas cher, pas mal, assez bon).

Ce n'est pas une simple coïncidence si la définition de *reasonable* fait appel à l'adverbe *quite*. *Quite*, très fréquent dans le discours des interviewés anglais, implique un effet adoucissant qui s'apparente à celui de *reasonable*

1. *Longman Dictionary of Contemporary English.*

et *reasonably.* Voici quelques-uns des exemples extraits des interviews :

The thing I find quite amusing. Ce que je trouve assez amusant.

That can be quite frustrating. Ce peut être assez frustrant.

I am quite cruel. Je suis assez cruel.

They have a quite strong sense of humour. Ils ont un sens de l'humour assez marqué.

Quite et *reasonably* semblent même interchangeables lorsqu'on rapproche les deux énoncés suivants :

A reasonably accurate definition, une définition « raisonnablement » précise
et

I think my figures are probably absolutely quite accurate, où le trait est porté à son comble avec le jeu d'avance et de recul impliqué par l'intensité de *absolutely* et *accurate* en contraste avec *probably* et *quite ;* absolument, non, probablement absolument ; précis les chiffres, non plutôt assez précis !

On constate, comme avec les *hedges**, que *quite* intervient pour atténuer une opinion ou une prise de position ; cette atténuation, dans le registre anglais de politesse, est destinée à garder une distance qui évite toute agression de l'interlocuteur, surtout lorsqu'il s'agit dans la situation d'interview d'aborder les défauts des Français, ou bien d'exprimer la modestie et la réserve vis-à-vis de qualités que le locuteur prête à ses compatriotes anglais !

Quite pourra de plus entrer en combinaison avec les *hedges** pour renforcer l'atténuation :

They can be quite sort of proud. Ils peuvent être relativement assez fiers.

I'm sort of quite thick-skinned. Je suis plutôt relativement dure.

Avouez qu'il est « raisonnablement » difficile de se

repérer au milieu de toutes ces « subtilités » quand on est français ! Surtout que les dictionnaires français, même s'ils notent l'idée de modération contenue dans *raisonnable*, soulignent son emploi dans la langue courante au sens d'*assez important, au-dessus du médiocre*. Une fois de plus l'adoucissement du propos par l'intermédiaire de *quite, reasonably* (ou *reasonable*), ou des combinaisons des adoucisseurs entre eux, sera un motif d'agacement pour le locuteur français, d'autant plus que d'autres adverbes (*fairly, rather, pretty*) peuvent encore s'ajouter à cet arsenal de dispositifs d'*understatement*.

A l'opposé du souci de modération de la langue anglaise qui multiplie des adoucisseurs intraduisibles en français ou en italien, le français aimera à exprimer son intensité émotive par des procédés d'*overstatement* comme la duplication dans : « le ciel était d'un bleu, mais d'un bleu », intraduisibles cette fois en anglais ! Cela ne signifie pas que le procédé est absent du discours anglais, mais gare à l'imprudent qui se risquerait à l'utiliser en toute innocence ! Il serait vite jugé original et catalogué dans un groupe social à qui l'on attribue justement la caractéristique inhabituelle ou originale de manifester ouvertement ses émotions. Son style serait en effet assimilé à celui des femmes riches, des jeunes filles des écoles privées, des homosexuels ou des acteurs, qui sont censés exprimer, librement et en public, émotion, affection ou hystérie, toutes formes de manifestations jugées totalement mensongères ou hypocrites [1].

Ainsi les adjectifs et adverbes que nous avons passés en revue se révèlent des outils langagiers importants de la langue anglaise pour signifier, par l'atténuation du discours et par la réserve, que l'on respecte son interlocuteur, que l'on préserve son autonomie et ses décisions, en un

1. Wierzbicka, *ibid.*

mot que l'on opte pour la voie du consensus. Côté français, cette stratégie de modération sera à nouveau interprétée comme un désengagement et un refus de prendre position, à l'origine de la confirmation du caractère d'hypocrisie affecté aux Anglais, et en contraste avec des stratégies d'*overstatement* qui permettent l'expression franche et ouverte des émotions et des opinions.

D'autres stratégies langagières peuvent-elles encore s'ajouter à la panoplie d'adoucisseurs que nous avons déjà répertoriée ? Il nous faut pour cela examiner le champ des euphémismes et des mots tabous.

Euphémismes et mots tabous

La fonction euphémique pourrait paraître désuète dans notre monde moderne ; cependant la créativité lexicale attestée par les dictionnaires de mots récents témoigne de la survivance d'une pudeur langagière — que ce soit en langue anglaise ou en langue française — qui évite de désigner en fonction des normes de chaque société « la notion que l'on veut rendre présente à l'esprit[1] ».

Certes, la fonction euphémique est en perpétuelle évolution, les domaines tabous évoluent, les mots s'usent ou se reconvertissent. « Si la notion est de celles que la norme morale et sociale réprouve, l'euphémisme ne dure pas ; contaminé à son tour, il devra être renouvelé[2]. »

Dans son classement des néologismes à fonction euphémique en anglais contemporain britannique, Vince souligne que si la place occupée par les croyances dans les jurons est devenue très peu importante, la créativité euphémique foisonne dans le domaine du corps et de ses fonctions, démontrant ainsi que « la pudeur et la réserve se manifestent aussi intensément que par le passé[3] ».

1. Benveniste, 1966, p. 310.
2. Benveniste, *ibid.*
3. Vince, 1991, pp. 181 *sq.*

Voici quelques-uns des termes relevés par Vince :

• Dans le domaine du handicap :

challenged, littéralement « défiés » (pour faire face aux autres et vivre) désigne les handicapés ;

physically different, « au physique différent », remplace *physically handicapped* : handicapé physique ;

learning-disabled, « en difficulté d'apprentissage », s'emploie pour *mentally handicapped* : handicapé mental ;

opportunity group, « groupe d'opportunité » (pour s'améliorer ou trouver des solutions), désigne un groupe de soutien aux mères d'enfants handicapés ;

hearing-impaired, « à l'audition affaiblie », remplace *hard of hearing* : dur d'oreille.

• Et dans celui de la vieillesse :

grey, « gris » ;

September people, « les gens de septembre » ;

empty nester, « au nid vide » ;

white-top, « tête blanche », désigne une personne âgée et infirme.

Conformément à l'évolution des sociétés occidentales, on trouvera la créativité d'euphémismes concernant les mêmes domaines, maladie, mort, vieillesse, en français contemporain :

malentendants, non-voyants ou *le troisième âge.*

L'intention semble également la même : éviter de blesser. On remarque toutefois que la production est beaucoup plus importante en anglais et beaucoup moins abstraite, notamment pour les termes qui désignent les personnes âgées : référence aux couleurs, aux saisons.

Outre le désir de ne pas blesser, il semble qu'en français, certaines périphrases ou certains néologismes visent à anoblir un état. Citons en exemple :

techniciens de surface qui désigne en langage administratif et sur un CV les *femmes de service*, terme qui s'était lui-même substitué il y a quelques années à *femmes de ménage* ;

ripeurs, qui désigne les éboueurs.

On constate que ces euphémismes concernent des métiers dits « manuels » opposés à des tâches dites « intellectuelles », c'est-à-dire plus nobles (?). La langue anglaise ne témoigne pas de la même créativité dans ce domaine de travail, ce qui engage à penser que la fonction ouvrière n'aurait pas besoin d'être signalée par un procédé d'euphémisation dans la société anglaise ; dans ce cas, jouirait-elle d'un statut plus neutre et accepté, à la différence du statut français ?

En revanche les euphémismes dans le domaine du travail concernent d'autres champs d'activité, témoin les périphrases formées autour de *consultant*[1] :

sensitivity consultant : personne employée pour enseigner le respect des sentiments des autres, périphrase qui témoigne encore une fois des valeurs de tact et de réserve signalées plus haut ;

boutique consultant : métier concernant le domaine de l'espionnage industriel et qui touche donc au domaine de la vérité et du mensonge.

On retrouve une certaine créativité dans le même domaine de la vérité et du mensonge au niveau politique et gouvernemental. Vince se demande si l'expression contemporaine *economical with the truth* (littéralement, être économe de la vérité, c'est-à-dire se garder de dire toute la vérité) n'est pas la recherche d'une nouvelle appellation pour la notion exprimée par Churchill en 1906 : *terminological inexactitude.*

En ce qui concerne les jurons, l'un des informateurs français fait remarquer l'extrême prudence et réserve des Anglais, tout du moins sur le lieu de travail :

1. Vince, *ibid.*

« Il y a des expressions très courantes en français qu'on utilise tout le temps comme merde, *par exemple, alors que eux, ils sont toujours en train de dire* sugar *pour ne pas avoir à dire le mot en question, enfin il y a toute cette pudeur comme ça. »*

Cette « pudeur » n'apparaîtrait pas seulement dans les relations de travail de la filiale parisienne avec la maison mère anglaise, Laurence a pu la constater également dans son milieu de travail en Angleterre où elle a vécu et travaillé plusieurs années.

L'humour

Le lecteur ne sera guère surpris que l'on place l'humour parmi les procédés destinés à atténuer le discours. Ne serait-ce pas justement la caractéristique de l'humour anglais que de pouvoir jouer sur l'interprétation du discours ?

Le terme *humour*, lui-même, a une histoire franco-anglaise bien curieuse [1] ; issu du latin *humor* au XIIe siècle, il apparaît en français sous la forme *humeur* dans le sens des « humeurs », c'est-à-dire des « liquides » du corps, sens qu'il gardera jusqu'au XVIe siècle avant de désigner le tempérament ; emprunté au français *humeur* par les Anglais qui lui adjoignent le sens dit de l'*humour*, il revient en France au XVIIIe siècle et est utilisé en français avec cette même orthographe et sous cette même acception. Voici ce qu'en disait Voltaire [2] : « Les Anglais ont pris leur *humour*, qui signifie chez eux plaisanterie naturelle, de notre *humeur* employé en ce sens dans les premières comédies de Corneille. »

Chris Leeds rappelle que si l'on attribue aux Anglais de l'humour, c'est aux Français que l'on attribue de l'esprit :

1. Leeds, 1989.
2. *Dictionnaire philosophique*, Langues. In *Le Robert*, Humour.

« Dire *tu es une tête de bûche*, c'est de l'esprit, dire *je suis une tête de bûche*, c'est de l'humour[1]. » Car, c'est cette façon de se moquer de soi qui constitue l'humour si « typiquement » anglais, un humour « tourné contre soi-même, fondé sur le caractère dérisoire de l'humanité et de ses entreprises[2] ».

En effet, c'est bien ce trait particulier que l'on retrouve dans le discours des interviewés anglais, témoin la repartie de Bruce, Anglais d'origine, interrogé sur son aptitude aux langues étrangères :

« Quelles langues parlez-vous ?

— Eh bien, aucune ! Voyez comme je me débats avec l'anglais ! »

Comme « les lois de la politesse ne sont jamais complètement mises entre parenthèses et qu'on hésite donc à se moquer ouvertement des autres[3] », l'humour sera, là encore, un procédé de mise à distance et de protection contre l'agression et le conflit en même temps qu'un masque de l'embarras et de l'agressivité dans une culture où l'on réprime toute expression ouverte des sentiments[4].

A nouveau, nous nous trouvons en présence d'un procédé qui permettra au locuteur de laisser la porte ouverte à différentes interprétations puisque l'humour pourra être interprété différemment et permettre au « locuteur source, ainsi qu'à son interlocuteur cible ou à son auditoire, une flexibilité importante de comportement[5] ».

Le procédé aura même une fonction de désengagement vis-à-vis de ses propres propos et évitera la perte de la face car les propos humoristiques seront « rétractables »[6]. Ce qui n'empêchera pas, en fonction des circonstances,

1. André Maurois. *In* Leeds, *op. cit.*, p. 5.
2. Béal, 1994, p. 255.
3. Béal, *ibid.*
4. Mole, 1992.
5. Kane, 1977. *In* Attardo, 1994, p. 325 (traduit par l'auteur).
6. Attardo, *ibid.*

que cette stratégie d'adresse indirecte puisse se révéler très acide et cinglante sous forme d'une critique humoristique qui réponde aux exigences de tact et de politesse :

« Je dois dire que je suis plutôt cruel avec mon humour, parce que l'humour anglais est très ironique, il n'est pas direct, il est assez indirect, c'est comme ça qu'on dit les choses. »

Le Français plus coutumier de la joute verbale sera souvent dérouté par un humour qu'il ne comprend pas et qu'il a donc des difficultés à apprécier :

« On peut très bien parler couramment et avoir des gros problèmes de relationnel parce qu'on ne comprend pas les mœurs d'un pays, on n'arrive pas à apprécier l'humour, commente Stéphane. *Connaissant les Anglais, c'est vrai qu'ils ont un humour !* (rire) *On parle toujours de l'humour typique anglais. Si on ne l'apprécie pas toujours, il faut quand même être au courant que ça existe ! »*

Du reste, très peu de témoignages français abordent le thème de l'humour, révélant ainsi qu'il n'est pas perçu ou bien que les interlocuteurs anglais n'en font que rarement usage avec leurs interlocuteurs français.

Au plaisir de la joute verbale française correspondra chez les Anglais « le laconisme du joueur de poker qui attend le moment opportun pour abattre ses cartes[1] ».

Bruce conclura la conversation sur son inaptitude, malgré sa bonne volonté, à apprendre les langues, et notamment le français, par un effet qu'il avait ménagé depuis le début de l'entretien :

Il n'y a pas assez de français / Français à Calais.

Où l'on voit que le coup du « joueur de poker » est sous-tendu par le jeu de mots sur *French*, la langue et *the French*, les Français.

1. Béal, *op. cit.*

On notera avec Brown et Levinson[1] que la situation de plaisanterie ne réduit pas pour autant le poids d'imposition et la distance hiérarchique entre individus, ce qui fait courir, une fois de plus, le risque de confusion par les Français entre la familiarité qu'ils peuvent inférer de la stratégie verbale d'humour, et la réduction de distance entre personnels de l'entreprise.

— UN PREMIER BILAN DE VOYAGE —

Sans vouloir identifier complètement une culture à une langue, on ne peut nier qu'une langue soit le reflet de traditions passées et qu'elle porte profondément l'empreinte des valeurs liées à ces traditions. Ce chapitre consacré à l'exploration des représentations croisées des pratiques langagières entre locuteurs anglophones et locuteurs francophones, a mis au jour dans la langue elle-même certaines caractéristiques qui témoignent d'un ancrage très fort des valeurs liées à chacune des cultures. Les témoignages des informateurs sont tout à fait éclairants puisque les jugements qu'ils portent les uns sur les autres s'appuient sur des particularismes de la langue elle-même et de ses stratégies d'interaction.

Vous avez pu, lecteur et voyageur interculturel à part entière, observer l'approche de la langue de l'autre par chaque interactant. Il peut être rassurant pour un Français qui se lance dans un échange en anglais de découvrir que son interlocuteur anglais placé dans une situation d'échange en langue française éprouve la même appréhension psychologique face au destinataire du message qui va juger de sa compétence et de sa performance. Bien sûr,

1. Brown & Levinson, 1987, p. 253.

la réciprocité ne s'exerce pas de façon égale, les Anglais préfèrent dans une grande majorité user de leur propre langue et comptent sur les Français pour assumer la démarche d'apprentissage de la langue étrangère. Nul besoin de faire appel aux statistiques, les informateurs, qu'ils soient anglais ou français, en font état : les échanges ont lieu en anglais, c'est la langue de communication privilégiée. Et si la plupart des Français en ont pris leur parti : « c'est la langue des affaires », dit un jeune cadre français, d'autres Français, plus âgés, parlent de « l'impérialisme » de la langue anglaise et acceptent difficilement ce qu'ils ressentent comme une injuste inégalité linguistique.

Le système scolaire français participe largement à la diffusion et à l'apprentissage de l'anglais. Le système scolaire anglais, de son côté, n'a entrepris que récemment [1] des réformes qui visent à promouvoir l'enseignement des langues. Comment juger cette inégalité ? Certains locuteurs anglophones font ressortir une incompétence de leurs compatriotes due à la structure très différente des deux langues et à l'enseignement qu'ils ont reçu de leur propre langue maternelle en milieu scolaire. Selon eux, la langue anglaise moins structurée que le français se satisferait d'un enseignement plus informel qui les préparerait mieux à une compétence orale, tandis que la langue française serait beaucoup plus formelle et renverrait à une compétence de communication écrite. Un commentaire que l'on ne peut que prendre au sérieux à l'annonce, au début du mois d'août 2000, des mesures envisagées par le gouvernement britannique pour combler les lacunes des enseignants : « Quelque 25 000 instituteurs vont devoir suivre une journée de formation pour renforcer leurs connaissances en

1. *The Education Reform Act* de 1988 rend obligatoire l'apprentissage d'une langue étrangère pour les 11-16 ans.

grammaire, dans le cadre d'un programme visant à améliorer le niveau des élèves en anglais écrit[1]. » Les Anglais auraient donc un handicap dans l'apprentissage des langues et du français, ce qui favoriserait un complexe d'infériorité et une plus grande appréhension dans leur interaction avec des francophones.

Mais on ne peut réduire l'apprentissage d'une langue à l'apprentissage d'un système linguistique et l'analyse menée au cours de ce chapitre le démontre clairement : la compétence linguistique n'est pas synonyme de compétence de communication socioculturelle. Que ce soit dans le fonctionnement des tours de parole dans la conversation, ou encore dans les comportements dits de politesse, on assiste à des transferts de stratégie qui illustrent l'importance de l'apprentissage des situations d'interaction dans l'accès à la compétence de communication. Et c'est bien l'ignorance et la non-maîtrise des stratégies liées à l'interaction qui vont empoisonner les relations, qui vont être source de malentendus, altérer la confiance des participants à l'échange pour finalement renforcer les jugements et les préjugés des uns sur les autres.

Invité à découvrir un panorama linguistique, vous vous êtes parfois reconnu, à la lecture de certaines représentations ou réactions de peur, d'attirance ou de rejet de la communauté francophone ou anglophone. Voyageur interculturel, vous avez aussi pu comparer les procédés linguistiques originaux repérés par les informateurs anglais et français. Les points de repère donnés sur les valeurs culturelles véhiculées par les marqueurs de la relation ou les formulations plus ou moins directes choisies par les locuteurs de chacune des deux langues ouvrent des pistes de recherche sur les comportements des interactants dans l'action.

1. *Le Monde de l'Education*, septembre 2000, p. 8.

Est-il possible de retrouver dans les attitudes et comportements des informateurs la trace des valeurs qu'ils nous ont permis d'identifier par l'intermédiaire des stratégies et procédés langagiers ? Cette trace en forme de métaphore validerait la continuité entre le témoignage offert par les pratiques langagières et le système conceptuel utilisé en pensant et en agissant. Je vous propose maintenant de suivre ce nouveau sillage qui nous permettra de voguer vers des régions méconnues et d'explorer de nouveaux îlots de malentendus.

CHAPITRE 3

Escales sur quelques îlots de malentendus

La métaphore est partout présente dans la vie de tous les jours, non seulement dans le langage, mais dans la pensée et l'action.
LA DISCUSSION, C'EST LA GUERRE.
Une bonne partie de ce que nous faisons en discutant est partiellement structuré par le concept de guerre. S'il n'y a pas bataille physique, il y a bataille verbale et la structure de la discussion — attaque, défense, contre-attaque, etc. — reflète cet état de fait. C'est en ce sens que la métaphore LA DISCUSSION, C'EST LA GUERRE *est l'une de celles qui, dans notre culture, nous font vivre : elle structure les actes que nous effectuons en discutant.*
Imaginez une culture où la discussion est perçue comme une danse, où les participants sont des acteurs dont le but est d'exécuter la danse avec adresse et élégance. Dans une telle culture, les gens percevraient les discussions autrement, ils en parleraient différemment, et leur expérience serait différente.

Lakoff et Johnson.

— LANGUE ANGLAISE, LANGUE DOMINANTE ? —

Le chapitre précédent nous a fait aborder la langue de l'autre sur le plan de l'apprentissage purement linguistique. Au-delà des spécificités techniques langagières et des représentations croisées qui en découlent, faisons une première escale sur un îlot concerné par la sélection prioritaire de l'anglais comme langue d'échange. Comment échapper à la réflexion sur le rapport asymétrique et les représentations de dominants et dominés linguistiques induits par cette sélection ?

La sélection de la langue : non-réciprocité

Rappelez-vous le témoignage de Tom et son attente que les Français fassent l'effort de compétence en langue étrangère :

« Nous comptons sur eux (les Français) *pour parler notre langue. »*

Cette attente ne semblait guère provoquer de sentiment de culpabilité ou d'infériorité, à peine une petite gêne, Tom signalant, en début d'entretien, le bénéfice que les leçons d'anglais prises par le personnel français avaient apporté à la compréhension mutuelle. Pour lui, c'est un fait établi :

« L'anglais est la langue standard de communication pour les sociétés de mon groupe. »

Et cet état de fait ne le met aucunement dans l'obligation de réciprocité, comme il l'ajoute plutôt abruptement :

« Nous ne rendons pas la réciproque. »

Patrice, qui travaille pour une société française implantée en Angleterre, confirme tout en soulignant les efforts témoignés par les Français dans l'apprentissage de l'anglais :

« En général, les Anglais ne parlent pas beaucoup français (...) ce n'est pas un problème, c'est de moins en moins un problème.

— Pourquoi ? De plus en plus de Français parlent-ils anglais ?

— A Z. (la société où travaille Patrice) *oui, en France.*

— Diriez-vous que la réciproque est vraie, que de plus en plus d'Anglais parlent français ?

— Non, je ne pense pas que ce soit vrai de l'autre côté. »

A ce stade de l'entretien, j'aperçois dans la salle de réunion où nous nous trouvons, des notes en français sur un tableau blanc. Je demande des explications à Patrice :

« C'est un cours. Alors une anecdote là, si vous voulez. A Z.P., il y avait des cours de français, et puis ça a été supprimé. Parce qu'en fait les gens qui avaient commencé à apprendre le français se sont peut-être découragés, ont trouvé que c'était trop dur, il y en a beaucoup qui ont arrêté, il en restait un nombre trop petit, tous les cours ont été supprimés. »

Nul besoin de citer d'autres témoignages ! Comme on l'avait constaté au cours de l'étude du chapitre précédent, la langue anglaise est en position de force, mais elle permet aux Français de se tailler, de façon inattendue, une réputation de compétence en langue auprès de leurs collègues anglais, réputation qui démentirait une inaptitude devenue légendaire au sein de l'hexagone.

Les quelques tentatives d'imposition de la langue française seront liées au statut de la maison mère, comme dans le cas, par exemple, de cette société mère française qui joue de sa position de domination notamment sur le plan technique :

« X., à l'heure actuelle, c'est le plus grand groupe verrier du monde, donc le savoir-faire français est un savoir-faire qui s'exporte. Alors là, la barrière de la langue n'est pas trop gênante, parce que la maison mère est française, donc quand elle va à l'étranger, elle impose un peu sa langue. »

De tels exemples sont rares. Les échanges n'étant pas confinés, dans la plupart des sociétés où j'ai pu enquêter, aux deux seuls pays Angleterre-France, la langue anglaise parvient le plus souvent à devenir langue d'échange privilégiée ou standardisée.

Sentiments d'infériorité et manipulations

Malgré cette aptitude révélée des Français pour la langue anglaise, l'attitude des Anglais vis-à-vis de leur langue est perçue par certains Français, voire certains Anglais francophiles, comme étant de l'arrogance :

« Les gens sont vraiment arrogants avec leur langue ! Ils pensent que l'anglais est une langue nationale, pardon, une langue internationale et que tout le monde devrait l'apprendre. »

Remarquons au passage le lapsus *nationale / internationale* de Robin qui aime à témoigner de sa différence et de son éducation européenne, non confinée aux frontières de « sa nation ».

Sylvie note le sentiment d'infériorité qu'elle ressent en tant que Française :

« Dans la mesure où on a une moins bonne maîtrise de l'anglais qu'eux, ça met nécessairement en position d'infériorité. »

Cette position de vulnérabilité lui fait dénoncer la possibilité d'une manipulation par ceux qui sont en position de force linguistique :

« C'est relativement facile de jouer avec ça, alors c'est probablement plus ou moins conscient, c'est certainement conscient et manipulatoire quelque part. »

Elle ajoute que la position administrative de maison mère à filiale vient renforcer la position de prééminence linguistique :

« Au niveau langue, il n'y a pas grand-chose à faire. Il y a aussi le fait effectivement, que là où on est, on est une filiale, et on est aussi tout petit, donc tout ça mis et empilé... »

« Passivité » et « paresse » des Anglais ?

D'autres Français sont tentés de qualifier de passive, l'attitude des Anglais vis-à-vis de leur langue devenue langue de communication internationale et qui, par conséquent, conduirait à une certaine paresse, à la recherche de partenaires maîtrisant leur langue maternelle, plutôt qu'à l'effort d'apprentissage d'une autre langue. En effet, comme le fait remarquer Verschueren :

> « Etre locuteur natif anglais, c'est bien sûr un énorme avantage. On ne peut que souligner le sentiment de confort que procure la possibilité de trouver des gens à qui parler sa propre langue à l'échelle mondiale[1]. »

A cet avantage certain, poursuit Verschueren, correspond le revers de la médaille : *la perte d'adaptabilité et de flexibilité*[2]. Cette remarque est elle-même attestée par le linguiste Claude Hagège :

> « Le haut degré de diffusion d'une langue rend un mauvais service à l'impulsion d'apprentissage. Les usagers d'une langue à grande diffusion ont moins de motivation pour apprendre[3]. »

Bruce, qui travaille dans une société binationale franco-anglaise, nous livre son point de vue sur la soi-disant paresse de ses compatriotes et sur leur situation face à leurs collègues français :

« Diriez-vous que seule la paresse pourrait expliquer le fait que si peu d'Anglais parlent français ?

— Non, je ne pense pas que ce soit de la paresse. Je dirais de la timidité. Il y a une chose dont les Anglais ne peuvent pas prendre conscience, c'est que les autres langues sont réelles, parce que cela fait trop longtemps

1. *In* Garcia & Otheguy, 1989, p. 34 (traduit par l'auteur).
2. *Ibid.*
3. Claude Hagège, *Rue des entrepreneurs*, France Inter, février 1996.

que l'anglais est une langue dominante. Le fait que dans ce bâtiment on utilise toujours beaucoup l'anglais, cela me pose un problème, alors que j'ai la volonté et l'envie d'apprendre le français. Le français n'est pas suffisamment utilisé : quand les gens du personnel rencontrent des Anglais, c'est l'anglais qu'ils utilisent, pas le français. »

Selon Bruce, les Anglais seraient donc victimes de l'internationalisation de leur propre langue et seraient de ce fait écartés, malgré eux, de la confrontation linguistique. Il poursuit en soulignant l'avantage des Français confrontés dans leur environnement à la reconnaissance de la diversité linguistique, notamment grâce à la facilité d'accès à des chaînes hertziennes de télévision étrangères :

« *Si vous prenez cette région* (nord de la France), *il est facile en parcourant les chaînes de télévision de capter trois chaînes anglaises, cinq ou six chaînes françaises, je parle des chaînes terrestres, et deux chaînes flamandes. Vous avez bien plus conscience de la réalité des différentes langues, alors qu'en Angleterre ça n'est pas possible, vous ne captez que des chaînes anglaises.* »

La conséquence relevée par Bruce serait un sentiment d'artificialité qui dominerait l'échange lorsqu'un Anglais s'exprime dans une langue étrangère :

« *Ça paraît toujours artificiel pour beaucoup d'Anglais. Essayer de parler une langue étrangère leur semble toujours très artificiel, parce que, pour la plupart, les Anglais qui utilisent une langue étrangère, l'utilisent très fréquemment avec des personnes qui savent parler anglais.* »

Il conclut son commentaire en allant jusqu'à employer le terme d'anormalité pour qualifier la perception que les Anglais peuvent avoir d'une langue différente de la leur :

« *Et donc, les Anglais n'ont pas les mêmes possibilités de contact avec un environnement langagier où l'autre langue est normale. Cela reste toujours anormal.* »

L'« impérialisme » de la langue anglaise

Il n'est pas dans mon propos de remettre en question la primauté de l'anglais dans les échanges internationaux. La diffusion de la langue anglaise, et des variétés d'anglais qui en découlent, a été analysée par de nombreux linguistes et socio-linguistes [1] qui ont démontré que cette diffusion repose sur des paramètres démographiques, économiques, scientifiques et culturels. On ne peut toutefois éluder complètement la perception de l'« impérialisme » de l'anglais qui filtre notamment chez les plus âgés de nos interviewés français, c'est-à-dire la tranche d'âge des 40-50 ans. Nichola qui est anglaise et occupe un poste de responsabilité important dans la maison mère anglaise où elle travaille, nous fait part de ses difficultés avec certains de ses clients français et apporte un éclairage sur le comportement des Français inclus dans cette tranche d'âge :

« Je trouve que mes clients français, particulièrement les plus âgés, insistent pour que je leur parle français, même si leur anglais est bon, et même si pour favoriser la compréhension mutuelle, cela serait bien qu'ils se détendent un peu et m'apportent leur aide. Mais ils tiennent absolument à ce que je parle français, ce que je comprends et respecte, puisque c'est leur souhait, mais je trouve que c'est davantage par dogmatisme que par souci de mieux me comprendre. »

En effet le déséquilibre rencontré dans l'utilisation en échange des deux langues respectives irrite, agace et fait émerger les stéréotypes de compétition entre deux nations longtemps rivales. L'un des informateurs français, âgé de 50 ans, ira jusqu'à analyser la conséquence de l'hégémo-

1. Bailey, Fishman, Greenbaum, Kachru, Labov et Quirk, pour n'en citer que quelques-uns.

nie de l'anglais comme susceptible de donner un sentiment de supériorité culturelle aux Anglais :

« Est-ce qu'il n'y a pas un sentiment de supériorité culturelle, non pas lié à l'imperfection du maniement de la langue par son interlocuteur, mais lié aussi au fait que ce soit dans sa langue, sous-entendu, vous autres, vous n'êtes que des barbares, vous ne parlez pas... On voit le sentiment que pouvaient avoir les Grecs face à des Hellénistes autrefois. Est-ce qu'on n'est pas considérés comme des barbares ?

Et moi, conclut-il, *dans une perspective très, très anglophobe, je trouve que l'Angleterre a gagné son combat séculaire contre la France avec la langue. »*

La même rancœur transparaît chez Sylvie, cadre de la même tranche d'âge en fin d'entretien :

« Ce qui reste au cœur du problème dans cet entretien, c'est tout de même une certaine suprématie de la langue anglaise ?

— Non seulement ça, la langue étant une partie d'eux. Il y a quand même une espèce de... il y a un impérialisme de la pensée même, il y a un sentiment de supériorité qui s'exprime différemment mais qui, à mon avis, est quand même important. »

Francis, un autre cadre français interviewé, ne partage pas ce sentiment de domination par une nation rivale. Pour lui qui travaille dans une société française implantée en Angleterre, l'anglais est en passe de devenir « une langue de commodité », un outil de communication neutre. Après avoir signalé que « l'anglais de tradition est très influencé par les Américains », il ajoute :

« L'anglais devient essentiellement technique, une technique de communication, mais en perdant toutes ses références culturelles et historiques. »

Dans son analyse, Francis réfute toutes les craintes de

ses compatriotes quant à une éventuelle mission colonisatrice de l'anglais :

« On assiste à la transformation d'une langue avec de sérieuses références culturelles, en un super-espéranto, utilisé partout dans le monde. Et beaucoup craignaient de l'influence de l'anglais dans le monde, de la prédominance de l'anglais, de la colonisation des différents pays par cette langue qui est universellement parlée, et je crois que l'inconvénient majeur c'est que c'est à la fois une langue très parlée et une langue qui perd de son identité, qui devient simplement un outil de communication sans plus. »

Analyse de la perception idéologique de la suprématie de l'anglais

La perception idéologique de la suprématie contemporaine de l'anglais a été analysée par la linguiste Jeffra Flaitz. Celle-ci rappelle que la diffusion du français comme *lingua franca* entre les XVIe et XIXe siècles correspondait à une « mission civilisatrice » qui visait à promouvoir la culture et l'idéologie françaises. Ainsi la pénétration de l'anglais dans l'hexagone constituerait un danger aux yeux des gouvernants français et expliquerait les mesures prises pour diminuer son influence en France :

> « Tout comme le français était considéré autrefois comme "le miroir, l'outil et l'arme" de l'hexagone, l'anglais pourrait à l'heure actuelle être perçu comme l'agent d'une idéologie "adverse" [1]. »

Flaitz ajoute :

> « On observe que le français a fonctionné et a été volontairement promu comme un symbole de la prééminence politique,

---

1. Flaitz, 1988, p. 2 (traduit par l'auteur).

culturelle et idéologique française au cours des XVIe-XIXe siècles. De nos jours, de nombreux Français pensent que la plus récente *lingua franca* internationale, l'anglais, est également chargée de valeurs spécifiques qui entrent le plus souvent en conflit avec les valeurs et les normes françaises. On dit que beaucoup craignent un dommage irréversible à leur langue et à leur culture dû à la pénétration de la langue anglaise en France[1]. »

Selon Flaitz, les Français, du fait de la perception de leur propre langue comme véhicule du patrimoine culturel national, ne peuvent qu'attribuer aux Anglais la même perception concernant la langue anglaise et la même volonté de « mission civilisatrice ». La langue anglaise chargée de toutes ses valeurs culturelles risquerait alors, par sa diffusion, de mettre en péril la langue et la culture françaises.

Et pourtant, Flaitz note en contrepoint « l'ironie de la popularité dont jouit l'anglais en France » :

« De tous les plus grands pays d'Europe de l'Ouest, c'est la France qui possède le plus fort pourcentage d'élèves du secondaire inscrits à des cours d'anglais[2]. »

Si l'on se réfère aux statistiques publiées en 1992 par le ministère de l'Education nationale français, 93 % d'enfants français étudiaient l'anglais durant l'année 1990-1991 dans l'enseignement secondaire, contre 82 % dix ans plus tôt. *Le Monde de l'Education*[3] signalait en 1996 que tous niveaux confondus, de la sixième à la terminale, le pourcentage des élèves qui « font de l'anglais » était passé à 98,6 %.

Cependant, Flaitz s'appuie sur les recherches du linguiste Joshua Fishman pour faire remarquer que le phénomène de la diffusion de l'anglais en temps que *lingua*

1. *Ibid.*, p. 9.
2. *Ibid.*
3. *Le Monde de l'Education*, juillet 1996.

franca internationale ne va pas nécessairement de pair avec la diffusion de valeurs idéologiques et culturelles, puisque « l'anglais de diffusion internationale semble perdre toute référence culturelle et idéologique avec les nations de langue anglaise[1] ».

Le même linguiste cité par Flaitz suggère que :

> « L'anglais en tant que *lingua franca* internationale pourrait même être idéologiquement neutre, une déclaration tout à fait contraire à la représentation fermement établie de la relation étroite entre une langue et sa contrepartie culturelle[2]. »

A l'appui de ce commentaire, on peut citer utilement Haberland[3] pour qui :

> « Le groupe-cible avec lequel les apprenants pourraient s'identifier est trop important et trop imprécis. Ce groupe-cible, pour de nombreux apprenants, n'est pas exclusivement constitué de locuteurs anglais natifs, mais se compose simplement de ces 700 millions[4] d'utilisateurs quotidiens de la langue anglaise... »

Ainsi, selon cette analyse, la diffusion de l'anglais échapperait aux critères habituellement associés à la diffusion d'une *lingua franca* et garderait un caractère étrangement neutre qui le rendrait inoffensif du point de vue idéologique.

Le point sur la domination des Français par les Anglais

Qu'en est-il, alors, de la domination de l'anglais et des Anglais sur le français et les Français ?

L'analyse de Flaitz et Fishman, que vous venez de lire, repose essentiellement sur la diffusion de l'anglais américain. Certes, l'anglais britannique a bénéficié de la diffu-

1. *Ibid.* (traduit par l'auteur).
2. *Ibid.*
3. Haberland, 1989, pp. 931-932.
4. Estimation de Quirk en 1985, natifs et non-natifs confondus.

sion de l'anglais américain due à la pression démographique, économique, scientifique et technologique, et les Anglais ont été les témoins quelque peu passifs de la montée de cet essor dont ils tiraient, après tout, un bénéfice linguistique et économique. Le témoignage de Bruce nous a laissé entrevoir la difficulté de la confrontation linguistique pour un Anglais dont le cursus scolaire et l'environnement n'ont pu lui fournir une ouverture sur l'usage naturel d'une autre langue que la sienne. D'autres informateurs soulignent les enjeux économiques des rapports avec les pays anglophones.

Reste que la même réaction de protectionnisme, dont les Français font preuve en cette fin de XXe siècle vis-à-vis de leur langue [1] se reflète en miroir dans l'attitude de protection qui émerge, côté anglais, quant à la sauvegarde de l'anglais standard britannique. Ecoutez Francis faire référence à l'émotion de certains Anglais face à la transformation de leur langue :

« Vous semblez prédire un avenir bien noir à l'anglais britannique ?

— Je crois et certains Anglais le remarquent. On voit quand on lit les journaux, par exemple, les articles de gens qui se plaignent de cette disparition de vocabulaire. »

Ou encore le prince Charles, lui-même, qui dénonce la contagion de l'anglais britannique par l'anglais américain :

> « L'anglais américain corrompt et devrait être évité à tout prix. Les Américains ont une propension à diffuser toutes sortes de noms et de verbes nouveaux et forgent des mots qui ne devraient pas exister [2]. »

La réaction du prince rappelle étrangement les réactions françaises pour la sauvegarde du patrimoine linguistique

1. On pense aux actions de Pierre Mauroy, Jack Lang et Jacques Toubon, par exemple.
2. Cité par le *Guardian Weekly*, 21 mai 1995 (traduit par l'auteur).

et culturel de la nation, ainsi que la conscience de la « mission civilisatrice » que peut jouer une langue, lorsqu'il ajoute :

> « La langue anglaise souligne les droits de l'homme, l'art du bon gouvernement, la résolution des conflits et le processus démocratique[1]. »

Le dernier commentaire du prince Charles montre à quel point il est conscient de la perte de statut de langue internationale par l'anglais britannique :

> « Il nous faut maintenant agir pour nous assurer que l'anglais — c'est-à-dire dans mon esprit l'anglo-anglais — maintienne sa position de langue internationale[2]. »

Peut-on parler dans ce cas de la domination de l'anglais britannique ? Sur un plan purement linguistique et international, c'est l'outil technique de communication anglo-américain qui prend le pas sur l'outil de communication anglais britannique. Le développement de l'internet n'est-il pas avant tout un produit et un moyen de communication international américain ? Dans la nouvelle Europe qui se construit en s'élargissant vers l'est, l'impérialisme britannique semble n'être qu'une bien pâle réalité. Les jeunes Praguois, rencontrés lors d'un voyage effectué en 1997, s'expriment en anglais avec l'accent américain. Les jeunes Hongrois, malgré les efforts du *British Council* pour promouvoir actions d'enseignement et de recherche[3], n'ont que peu ou pas de repères sur les différents pays de langue anglaise, que ce soit d'un point de vue géographique ou civilisationnel[4].

---

1. *Ibid.*
2. *Ibid.*
3. Bourse de recherche sur le management interculturel anglo-hongrois, Klara Falk-Bano, 1996.
4. Témoignage d'une enseignante hongroise sur la confusion entre capitales (Londres et Washington), histoire et civilisation des principaux pays anglophones, colloque de Durham, 1997.

Cependant, en ce qui concerne les relations entre Français et Anglais, l'histoire de leur rivalité reste très présente dans les esprits de nos interviewés, du moins pour la tranche d'âge des quarante-cinquante ans ; ainsi le transfert de cette rivalité se fait sans distinction linguistique en assimilant l'anglais britannique à la langue dominante mondiale et à la suprématie nationaliste qu'elle exercerait sur les Français. Sinon comment expliquer les qualificatifs de « dogmatique », « supérieur » ou « impérialiste » utilisés dans les témoignages cités ? Il suffira d'écouter Nichola évoquer avec agacement la réaction nationaliste de ses interlocuteurs français pour s'en convaincre :

« Les Français les plus âgés semblent se cramponner à leur position, alors que nous, nous savons très bien que nous l'avons perdue il y a des lustres ! Nous n'avons pas d'empire et nous ne régissons pas le monde, vous savez ! Mais je trouve que les Français sont toujours, enfin ils n'ont toujours pas réglé leur rôle à l'époque contemporaine et ils restent un peu accrochés à leur rang, vous voyez. »

Rappel historique des rivalités nationalistes à travers les rivalités de langues

Les rivalités nationalistes à travers les rivalités de langues peuvent être illustrées par un bref rappel historique.

Tout d'abord, il convient de noter avec Richard Bailey que :

> « L'idée que les locuteurs anglais étaient particulièrement peu doués pour l'apprentissage des langues naquit seulement à l'époque où la puissance anglaise se fut établie dans le monde ; le sentiment dominant au XVIIe siècle était celui que les Anglais étaient des polyglottes accomplis [1]. »

1. Bailey, 1992, p. 98 (traduit par l'auteur).

Au XVIIe siècle, la situation était inversée, le français était la langue « dominante » en Europe et par conséquent la langue rivale de la langue anglaise.

Il ne faut pas négliger l'ardeur des sentiments témoignés par les Anglais en faveur de la diffusion de leur langue au XVIIIe siècle, ardeur qui se nourrissait d'un siècle de combat (XIVe-XVe siècle) entre la France et l'Angleterre et se situait au moment de l'apogée du français en Europe comme *lingua franca* et langue de la diplomatie internationale. En 1740, un anonyme signant sous le pseudonyme de M. Briton exprimait sa déception à propos des négociations et de la signature des Traités d'Utrecht. Pour cet auteur anonyme, commente Bailey,

> « Les diplomates britanniques avaient laissé passer une chance de promouvoir leur propre langue (et avaient peut-être moins bien réussi dans leurs négociations, du fait de leur connaissance imparfaite du français)[1]. »

Ne retrouve-t-on pas l'écho du commentaire de Sylvie sur le jeu manipulatoire que peuvent exercer les Anglais à l'encontre des Français qui ne maîtrisent pas parfaitement la langue anglaise ?

Voici un extrait de la lettre de Briton cité par Bailey[2] :

> « L'on doit se lamenter d'autant plus des chances que nous avons perdues de diffuser *notre langue* sur le Continent, qu'elles ne nous seront peut-être plus offertes dans les mêmes termes ou du moins de façon aussi avantageuse... Comme il aurait été facile de faire ravaler leurs propres paroles aux *Français* et de les forcer à parler *anglais*. (Briton 1740, 600) »

Le même désir de diffusion de la langue anglaise pour contrebalancer les effets rivaux du français se manifeste dans une lettre que David Hume écrivit en 1767 à Edward

1. *Ibid.*, p. 99.
2. *Ibid.*

Gibbon ; celui-ci sollicitait les commentaires de Hume sur la rédaction d'une histoire de la révolution suisse esquissée en français :

> « Pourquoi rédigez-vous en français et apportez-vous de l'eau au moulin, ainsi qu'Horace le disait en référence aux Romains qui écrivaient en grec ? Je vous l'accorde, vous avez une motivation similaire à celle des Romains et vous adoptez une langue de diffusion plus générale que votre langue maternelle ; mais n'avez-vous pas observé le destin de ces deux anciennes langues dans les siècles qui suivirent ? Le latin, bien qu'il fût moins célébré alors et confiné à des limites plus étroites, a d'une certaine manière survécu au grec et se trouve de nos jours généralement mieux compris par les gens de lettres. Laissez donc les Français triompher dans la diffusion présente de leur langue. Nos établissements solides et croissants en Amérique, où nous n'avons point tant à redouter l'invasion des Barbares, sont une promesse de stabilité et de durée pour la langue anglaise [1]. »

Comment ne pas saluer ici la lucidité de Hume ? Comment ne pas évoquer les interrogations et le parallèle évoqué plus haut par un cadre français à propos de l'attitude de mépris que pourraient avoir les Anglais pour les Français face à l'essor de leur langue en France, comparée à l'attitude des Grecs face aux Romains hellénistes ? Ne retrouvons-nous pas l'écho du terme de « barbares » affecté dans le même extrait aux Français ? Mais à la lumière de l'analyse de Hume, si la trop grande diffusion d'une langue la conduit à sa disparition, que prédire sur le devenir de la langue anglaise dans les siècles qui suivront ?

Le fossé entre générations

Chez les plus jeunes informateurs, les moins de trente

---

1. Hume (1767). *In* Bailey, *ibid.*, p. 100 (traduit par l'auteur).

ans, le sentiment de domination par la langue, la perception du déclin de la culture et la crainte de perte d'identité ne semblent pas aussi répandus. Nichola n'éprouve pas, auprès d'eux, les difficultés qu'elle signalait avec ses clients plus âgés :

« Je pense qu'il y a un clivage très net entre générations. Je dirais que les plus jeunes ne se préoccupent pas vraiment des questions de nationalité. Ils trouvent cela amusant et intéressant, mais ils ont une attitude très cosmopolite. »

Ce témoignage reçoit un écho dans un article de *The Economist*[1] qui signale la différence d'approche des langues étrangères entre générations comme un phénomène général en Europe :

> « Le grand nombre de jeunes qui parlent des langues étrangères, en comparaison avec leurs aînés, constitue une des découvertes récentes les plus marquantes. Tandis que moins d'un tiers des Européens âgés de plus de 55 ans disent parler une deuxième langue (dont l'anglais pour 15 % d'entre eux), 70 % de ceux qui ont entre 15 et 24 ans sont capables d'échanger dans au moins une langue autre que leur langue maternelle. Parmi ces jeunes gens, plus de la moitié parlent l'anglais, un cinquième le français et 12 % l'allemand. »

Les études du linguiste Lewis, cité par Flaitz[2], semblent confirmer que les jeunes adoptent plus facilement une *lingua franca* que leurs aînés, garants d'une tradition nationaliste. On ne peut prédire leur évolution mais on peut remarquer que pour cette tranche d'âge, côté français, l'environnement scolaire et médiatique a favorisé l'exposition et peut-être le degré d'adaptabilité — ou d'influence ? — à la langue anglaise.

Côté anglais, le *Reform Act* de 1988 dont l'un des

1. *The Economist*, 25 octobre 1997 (traduit par l'auteur).
2. *Op. cit.*, pp. 29-30.

objectifs était de rendre obligatoire l'étude d'une langue étrangère, apporte à cette génération une perspective d'ouverture au monde différente de celle que pouvaient avoir leurs prédécesseurs des années 70 et 80, actuellement en poste dans les entreprises. L'analyse de Sue Wright met en évidence des considérations de classe dans la désaffection de l'étude d'une langue étrangère chez les écoliers anglais, non seulement dans les années 50 et 60, mais également plus récemment dans les années 70 :

> « Les langues étrangères ont été traitées et ont communément été considérées comme le domaine des élites. Dans les années 50 et 60, l'étude des langues étrangères était l'apanage des élèves des "public schools" (écoles privées) et des "grammar schools" (écoles publiques élitistes), mais n'était pas jugée utile pour la plupart des élèves de l'enseignement secondaire général[1]. »

Dans les années 70, la réorganisation de l'enseignement qui regroupait les élèves dans un système moins sélectif, avec un enseignement des langues sur les trois premières années du secondaire, ne réussit pas à gommer la division instaurée par le système précédent :

> « C'est le développement des collèges polyvalents qui mit l'étude d'une langue étrangère à la portée d'un plus grand nombre et permit à presque tous les élèves de bénéficier d'un enseignement de langue au cours des trois premières années du secondaire. Cependant le clivage persista du fait que les élèves des collèges avaient moins tendance que les élèves du secteur privé — et les élèves des "grammar schools" qui subsistaient — à poursuivre l'étude des langues jusqu'au niveau de l'examen final[2]. »

Un autre obstacle, souligné par le même auteur, pourrait être un préjugé associant les langues à une « discipline pour filles » :

---

1. Wright. *In* Ager, Muskens & Wright, 1993, pp. 42-44 (traduit par l'auteur).
2. *Ibid.*

« Le fait que les langues soient perçues comme une discipline pour filles, expliquerait l'origine de leur statut peu favorable parmi les jeunes garçons, ainsi que la contribution à la réduction du nombre de jeunes de cette tranche de population qui choisissent les langues comme discipline d'étude. Le fort pourcentage de filles qui étudient les langues a produit un nombre proportionnel plus important de diplômés et d'enseignants de sexe féminin, ce qui n'a fait que renforcer la perception[1]. »

Un optimisme prudent

L'espoir de voir la compétence en langue étrangère se développer en Angleterre repose donc sur la génération qui aura bénéficié du *Reform Act* de 1988 et sur la présence de la Grande-Bretagne dans le Marché commun de la Communauté européenne. En effet la situation économique a éveillé l'attention du commerce et de l'industrie à la question de la compétence en langue, note Sue Wright :

« Le libre mouvement des services, tels que banques, assurances et finances, semble offrir des perspectives d'expansion et de gains substantiels pour les affaires britanniques. L'avantage compétitif de ce secteur sera toutefois mis en péril si les entreprises britanniques en restent obstinément à une langue unique, ce qui les rendrait dans l'incapacité d'exploiter pleinement leur potentiel sur le nouveau marché.

Le Marché commun pose un problème de gestion : "comment gérer des préoccupations multiculturelles ou plutôt transculturelles qui, non seulement concernent les ventes à travers les frontières, mais aussi concernent la propriété et la gestion à travers les frontières"[2]. »

L'apprentissage d'une langue étrangère conditionné par l'origine sociale, les préjugés de sexe, le Marché commun et l'opportunité de carrières nouvelles, tout ceci est évoqué et résumé dans le témoignage de Nichola qui

---

1. *Ibid.*
2. Wright, *ibid.*, p. 52.

explique l'évolution de la jeune génération face à l'enjeu que représentent les langues :

« Comment expliquez-vous le changement de mentalité de la jeune génération ?

— Eh bien, je pense que c'est parce qu'ils ont grandi avec cette idée du Marché commun en eux. Si vous voulez, plus concrètement, avec cette idée de voyage vers le continent. Ce que je veux dire, c'est que, prenez mes nièces par exemple, leurs voyages scolaires, à l'heure actuelle, elles les font tous à l'étranger, tandis que pour ma génération, il fallait avoir beaucoup de chance et être exceptionnel pour participer à un échange, vous savez ; c'était vraiment l'exception et c'était vraiment réservé à la classe moyenne, à la tranche supérieure de la classe moyenne, voyez-vous. Tandis que maintenant, l'école primaire du quartier va organiser un voyage à Bordeaux. Rien de surprenant, c'est devenu banal ! En fin de compte, ils apprennent le français, quand ce n'est pas l'espagnol bien plus précocement que... La plupart d'entre eux, à l'heure actuelle, beaucoup d'entre eux, suivent et choisissent des enseignements liés au domaine des affaires plus que des disciplines classiques, ce qui n'était pas le cas, ne serait-ce qu'il y a quinze ans. Dès l'instant où vous appréhendez les choses de cette manière, l'objectif n'est plus limité au Royaume-Uni, il s'élargit bien au-delà. »

La langue restera pour quelques décennies encore, avant que la génération montante ne parvienne à des postes de direction et à la tranche d'âge des 40-50 ans, un facteur à ne pas négliger dans les relations franco-britanniques. En effet, la sélection de l'anglais comme langue d'échange privilégiée continue de servir les réactions de rejet plus ou moins conscient, pour une partie des Français en position de responsabilité, d'une langue assimilée à la domination de la nation anglaise et de la pensée impérialiste anglaise sur la nation française, survivance ancestrale de la rivalité de deux vieilles nations européennes et de la présence culturelle française dans l'Europe et le monde.

L'historien Eric Hobsbawm ira jusqu'à parler du « traumatisme » culturel français :

> « Il y a une certaine crise historique de la présence française culturelle dans le monde, qui s'exprime par la perte du français comme langue internationale, mais aussi par la disparition de la culture française en Europe...
>
> Je ne dirais pas chauvinisme... mais plutôt l'idée saugrenue que tout ce qui est important a toujours la France pour origine ou passe par son assimilation[1]. »

Au terme de cette première escale sur l'îlot des rivalités idéologiques linguistiques, ravivées par la sélection de la langue de communication, il nous faut poursuivre l'exploration d'autres régions qui constituent les aires sensibles de l'interaction comportementale. Si l'imposition de la langue anglaise coïncidait avec un sentiment d'impérialisme et une perception du caractère dominateur des Anglais sur les Français — perception majoritaire chez les plus de 40 ans — les nouvelles escales vont nous faire visiter d'autres zones de correspondance, cette fois entre langue et comportement dans l'action.

Les coïncidences entre représentations linguistiques et représentations comportementales mutuelles ne sont d'ailleurs pas le simple fait du hasard comme en témoignent les travaux de Lakoff et Johnson pour qui :

> « La métaphore est présente dans la vie de tous les jours, non seulement dans le langage, mais dans la pensée et l'action[2]. »

Poursuivant leur démonstration avec la métaphore : « la discussion c'est la guerre », les auteurs remarquent que le concept de guerre structure la discussion :

---

1. Extrait d'un entretien avec Eric Hobsbawm, *Le Monde de l'Education*, octobre 2000.
2. Lakoff & Johnson, 1985, p. 13.

> « S'il n'y a pas bataille physique, il y a bataille verbale et la structure de la discussion — attaque, défense, contre-attaque, etc. — reflète cet état de fait. C'est en ce sens que la métaphore "la discussion, c'est la guerre" est l'une de celles qui, dans notre culture, nous font vivre : elle structure les actes que nous effectuons en discutant. »

Lakoff et Johnson nous invitent ensuite à imaginer une culture où la discussion serait perçue comme une danse :

> « Imaginez une culture où la discussion est perçue comme une danse, où les participants sont des acteurs dont le but est d'exécuter la danse avec adresse et élégance. Dans une telle culture, les gens percevraient les discussions autrement, ils en parleraient différemment, et leur expérience serait différente. »

Ainsi, langage et comportement traduisent-ils de façon métaphorique le système conceptuel qui régit les actes de la vie quotidienne. Comment sont perçues les façons de travailler des uns et des autres ? Quelles sont les représentations des modes de prise de décision réciproques ? Quelles perceptions de la distance et de la hiérarchie influencent le champ des rapports de pouvoir ? Chacune de ces trois aires, associée à une vision métaphorique différente des actes qui y sont afférents, constitue un îlot spécifique de malentendus. Faisons escale sur le premier de ces îlots en tentant de comprendre comment langue et comportement contribuent à la perception des notions de pragmatisme et de théorie chez les différentes personnes interviewées.

— TRAVAILLER DE FAÇON PLUS « PRAGMATIQUE » OU « THÉORIQUE » —

Une coïncidence entre compétence en communication orale et pragmatisme

Rappelons le témoignage de Robin au chapitre précédent à propos de l'apprentissage du français :

« Je me sens sûr de moi quand je parle, pas quand j'écris. »

Tony avait fait remarquer que ses compatriotes n'étaient pas armés pour l'analyse grammaticale et structurale des langues, à commencer par leur langue maternelle.

Ce commentaire est repris par David (47 ans) qui fait remarquer que les règles de grammaire ne sont pas apprises :

« Quand je suivais mon cours de français, je me suis rendu compte que tout était dans la grammaire et ça, c'est quelque chose qu'on ne nous apprend pas au Royaume-Uni. »

Interrogé sur la façon dont il a appris sa langue maternelle, David répond qu'il l'a apprise sans règles, « en parlant, c'est tout ». En fait explique Cliff (42 ans), qui participe au même entretien, l'acquisition des règles se fait au fur et à mesure par la conversation.

Si l'enseignement de la langue maternelle repose davantage sur un contact audio-oral et une exposition à la langue en contexte, sans théorisation, tel que le décrivent les témoins anglais, on comprend que la compétence de communication orale soit particulièrement stimulée. Marc trouve les Anglais effectivement mieux préparés à cette compétence et il admire leurs exposés en réunion.

« Les Anglais sont généralement plus doués que les

Français pour présenter un sujet. Un Anglais sait mieux s'exprimer, il a plus l'habitude ou il donne l'impression d'avoir plus l'habitude de parler en face d'un certain public, de faire face à certaines questions déstabilisantes, il va s'en sortir généralement mieux. C'est vrai que les Anglais sont excessivement forts dans les présentations. »

Cette forme d'apprentissage en contexte fait davantage appel à l'expérience pratique et s'oppose donc radicalement à la formation dispensée aux Français. Lors d'un exposé ou d'une présentation, les Anglais vont s'appliquer à privilégier la transmission du message pour obtenir le résultat escompté. Très vite, cela entraînera une caractérisation de l'Anglais pragmatique, qui s'opposera au qualificatif de théorique affecté aux Français.

Marc l'affirme clairement :

« *L'Anglais est plus pragmatique, le Français est plus théoricien.* »

Analyse des deux pratiques

Delphine, qui a passé deux ans en Angleterre dans la maison mère de la filiale française où elle travaille actuellement, nous livre son analyse :

« *Il y a une façon de présenter anglaise qui était, par exemple, de toujours avoir une situation dans le contexte au départ d'une présentation. Moi, j'avoue qu'en école de commerce, et j'étais dans une école de commerce française, on faisait une introduction, une première partie, une deuxième partie, une troisième partie, une conclusion. Leur introduction à eux* (les Français) *était beaucoup moins sur le* background, *alors que les Anglais, avant de présenter les résultats, ils aiment toujours mettre l'étude dans le contexte et donner un peu de* background. »

On perçoit l'adhésion de Delphine à la pratique anglaise ; elle soulignera, du reste, l'efficacité de la réception du message, en ajoutant que la mise en contexte permet à tous les participants à la présentation de suivre l'exposé, quel que soit leur degré de connaissance du dossier.

Le souci d'efficacité transparaît également dans l'attention portée par les Anglais à la compréhension immédiate du message. Cliff insiste sur « l'immédiateté et la rapidité du message, le souci de transmettre le message aussi vite que possible », à l'inverse des Français qui, pour John, « suivent des chemins mystérieux » *(sic)* :

« *Mais c'est un peu l'esprit français. C'est vrai qu'en Angleterre, on est plus direct. Moi-même, particulièrement, je sais ce que je veux et j'y vais direct, sans les chemins qui partent par-dessus les nuages et qui redescendent ! Mais ça, c'est un peu leur caractère. C'est vrai, ici, les gens parlent beaucoup de temps pour quelque chose d'assez simple.* » (John a tenu à s'exprimer en français.)

Quant à Fiona, elle les voit « plus philosophes que pratiques ».

A travers les témoignages cités transparaît un glissement de la notion de compétence orale vers la notion d'efficacité, glissement qui engendre l'assimilation entre culture orale et culture « pragmatique » par les informateurs. Quelle est la représentation de la notion de pragmatisme chez les informateurs eux-mêmes ? Avant d'aller plus loin, essayons d'éclaircir ce que recouvre cette représentation.

Définition de la notion de pragmatisme par les acteurs français eux-mêmes*

Les commentaires des informateurs et acteurs français sont une aide précieuse : ils permettent de cerner la définition qu'ils donnent de cette notion et d'en déceler les conséquences observables sur le plan comportemental.

Jacques, qui travaille pour la filiale française d'une société anglaise nous livre sa définition :

« Mais je crois aussi que c'est quand même des gens, enfin de M. Angleterre, assez pragmatiques. Parce qu'ils voient beaucoup de filiales se développer. Ils en ont beaucoup dans le monde, ils savent bien que ça se passe pas dans chaque pays de la même manière, que donc, on peut ne pas suivre exactement, enfin tout ce qu'ils souhaitent c'est que le résultat soit en consonance avec leurs attentes, et puis, enfin leurs attentes, ce qu'ils doivent entendre des clients régulièrement. »

D'après Jacques, être pragmatique signifierait donc : prendre en compte l'expérience de terrain pour s'adapter aux situations diverses et satisfaire le client, afin d'atteindre l'objectif fixé c'est-à-dire le résultat.

Si l'on se réfère à l'étymologie du mot *pragmatique*, le dictionnaire français [1] signale qu'il a pour origine *pragmatikos* qui signifie en grec : « relatif à l'action, aux affaires », *pragmatikos* étant lui-même dérivé de *pragma* qui signifie « action ». Ce même dictionnaire nous informe que *pragmatique* appartient à la langue didactique et philosophique qui l'a repris du grec au XIXe siècle. En suivant l'histoire de l'emploi du mot, toujours à l'aide du même dictionnaire, on note que son dérivé *pragmatisme* est un emprunt à l'anglais *pragmatism* [2], lui-même adapté de l'allemand *pragmatismus*, dérivé savant du grec *pragmatikos*. Initiée par James, la doctrine philosophique du pragmatisme est définie comme suit par Lalande [3] :

> « Doctrine selon laquelle la vérité est une relation entièrement immanente à l'expérience humaine ; la connaissance est un instrument au service de l'activité, la pensée a un caractère essentiellement téléologique. La vérité d'une proposition consiste

1. *Le Robert*, vol. 5.
2. Emprunt au philosophe William James, 1898.
3. *Dictionnaire philosophique*, Lalande, 1972, p. 805.

donc dans le fait qu'elle "est utile", qu'elle "réussit", qu'elle "donne satisfaction" [1]. »

Ainsi, le seul critère de la vérité, d'une idée, d'une théorie sera sa valeur pratique, son utilité. La définition de Jacques met justement l'accent sur l'aspect pratique et utilitariste du comportement. Nous verrons plus avant que les malentendus possibles, induits par le pragmatisme des Anglais, reposeront sur la justification de toute action par le critère de vérité qui y est attaché, ainsi que le souligne la définition de la doctrine de James.

Cinq conséquences de l'attitude pragmatique

Première conséquence : l'attention portée à l'expérience

La première conséquence du comportement « pragmatique », tel qu'il est défini par Jacques, sera l'attention portée à l'expérience.

Ainsi que l'atteste Patrice :

« Les gens qui ont de l'expérience sur le terrain sont écoutés. »

Le peu d'attention accordée à l'expérience en France, comparée aux diplômes (*qualifications*) provoque l'étonnement des Anglais. Voici le commentaire de John, interviewé en français :

« Mais ici, une chose que je ne comprends pas ici, c'est le système avec des "qualifications". On a des gens, ici, qui sont très capables, mais ils sont barrés d'être cadres, parce qu'ils n'ont pas les "qualifications". On a des gens qui sont moins expériencés, qui ont les "qualifications" plus hautes, qui sont des cadres et qui sont actuellement dans l'organigramme au-dessus de ces autres gens. »

---

1. James, *The will to believe* (1897) ; *Humanism and truth, Mind* (1904) ; *Pragmatism* (1907).

Dans un système qui privilégie l'expérience, on comprend que les prérequis à l'embauche ne reposent pas exclusivement sur les diplômes, comme le manifestait l'étonnement de John et comme le souligne le commentaire de François qui travaille pour une société de marketing :

« Ici (en Angleterre)*, c'est pas parce qu'on a fait une école supérieure de commerce qu'on fera automatiquement l'affaire. »*

Ce type de recrutement va nécessiter une formation interne ou une formation permanente des recrutés, diversement appréciées par les Français. François et Jean-Marie sont admiratifs :

« Alors ça, commente François*, c'est quelque chose du système anglais qui est très, très bien. Qui est bien mieux qu'en France. En France, il faut bac + 4, il faut être passé par un certain moule. En Angleterre, j'ai vu des types qui avaient fait Langues-Orientales, du moins l'équivalent qui étaient chargés d'étude. En France, il faut que tu aies tel diplôme pour pouvoir prétendre à tel poste. Dans le système MB, ils rentrent au plus bas de l'échelon dans le département, puis ils sont encadrés, ils ont deux ans à tel stade, tant d'années à tel autre etc., ils grimpent, ils sont encadrés. »*

« Ce que je trouve vraiment remarquable dans le système professionnel britannique, renchérit Jean-Marie*, c'est toutes ces "professional qualifications" que vous avez et qui n'existent pas du tout en France. J'ai énormément de collègues britanniques qui avaient arrêté leurs études à 16 ans et qui s'étaient mis à travailler tout de suite et qui reprenaient leurs études, notamment payées par l'entreprise, pour avoir des qualifications supplémentaires. Et je dirais que tout ce qui est côté formation permanente au sein de l'entreprise était quand même assez important. »*

C'est justement cet aspect de la formation, interne à la société que critique Sylvie car, pour elle, cette formation est trop sclérosante et ne favorise pas l'ouverture d'esprit :

« Les gens qui sont totalement formés Z. n'ont pas d'autre vision, c'est ça, c'est pas autre chose, c'est parole d'évangile. Alors que nos Français qui vont commencer à travailler plus tard, mais avec une scolarité plus large et plus d'ouverture, ont dans la tête d'autres modèles, donc sont moins convaincus d'avoir la *bonne réponse, et la seule et unique bonne réponse. »*

Delphine a un avis plus tempéré. Ses deux ans de formation dans la société anglaise lui ont permis d'acquérir, grâce à l'encadrement dont elle a bénéficié, des connaissances de travail plus pratiques que sa formation initiale en école de commerce, connaissances qu'elle applique maintenant dans la filiale française :

« Moi, en débutante, je suis très contente d'avoir été dans une société qui était très hiérarchisée (dans la maison mère anglaise), *où j'avais un encadrement qui était plus fort. Alors ça a des aspects positifs ou négatifs quand on est trop encadré, on n'a pas assez de liberté personnelle, donc on ne peut pas prendre assez de décisions et pas assez de responsabilités. Le problème en France, ici ce que je ressens, c'est que je suis arrivée avec beaucoup de connaissances acquises en Angleterre, mais en fait, j'ai appliqué cette connaissance au travail que je faisais en France. »*

Au cours de l'entretien, Delphine signalera cependant qu'elle a brûlé, dans la société anglaise, les étapes de la formation interne et de la hiérarchie qui y est attachée, car sa formation commerciale lui donnait un avantage et lui avait permis de prendre très vite des responsabilités. En fait, c'est le croisement des deux formations qui lui a offert la possibilité de progresser. D'une part, grâce à sa formation « théorique » française, ses connaissances lui permettaient cette prise de responsabilités. D'autre part, grâce à l'encadrement et à l'expérience de terrain privilégiés en Angleterre, elle a acquis des connaissances « pratiques ».

Côté anglais, on remarque le plus haut niveau de formation des Français, mais on déplore aussi le manque de connaissances pratiques.

Voici comment Kathryn perçoit le recrutement anglais :

« Je pense qu'on considère un diplôme comme une simple mesure de ce que vous êtes capable d'apprendre jusqu'à un certain niveau. Cela ne vous apprend pas réellement les choses pratiques dont vous aurez besoin pour savoir faire le travail. »

Ici, le diplôme est envisagé comme évaluation de la capacité à apprendre du candidat à l'emploi et non pas comme une évaluation de ses compétences dans un domaine donné.

Toujours d'après Kathryn, les Français doivent avoir plus de difficultés que les Anglais, du fait de l'absence de formation « pratique » dispensée par leurs supérieurs hiérarchiques :

« Ça doit être vraiment difficile. J'ai travaillé avec une de nos nouvelles filiales françaises et il était clair que la personne n'avait reçu absolument aucune formation : on ne lui avait donné aucune directive sur ce qu'elle était censée faire, ni quand elle était censée le faire, ni comment elle était censée le faire. Il était évident, vu les questions qu'elle me posait, vu les choses qu'elle faisait ou les choses qu'elle ne faisait pas ou qu'elle aurait dû faire, que son patron ou l'espèce de patron qu'elle avait, ou bien la personne qui était supposée assurer sa formation, ne lui apprenait tout simplement rien du tout. »

L'appréciation sur le patron français ne peut être bien sûr que négative, car celui-ci est évalué suivant les attentes et le modèle anglais. Il s'ensuit que l'incompréhension des systèmes réciproques va être cause de tensions dans les relations :

« On a donc traversé une longue période avec un tas de problèmes et un tas de choses qui n'allaient pas, simplement parce que — je ne dis pas que c'était de sa faute — simplement parce que personne ne lui disait ce qu'elle devait faire. Et ça provoque des tensions dans les relations entre ici et là-bas, parce que sur le secteur du traitement de données, j'ai dû passer des heures et des heures à démêler les problèmes parce que le service client français avait fait les choses de travers. »

Dans le même registre de formation pratique de terrain, la valorisation de l'expérience par le système de recrutement anglais ne sera pas en contradiction avec une plus grande mobilité professionnelle des Anglais et va même l'encourager.

« Il n'y a pas de fidélité à l'entreprise, fait remarquer Jean-François. *Quelqu'un qui quitte son entreprise n'est pas marqué. Vous avez quitté, eh bien vous avez quitté, c'est pas grave ! En France, c'est que vous avez fait..., enfin vous êtes certainement moins bon que les autres. »*

John confirme :

« En Angleterre, les gens sont plus intéressés de sauter de chaque position tous les trois ans. On change de métier et ça ne se fait pas ici » (sic).

Jean-François explique que le fait qu'il ait travaillé durant toute sa carrière pour la même entreprise — il est cadre supérieur — n'est pas bien compris en Angleterre et provoque l'étonnement, car justement la mobilité, synonyme d'expérience pour un Anglais, est valorisante :

« Moi, avec mon curriculum vitae, en Angleterre, j'suis pas bien ! Une seule entreprise ! C'est moi l'anormal ! Je me le suis fait dire de temps en temps. On m'a dit : "Mais comment vous avez fait ?" »

Deuxième conséquence : la flexibilité des orientations

La deuxième conséquence du comportement « pragmatique », défini plus haut par Jacques, se fera sentir dans les modes de fonctionnement anglais perçus comme plus ou moins flexibles par les Français :

« Ils (les Anglais) *sont plus que flexibles, mais je pense parce qu'ils sont pragmatiques. Ils sont flexibles sur certaines choses, ils sont très conservateurs en même temps, mais ils accepteront des changements aussi assez importants. »*

Jean-François illustre d'un exemple ce qu'il appelle « flexibilité » :

« Un directeur peut décider aujourd'hui : "Tiens, on va faire comme ça." Trois semaines après il revient, ça marche pas, il va dire : "Bon ben, c'est une connerie, on fait comme ça." »

Ce type de changement, d'après lui, est inacceptable en France :

« En France, c'est dramatique, parce que tout le monde va dire : "Le chef, il sait pas ce qu'il veut, c'est un imbécile." En Angleterre, non, non ! Il y aura une réunion, on constatera pendant cette réunion que ce qu'on avait mis en place trois semaines — j'exagère peut-être un peu, mais disons six mois auparavant — c'était pas bon. Bon, si tout le monde trouve que c'était pas bon, c'est pas pour autant que le type, il va être déconsidéré. »

C'est donc la meilleure solution qui va être adoptée, sans remise en question de l'autorité du « chef » et après consensus, deux notions qui ne correspondent pas précisément aux schémas de fonctionnement des Français et ajoutent à l'incompréhension mutuelle.

L'adoption de la solution étant susceptible d'être remise en question déroute complètement certains Français :

« Ils ne sont pas cartésiens, se plaint Stéphane, *c'est-à-dire qu'ils sont capables de te dire à cinq minutes d'écart le contraire de ce qu'ils t'ont dit avant. »*

Certains diront que les Anglais sont « toujours dans le flou » ou que ce sont des personnages « pas clairs ».

Les Anglais eux-mêmes reprocheront aux Français leur défaut d'adaptabilité et leur conformisme. Voici deux témoignages recueillis au cours du même entretien :

« C'est vraiment difficile de sauter d'une idée à une personne et d'essayer de résoudre le problème », soupire Sid.

« J'irais même plus loin, ajoute Cliff, *et je dirais que très souvent, ou tout du moins parfois, la procédure prend le pas sur le bon sens. Je veux dire que vous êtes censé suivre la procédure officielle plutôt que de vous adapter à une situation particulière. Je pense que de temps à autre, un peu de flexibilité ça ne fait pas de mal. »*

En corollaire de la recherche du résultat, Jean-François constate l'élaboration de solutions à court terme :

« L'Anglais va être beaucoup plus pragmatique. L'Anglais il va se dire, bon quel est le problème aujourd'hui ? Le problème, c'est ça. Il va dire, bon, quelle est la solution la plus pratique à court terme ? C'est celle-là ? Bon, on va faire ça. Dans six mois ça ne marchera peut-être pas, mais d'ailleurs, ça peut peut-être marcher. On verra dans six mois. Il n'y a pas le souci de savoir... »

Mais les commentaires sur les solutions envisagées à court terme ou à long terme vont alimenter l'opposition pragmatique / théorique. A entendre Marc :

« Le Français qui analyse un dossier, il va vous chercher, il va essayer de trouver la solution qui s'applique ad vitam aeternam. *Donc voilà, j'ai ce problème-là, mais l'année prochaine il va se passer ça, ou dans cinq ans, il pourra arriver ça, donc comment je vais faire et il va vous trouver une solution qu'il va avoir analysée dans le détail*

et qui est censée durer ad vitam aeternam. *Le Français est plus théoricien, c'est-à-dire que le Français, il va décortiquer le truc, alors son dossier sera plus étudié, parce qu'il l'aura plus détaillé dans le détail. Peut-être que ça ne sert à rien !* »

Ce goût pour la précision et la finesse d'analyse étonne Alison :

« *Les Français sont plus précis, ils veulent plus de chiffres. Je veux dire que quand on fait de la recherche quantitative, c'est évident qu'on se base sur des chiffres, mais quand je travaille pour des Anglais et dans une certaine mesure pour l'Allemagne, ça ne semble pas les préoccuper tant que ça, si vous ne leur présentez pas de preuves statistiques. Les Français, eux, aiment leurs statistiques.* »

Du reste, la « finesse » d'analyse n'est pas toujours perçue comme telle par les homologues anglais et va jusqu'à alimenter un sentiment de rivalité nationaliste, note Nichola :

« *Je pense qu'il y a un sentiment que nous ne pourrions pas faire un aussi bon boulot ou être aussi clairvoyants que les Français. Et de toute évidence, cela crée une tension sous-jacente, du fait que vous devez constamment faire un peu plus vos preuves.* »

Cette même finesse d'analyse pourra être également perçue comme un gaspillage de temps dans l'accomplissement de la tâche :

« *Affiner l'échantillon de l'étude,* commente Fiona, *cela prend beaucoup de temps et en fin de compte, il ne vous reste plus suffisamment de temps pour mener à bien ce que vous tentiez de faire au départ.* »

Troisième conséquence : le comportement vis-à-vis des clients

Troisième conséquence du comportement « pragmatique » : la recherche du résultat va conditionner le comportement vis-à-vis des clients.

Pour certains Français ce comportement est admirable. Frédéric admire le professionnalisme des Anglais, « leur souci de montrer au client le côté organisation professionnelle » à l'inverse des Français qui « ne mettent pas vraiment les formes ».

Et c'est justement cette façon de « mettre les formes », d'être « professionnels » vis-à-vis des clients, qui irrite d'autres Français :

« Moi, j'ai un client que j'aime pas, je vais pas lui faire des sourires pendant trois heures ! s'exclame Véronique. *Je vais être correcte, mais bon, à la limite, il n'y a pas de raison que lui, s'il me fait sentir qu'il ne m'aime pas, que je sois là à lui cirer les pompes. Alors que eux, je pense que c'est vraiment dans leur attitude, bon, un client est un client, et il faut être justement toujours très, très bien même s'il est odieux, bien tant pis. »*

L'irritation conduira à nouveau à l'accusation d'hypocrisie :

« C'est une attitude qu'ils ont qui me dérange, et je me dis, après tout, puisqu'elle sourit tout le temps, puisqu'elle est tout le temps pleased, pleased*, est-ce qu'au bout du compte, il y a pas un moment où elle ne l'est plus, et du coup, c'est hypocrite d'être comme ça. »*

On retrouve ici le critère de vérité attaché à la doctrine pragmatique. Même si la relation avec le client n'est pas une relation de sentiments authentiques telle que la dénonce Véronique, l'affichage de sentiments artificiels, le déguisement de la relation sont la vérité en soi, puisqu'ils sont validés par la valeur utilitariste de ce comportement, c'est-à-dire l'objectif à atteindre.

A l'extrême, même si l'objet de l'étude ou de la présentation n'est pas conforme aux attentes du client, il y aura dissociation entre exigence de qualité du produit et objectif de vente, l'obligation de résultat « professionnel » trouvant en lui sa propre justification :

« Je dirais culturellement c'est vrai que les Anglais, en moyenne, ils ont une vue pour arriver à vendre, explique Jean-François. *Je pense que les Anglais, ils ont une approche quand même beaucoup plus commerciale, plus marketing, quoi. Ils arrivent avec leur truc, bon,* après le produit ça c'est autre chose, *l'Anglais, en général, le produit, il est comme ça et il n'aime pas trop le changer. »*

Le fond au bout du compte aura moins d'importance que la forme, comme le fait remarquer Marc :

« Un Anglais est à l'aise pour faire une présentation, ça peut être creux, *ça c'est un autre sujet, mais, pour présenter la chose, il va généralement se débrouiller mieux qu'un Français. »*

C'est ce que Jean-François appelle « être bon en maquillage » :

*« Je dirais qu'*ils sont très bons en maquillage. *Par exemple, souvent, on avait des problèmes entre les Français et les Anglais, c'est qu'on avait raison mais on ne savait pas le présenter. Et eux, ils avaient tort, mais ils présentaient bien pour faire passer le truc. Ça, c'est très pratique chez eux. »*

Malgré son agacement, Véronique reconnaît elle aussi le côté stratégique de ce comportement qui permet « d'amener le client à faire des trucs en douceur » et c'est ce côté stratégique qui va renforcer l'image de « commerçants » des Anglais :

« Moi, dit François, *je considère que les Anglais, ce sont des commerçants. Donc ils essaient déjà de séduire. Parce qu'ils sont avant tout des commerçants et ça, ils l'ont dans le sang, ils ont une tradition de commerce. »*

L'image de commerçants est du reste confirmée par Andrew lui-même :

« Je pense que les Anglais ont plus la notion du service client. Donc, ils sont prêts à se plier plus facilement aux exigences du client. Les Français sont très bons techniquement, mais ce ne sont pas de très bons commerçants. Le grand défaut des Français, et vous êtes connus pour ça, c'est que vous faites des produits qui sont excellents, très, très bons, mais vous ne savez pas les vendre. »

Quatrième conséquence : la dédication à la tâche

La réaction de Véronique nous mène à la quatrième conséquence du comportement « pragmatique ». Si c'est le résultat qui compte, la dédication à la tâche va primer sur les relations interpersonnelles.

Les témoignages abondent d'exemples à ce sujet :

« On sent que les Anglais généralement sont très "matter-of-fact", commente Laurence. *Mes interlocuteurs à moi en Angleterre, c'est : "Nous ne sommes pas là pour plaisanter. Au travail, on travaille." On sent une rigidité et lorsqu'on va là-bas, c'est surprenant. Moi, ça m'avait surprise parce que toutes ces personnes que j'ai énormément au téléphone, je les avais jamais rencontrées. Lorsqu'on s'est vues — on avait très envie de se voir — on sent que bon, on s'est dit bonjour, on s'est saluées poliment, mais on n'a pas papoté comme on aurait pu le faire, parce que nous étions au travail et on n'est pas censé prendre cinq-dix minutes pour parler d'autre chose. »*

Odile s'étonne de ce qu'elle perçoit comme « un manque d'intérêt pour les personnes ». Mais si les Français s'étonnent d'une forme d'anonymat dans les relations de travail, John explique qu'il y a un temps pour chaque chose :

« En Angleterre, on a l'habitude d'être au travail pour travailler. C'est pas une chose sociale, on est là pour faire une tâche, et si on fait des choses hors travail en Angle-

terre, c'est pour socialiser. Mais déjà au travail, les Français, ils socialisent beaucoup pendant les midis, pendant les réunions, quand ils parlent des choses qui ne sont pas vraiment le sujet de la réunion, toutes les choses comme ça » (interview en français).

• *Les horaires*

La « rigidité » des Anglais au travail leur permet d'organiser des horaires moins lourds que ceux des Français, témoin l'étonnement de Robin et de John face aux horaires prolongés du soir en France :

« Pourquoi serait-il nécessaire de rester après six heures du soir ? s'interroge Robin. *Vous devriez être parfaitement capable de faire le boulot dans les heures normales de travail. S'il vous faut rester après, c'est que vous avez mal géré votre temps dans la journée. »*

« Les gens ne savent pas organiser leur journée, renchérit John. *Je ne sais pas comment les Français supportent ces heures, je ne sais pas. Je prends l'habitude britannique* (il travaille sur le site français d'une société multinationale). *Je travaille de 8 heures le matin jusqu'à 12 h 30, et puis à 1 h 30, un peu après, je reviens et je travaille jusqu'à normalement 6 heures, 6 h 30. Ça, c'est normal. Mais on a des gens, ici, qui travaillent, qui viennent travailler à 9 heures, 9 h 30 et qui travaillent jusqu'à 9 heures du soir avec deux heures pour midi. A mon avis, ce n'est pas bon pour la santé, pour la famille et pour beaucoup de choses. Et ça a la tendance de prolonger le travail* » (sic).

Côté français, on va s'étonner de l'absence de coupure prolongée pour le repas impliquée par cette organisation horaire :

« Quand je suis allé voir Jerry, je suis arrivé à 9 h 30 dans le bureau, j'en suis sorti à 16 heures avec un sandwich et une tasse de café sur le bureau. Je me vois en

France recevoir un fournisseur comme ça ! Non, c'est un problème de culture, c'est sûr ! »

Mais quand on reste sur son lieu de travail tard le soir, c'est peut-être pour favoriser les relations interpersonnelles que les Français aiment bien entretenir dans leur travail, explique Vincent :

« Les Français ont tendance à traîner en longueur le soir, pour pouvoir parler un peu de tout, radio-couloir, à discuter un peu des rumeurs, la dernière rumeur du groupe, la dernière stratégie en cours. »

Et John reconnaît que, malgré sa tentative de préserver ses habitudes d'horaires « britanniques », il est contraint de prolonger son temps de travail le soir :

« Et si je veux être impliqué avec toutes ces discussions au niveau de l'entreprise, qui souvent se passent entre 19 heures et 20 heures, souvent c'est dans ces occasions qu'on fait les décisions ou qu'on parle ensemble. Si je ne participe pas, je vais manquer quelque chose de la société. Pour ça, si tu veux progresser, il faut vraiment être prêt de rester jusqu'à 20 heures, souvent » (sic).

L'importance accordée à la pause de midi est liée, elle aussi, à une façon différente de concevoir le travail :

« C'est une autre façon de travailler. A partir de 11 h 30 (dans les salons où travaille Jean-Claude) *c'est des véritables bars, mais il y a beaucoup d'affaires qui se font, à la limite, dans des bars ou dans ces conditions-là. Et en France, il y en a beaucoup, quand on fait des salons en France, qui viennent à 11 h 30, et ils viennent pour boire un coup, pour se faire inviter à déjeuner, mais c'est des relations de travail, ça débouche sur du travail. »*

Certains Français, comme Pascal, ont une vision plutôt favorable de l'organisation du temps de travail de leurs homologues anglais :

« En quantité, je parle en quantité horaire, c'est moins important que chez nous. Mais d'un autre côté, est-ce que

ce qu'il en sort n'est pas identique en termes de rendement ? En France, on a trop tendance à lier la quantité de travail directement aux heures de présence à son bureau, sans se soucier de savoir si au bout de 8-10 heures, on est encore rentable, si on réfléchit correctement. »

Jean-Marie, expatrié en Angleterre pendant deux ans et qui travaille maintenant au siège de sa société française en France, ira même jusqu'à dire que la productivité est meilleure :

« *On perd beaucoup moins de temps, beaucoup, beaucoup moins de temps qu'en France, parce que je pense que les Britanniques sont beaucoup plus attentionnés, sérieux dans leur travail et perdent beaucoup moins de temps.* »

• *La parcellisation des tâches*

L'optimisation du temps de travail conduirait également, côté anglais à ce que François appelle « une parcellisation des tâches, où chacun sait ce qu'il a à faire, chacun a ses attributions », ce qui s'oppose parfois en France à un système plus transversal.

« *Chaque individu ici* (en France, dans sa société), *est pluri-fonctions, multi-fonctions, multitâches. Les tâches sont très partagées en Angleterre. En France, on est obligé d'empiéter sur le domaine de, autour de trois ou quatre personnes.* »

François conçoit même une certaine fierté de cette aptitude française :

« *Sans forfanterie aucune, je suis un des rares à pouvoir faire une étude de a à z. C'est quelque chose qui est inconcevable en Angleterre, non pas de passer de l'un à l'autre* (départements), *mais de pouvoir faire tout et tout à la fois.* »

On imagine aisément les causes de conflits possibles en

cas de prise de décision, par exemple, les Français répugnant à s'adresser à une série de personnes occupant des postes bien définis et essayant de brûler les échelons du cloisonnement des départements anglais pour gagner du temps :

« *Quand il y a quelque chose d'urgent, ils* (les Anglais) *sont beaucoup moins rapides.* »

Ou encore l'incompréhension des Français face au désengagement d'un Anglais qui refuse d'exécuter une tâche qui ne correspond pas à son travail :

« *On avait acheté une machine à un concurrent et on était tous dessus à démonter la machine. Il y avait un Anglais qui était là, il n'a jamais enfilé une cotte. Il a jamais montré qu'il... Il est resté assis sur un tonneau en train de bouquiner. Il a dit, "Moi, c'est pas mon métier. C'est pas mon job, j'ai pas à le faire. Je peux vous aider à faire un rapport, regarder une pièce, ci et ça, mais il faut trouver quelqu'un qui va démonter".* »

Cette attitude va engendrer, à l'encontre des Anglais, des accusations de nonchalance et de non-implication :

« *Il y a ce genre de pesanteur et de nonchalance. Quand je dis nonchalance, on voit des gens qui disent, "ben finalement, là, ce n'est plus moi". Donc, ils ne se sentent pas impliqués.* »

Toutefois, comme le fera remarquer avec humour un des interviewés français, la critique de paresse est réciproque, les Français reprochant aux Anglais de refuser certains travaux ou de s'arrêter de travailler à l'heure dite, et les Anglais reprochant aux Français leur trop grande décontraction au travail :

« *Je vous dis, ils ont un peu la même image que nous, on pourrait avoir. Pour eux, on est des "Froggies", et on est un tas de fainéants. Nous, de notre côté, on dit que c'est des "Rosbifs" et ils ne font rien.* »

Une autre critique faite par les Français concerne l'absence de vision globale qu'entraînerait la spécialisation des tâches. Aux dires de Christophe :

« Les gens sont plus concentrés sur tel ou tel sujet et ont un peu de mal à avoir cette vision généraliste. Je connais quelques personnes avec des responsabilités importantes et je pense qu'à des niveaux de responsabilités identiques, les Britanniques sont moins bien informés sur la globalité de leur business. De toutes façons, ils sont plus pragmatiques qu'empiristes. Ils vont mettre les cubes les uns sur les autres plutôt que d'avoir une vision un petit peu plus globale, on décrit tel ou tel domaine, on ne peut pas faire telle chose avant d'avoir fait ça. »

A l'inverse, côté anglais, John critique l'aspect multitâches des Français :

« Ils (les Français*) préfèrent, plutôt que de mieux se concentrer sur une tâche, faire beaucoup de tâches en même temps, et peut-être en lançant les balles en l'air, laisser tomber une balle et ça peut causer des problèmes. Mais quand j'ai dit qu'ici les gens sont assez spécialisés, ils n'ont pas tendance de n'être pas capables de tenir les balles en l'air. Mais quand on a des ballons qui sont différents, avec des poids différents, on les laisse tomber »* (interview en français).

C'est cette tendance à la délimitation des tâches qui permettra de comprendre pourquoi un Anglais tient tellement à ce que l'on respecte les termes de son embauche, explique Marc :

« Une fois que c'est défini, il (l'Anglais) *n'aime pas que l'entreprise ne respecte pas ce qui est écrit dans sa* job description *et bon, effectivement, l'Anglais fera des difficultés pour faire des choses qui sont franchement extérieures à ce qui est écrit dans sa* job description, *ou alors, il va demander un avenant à son contrat. »*

Non seulement les tâches extérieures à la *job descrip-*

tion seront discutées, voire refusées, mais il ne faudra pas, non plus, empiéter sur la tâche définie :

« Ce qui n'est pas admissible, poursuit Marc, *c'est que le patron prenne l'initiative de faire faire mon boulot par quelqu'un d'autre. Alors ça, c'est inadmissible ! Alors là, je réclame, si je suis anglais, je réclame ! Ou que le patron, il ne soit pas capable de définir qui fait quoi, je suis responsable de quoi, moi, au fait, et puis je vais discuter ma* job description, *et ça, c'est qui, c'est quoi, comment ça se passe ! »*

Cinquième conséquence : perception face à l'enrichissement personnel et à la rentabilité

Dernière conséquence importante, liée à la doctrine pragmatique, la différence de considération envers l'enrichissement personnel. A entendre Jean-François :

« L'argent n'est pas considéré comme mauvais, entre guillemets, en Grande-Bretagne. On peut gagner beaucoup d'argent en Angleterre ou en Grande-Bretagne, et finalement, c'est bien. En France, c'est toujours un peu suspicieux. D'être riche, en Angleterre, c'est pas quelque chose d'anormal. Mettez votre Rolls Royce dans la rue en Angleterre, jamais personne vous la scratchera, et en France vous mettez une Safrane, déjà on vous la scratche. Il y a un respect. Pour eux, celui qui est riche, c'est qu'il a réussi. En France, celui qui est riche, c'est qu'il a volé quelque chose ou il a pas dû payer tous ses impôts ou... Il y a un truc, quoi, il peut pas être riche comme ça ! »

Non seulement la doctrine pragmatiste favoriserait la réussite financière, puisque l'acquisition de richesses peut être considérée comme un but à atteindre dont la valeur utilitariste trouve sa propre justification, mais cette attitude va se trouver renforcée par des considérations d'ordre religieux comme le souligne Jean-François :

« D'abord, c'est des protestants et ça, je crois que ça explique beaucoup de choses aussi, parce que c'est des protestants, donc l'argent n'est pas sale, contrairement aux catholiques où l'argent est sale. »

Ces quelques commentaires, qui émanent d'un cadre supérieur français, exposent sa perception et son analyse face à la réussite matérielle, acceptée dans une perspective pragmatiste et religieuse. Nous verrons dans le chapitre consacré à la mémoire que les affinités religieuses jouent effectivement un rôle important dans les comportements de travail et de réussite. Jean-François poursuit sa réflexion en s'interrogeant sur la situation des classes sociales en Angleterre :

« C'est peut-être ce qui explique qu'il y ait pas cette lutte de classes très affichée en Angleterre, alors que les écarts de salaire sont énormes, énormes. Les salaires des dirigeants anglais n'ont aucune mesure, aucune commune mesure avec les salaires des dirigeants français. »

La reconnaissance de la réussite semble justifier, pour lui, la reconnaissance d'un statut social accepté.

A ce statut vont correspondre ce que les Français dénomment des « privilèges ». Andrew, cadre anglais, qui travaille sur le site français d'une société hollandaise compare et explique :

« Je ne sais pas les chiffres mais je pense qu'il y a cinq ou six fois plus de voitures de fonction en Angleterre qu'il y en a en France. L'homologue de mon directeur en Angleterre a une voiture de fonction. Or lui, il n'en a pas. Et ça ne sera jamais envisagé qu'il en ait une, je pense.

— En Angleterre, ce serait inacceptable ?

— Complètement. Je pense qu'en Angleterre, son homologue, quand il a commencé à travailler dans la société, il n'aurait jamais imaginé qu'il n'en aurait pas. Un cadre commercial en Angleterre a une voiture de fonc-

tion, cela va de soi. Or, ici, ce n'est pas forcément le cas. »

Andrew ajoutera que la taille et par conséquent, le prestige attaché au véhicule, seront identifiés avec la réussite professionnelle, d'où la frustration de ne pas se voir octroyer le véhicule plus luxueux que l'on espérait :

« *Il y a des gens qui changent de boîte à cause d'histoires comme ça. C'est un symbole de réussite.* »

Cependant la réussite a un revers de médaille en cas de contre-performance et par conséquent de défaut de rentabilité :

« *Par contre,* s'exclame Marc, *si ça marche mal, ils se font éjecter dans la journée ! Donc, il y a le pour et le contre, vous gagnez plein, vous n'avez aucune sécurité et demain vous pouvez être jeté.* »

Encore une fois c'est le pragmatisme qui justifie le licenciement. Si la personne n'obtient pas les résultats escomptés ou n'atteint pas les objectifs, sans plus aucune valeur utile ou rentabilité pour l'entreprise, elle sera renvoyée. Ce fait est également souligné par Claire, gérante de la filiale parisienne d'une société anglaise :

« *Dans la mesure où, pour l'instant, on est rentable, il est clair, donc, que personne ne vient me contester les décisions que je prends ou quoi que ce soit. Il est absolument évident qu'à partir du moment où j'aurai des résultats moins bons, n'importe quel prétexte sera bon.* »

Côté anglais, Donald s'indigne de l'attitude « maternante » du management français vis-à-vis d'employés incompétents :

« *On ne dit pas directement aux gens qu'ils ont fait une bêtise, et si jamais on leur dit, c'est sur un ton très maternel sans vraiment dire à la personne, "Ecoutez, vous avez foiré, vous avez fait une erreur, vous avez coûté une fortune à l'entreprise, vous avez mis la vie de cette personne en danger. Si vous recommencez, vous êtes viré ! Termi-*

né ! On n'en parle plus !" C'est ridicule et je trouve ça frustrant. On voit des fautes, de grosses fautes qui sont commises et ces gens-là sont autorisés à continuer à être complètement incompétents ! Ou alors, ils s'en moquent totalement ! S'il fallait que je sois cadre supérieur ici, je trouverais ça vraiment difficile ! »

On note dans cet extrait que la référence à l'incompétence comme cause de déficit pour l'entreprise, donc de moindre rentabilité, est citée dans l'énumération avant le danger représenté par l'incompétence face à la sécurité des hommes.

Non seulement on est prêt à recevoir les critiques négatives lorsqu'on est anglais, mais on attend aussi les critiques positives et les compliments de son supérieur, expose Donald :

« Dans le même état d'esprit, votre supérieur vous dira, "Ça, c'est un excellent rapport ! C'est du très bon travail ! Bien vu ! Vous avez empêché un accident !" Et vous aurez droit à une bonne tape dans le dos. Mes collègues français me disent que ça n'arrive jamais avec les directeurs français. Vous faites quelque chose de bien et qu'est-ce qui se passe ? Rien ! On ne vous dit rien ! On ne vous dit jamais rien, où que vous soyez et à quelque niveau que ce soit ! Vous ne recevez jamais aucun signe d'en haut. »

L'encouragement au travail, et donc à la rentabilité par l'intermédiaire des compliments, est remarqué aussi par les Français :

« L'Anglais, généralement, utilise des termes plus élogieux que le Français pour qualifier les performances de son personnel et le communiquer à son personnel, fait remarquer Marc. *Vous avez un collaborateur qui a fait un travail convenable, l'Anglais va s'extasier : "Brilliant ! Super !" Qualificatifs terribles ! »*

Le critère de rentabilité engendre des réactions de frustration côté français. Encore une fois, le critère de rentabilité portant sa justification en soi, la recherche du résultat usera de pratiques plus ou moins « honnêtes » pour arriver à ses fins.

Dans une société anglaise de marketing multinationale, les heurts se produisent lorsque la filiale française se trouve mise en concurrence avec le département international de la société :

« Donc, c'était pour un client particulier où on avait des contacts, on avait fait des présentations, on avait du boulot directement de la France et là, on est en train de se le faire piquer parce qu'on est sur quelque chose de plus international, qu'il y a eu un clash entre L. et son homologue anglais prétendant que c'est le client qui ne veut plus de nous, alors que nous, on a de très bons contacts avec lui, donc où est la vérité ? »

La maison mère use ici de son pouvoir pour s'attribuer un marché rentable :

« C'est-à-dire que c'est la maison mère qui récupère le client ?

— C'est la maison mère qui récupère un client pour lequel on a fait des interventions. Ils sont en train de faire exactement la même chose en Espagne. »

Bien que la dernière remarque souligne qu'il ne s'agit pas d'une attitude anti-française, la non-compréhension de cette pratique entraîne le mécontentement côté français :

« Ils (les Anglais) *sont très bien capables d'aller prospecter des gens en France, sans s'interroger si on les a déjà rencontrés et si on a déjà des relations avec eux. Il y a un côté impérialiste des Anglais qui se moquent complètement du personnel français. »*

La frustration nourrit, une fois de plus, le stéréotype de malhonnêteté et d'hypocrisie :

« Au début, on se dit il y a peut-être des problèmes de fonctionnement, et après, ça confirme l'image qu'on peut

avoir des Anglais, faux culs, incapables de dire la vérité, de dire ce qu'ils pensent de toutes façons. »

Le « pragmatisme » anglais et les représentations françaises de ses effets pathogènes

A partir de la compétence de communication orale, on met en évidence un fonctionnement pragmatique des Anglais, non seulement à travers la perception d'un pragmatisme essentiellement utilitariste de leurs homologues par les Français, mais également, en correspondance avec la doctrine pragmatique telle qu'elle a été élaborée par le philosophe William James.

Les différentes tendances que nous avons relevées dans les domaines de l'attention portée à l'expérience, la flexibilité des orientations, le comportement vis-à-vis des clients, l'optimisation du temps de travail, l'attitude face à l'enrichissement personnel engendrent des incompréhensions mutuelles. Les malentendus se situent à l'extrême des tendances constatées. Ce sont en quelque sorte les pathologies de ces tendances, c'est-à-dire leur dérèglement, qui vont alimenter généralisations, stéréotypes et heurts entre les deux parties.

En effet, une formation interne qui se substitue aux diplômes, fait courir le risque de produire une vision très parcellaire du monde. Cette vision, associée à un morcellement des tâches, donc de départements à l'intérieur de l'entreprise, bloquera ce que les Français appellent une « vision globale de leur business » et se heurtera à l'excès de finesse d'analyse déployée par les Français. A d'autres moments, c'est le caractère vertical de l'organisation des départements de la maison mère qui ralentira la communication et se heurtera à la transversalité des Français, plus multitâches.

Sur la flexibilité des orientations, le comportement des

Anglais se heurtera à celui des Français. Les Anglais seront perçus comme des personnages trop changeants, donc « flous », et à l'extrême opportunistes. A l'opposé, les Français seront qualifiés de dogmatiques, se cramponnant à des solutions qu'ils voudront pérenniser et appliquer *ad vitam aeternam*.

La relation avec les clients sera, elle, perçue comme trop déguisée et artificielle et portera à des accusations d'hypocrisie.

La primauté de la tâche entraînera des critiques sur l'incapacité des Anglais à communiquer amicalement au travail et à se décontracter.

La condensation des heures de travail et la parcellisation des tâches les feront traiter de « paresseux », mais notons que l'accusation est réciproque car les Français sont perçus comme trop décontractés au travail, ils « socialisent » trop et n'ont pas de rendement.

Le respect des signes d'enrichissement et de position sociale et hiérarchique conduira les Français à trouver les Anglais trop matérialistes et intéressés par des signes de richesse, symboles de statut, la voiture de fonction en étant un exemple.

Enfin, le critère de rentabilité sera, lui aussi, pathogène, c'est-à-dire susceptible de causer un dysfonctionnement dans les relations, car il se situe aux confins de la doctrine pragmatique. En effet comme le signale Lalande[1], cette doctrine fait revêtir une série de sens à la formulation du terme « réussite » :

> « Si l'on entend cette réussite au sens d'un avantage ou d'un agrément quelconque, obtenu par celui qui adhère à une proposition, on a le pragmatisme le plus sceptique, celui dans lequel la notion de vérité est entièrement absorbée par celle d'intérêt

1. *Op. cit.*, p. 805.

individuel : un mensonge utile est une vérité ; ce qui est erreur pour l'un est, avec le même fondement, vérité pour l'autre. »

Si l'exigence de résultat porte sa justification en soi, puisque la valeur pratique constitue le critère de vérité, on aboutira à des comportements où les moyens pour atteindre la fin échapperont aux critères d'honnêteté souhaités par les Français dans le partenariat de travail.

Après cette visite sur l'îlot des représentations croisées plus « pragmatiques » ou « théoriques » des façons de travailler, poursuivons notre voyage jusqu'à la prochaine escale qui nous fera découvrir une autre région riche en malentendus, où langue et comportement contribuent là aussi à des représentations pathogènes des modes de négociation réciproques.

— PRENDRE UNE DÉCISION : LA QUÊTE DU COMPROMIS OU L'ACCEPTATION DU CONFLIT ? —

Nous avons souligné la présence dans la langue anglaise de formulations indirectes, de *question-tags* et d'adoucisseurs qui permettraient au locuteur anglophone de signaler le respect qu'il a pour son interlocuteur et pour l'opinion que celui-ci pourrait émettre, selon une vision essentiellement anglaise des normes de politesse. Les mêmes valeurs normées basées sur une représentation sociale de tact et de respect sont privilégiées dans les comportements en situation de négociation, grâce à l'adoption par les Anglais d'une attitude de compromis. Ceux-ci reconnaissent que cette tendance s'oppose souvent aux attitudes françaises :

« Je pense que les Anglais sont habitués au compromis », dit Tony.

« Avec les Anglais, c'est clair, nous avons la possibilité, nous pouvons aboutir à un compromis », constate David.

« Je ne trouve pas ça en France. Je trouve qu'il me faut vraiment dépenser une énergie extraordinaire pour convaincre et c'est rare qu'il y ait une tentative de rencontre à mi-chemin », regrette Nichola.

Représentations de la notion de compromis

Perceptions anglaises

Pour Nichola, l'attitude de compromis découle ou se confond avec la définition du pragmatisme :

« Je pense que le pragmatisme, ça consiste à œuvrer en direction de la meilleure solution, c'est le côté fair-play, l'approche loyale. Il est bien plus difficile d'être peu coopératif avec quelqu'un, ou d'être déloyal, ou de faire un coup par-derrière à quelqu'un si vous dites effectivement : "Ecoutez, c'est le mieux que l'on puisse faire, soyons réalistes !" »

C'est l'attitude de compromis qui permet, pour Tony également, d'œuvrer vers la meilleure solution :

« Je pense que pour acheter ce qu'il y a de meilleur, il faut adopter une attitude de compromis, il faut adopter une attitude qui accepte le compromis. Et ce compromis, par exemple, au lieu de dire : "Je ne veux pas acheter ce composant technique coréen parce que je ne veux pas acheter coréen, je préférerais acheter européen. Si je ne peux pas acheter français ou britannique, j'achèterai européen", ce serait de prendre en compte : "Est-ce que c'est ce composant qui va nous donner la meilleure satisfaction si l'on prend tous les facteurs en considération ?" »

On reconnaît dans ces deux témoignages la quête de la doctrine pragmatique où le critère de vérité : *the fair-play element, the honest approach*, repose sur la valeur pratique des moyens et sur la recherche de la meilleure solution permettant d'atteindre un objectif.

Perceptions françaises

Si la recherche du compromis est valorisée côté anglais, la perception en est tout autre côté français. Ce qui n'est guère surprenant si l'on examine l'usage même du terme *compromis* qui n'est pas du tout symétrique dans l'une et l'autre langue. On trouvera en anglais l'expression : *reach a compromise,* « atteindre un compromis » qui s'oppose à l'emploi français : *consentir à un compromis.*

L'association *atteindre* + *compromis* en anglais est liée au concept de télicité[1]. On dira qu'une situation télique inclut nécessairement un but, une cible ou une conclusion[2]. A la valeur prospective de l'énoncé *atteindre* + *compromis*, s'ajoute une valeur conative, c'est-à-dire une notion d'effort qui sous-tend l'intention d'œuvrer en direction de l'objectif représenté par *compromis*.

Même si le terme *compromis* peut être rencontré dans d'autres combinaisons que celle citée avec *consentir*, l'existence même de l'association *consentir* + *compromis* en français signale une perception caractéristique de la situation de compromis associée à un abandon et une soumission.

La consultation du dictionnaire *Larousse* confirme du reste cette perception d'abandon et de soumission : *Compromis :* « Acte par lequel on promet de *se soumettre* à la décision d'un tiers. »

En poursuivant notre analyse sémantique, on notera l'origine étymologique commune[3] de *compromis, compromission* et *compromettre. Compromettre*, au sens de « s'en remettre à l'arbitrage d'un juge », ne subsiste que dans un contexte juridique ; il semble donc que l'accep-

1. Bouscaren, Deschamps & Mazodier, 1993, p. 18.
2. *Ibid.*, définition du linguiste Garey : « A telic situation is one which necessarily includes a goal, aim or conclusion. »
3. Adapté du latin juridique au XIIIe siècle (source : *Le Robert*).

tion « mettre en situation critique » ait pris le pas sur la notion d'arbitrage et déteigne confusément sur la perception française de la notion de *compromis*. Si l'on signe un compromis ou si l'on y consent, ne s'expose-t-on pas au risque de nuire à sa réputation, de se mettre en péril, de transiger avec sa conscience, en un mot de se compromettre ? Le procès anglais *compromise* implique la même distinction sémantique, mais c'est la notion de parvenir à un accord qui est l'usage le plus communément accepté et qui prime sur la notion de mettre son honneur ou sa réputation en péril.

La différence de représentations trouve un écho dans les commentaires des témoins anglais qui soulignent le sentiment d'échec que ressentent, d'après eux, les Français mis en situation de recourir au compromis :

« Je pense que les Français perçoivent la nécessité de compromis comme une sorte de défaite, une forme d'échec ou de perte de la face. Moi, je ne le ressens pas nécessairement comme un affront personnel », commente Cliff.

Et Tony remarque :

« J'ai souvent vu des Français se débattre avec le compromis. »

Nichola ira jusqu'à parler de peur du compromis :

« Ils ont peur du compromis, ils ont peur que ce soit interprété comme un signe de faiblesse. »

Au dire des Anglais interrogés, l'attitude de compromis serait, du reste, inhérente à leur tempérament :

« Cela est inné chez les Anglais en matière de business », affirme Nichola.

Le compromis, c'est quelque chose qui est davantage anglais », pense Fiona.

Effets engendrés par les divergences de représentations

Un des effets produits par ces attitudes divergentes vis-à-vis du compromis sera la difficulté de conduite des réunions.

Les Français seront accusés d'y participer avec la volonté têtue de défendre une idée et une position envers et contre tout et de s'y cramponner. Les témoignages abondent sur ce point précis :

Cliff, s'adressant à un de ses collègues anglais :

« Mais dans les réunions, tu ne trouves pas que les Français après avoir présenté leur position, se battent bec et ongles pour la défendre ?

— Je pense que les Français arrivent avec une idée préconçue et qu'ils la défendent jusqu'à l'extrême limite », lui répond David.

« Ce que je trouve le plus difficile, confie Fiona, *c'est cette espèce d'obstination. C'est dur de négocier avec eux, de trouver un compromis. C'est plus facile avec les autres pays. »*

Pour Donald, *« Les Français ont beaucoup de mal avec le compromis. Une fois qu'ils ont décidé quelque chose, ils ne veulent plus en démordre ».* Et pour Nichola, *« Les Français s'acharnent et résistent jusqu'au bout ».*

A l'inverse, l'attitude anglaise favoriserait la discussion de différentes idées et la recherche de solutions :

« Les Anglais lancent un certain nombre d'idées différentes, les discutent une à une, en tentant de dégager la meilleure », explique Cliff.

D'après Donald, *« Les Anglais viennent en réunion avec plusieurs idées et suggestions ».*

Conséquences :

• La passion que les Français mettent à défendre leur

point de vue est perçue comme une perte de temps en réunion, d'autant plus que les Français, on l'a remarqué au chapitre précédent, ne sont pas concis dans la communication du message et ont le goût du détail :

« *Pour en revenir à leurs idées, les Français sont plus passionnés,* constate Donald. *Ils les défendent donc passionnément. Cela prend beaucoup de temps quand ils veulent éclaircir un point précis.* »

La différence de durée des réunions variant du simple au triple, voire au quadruple, provoque la stupéfaction de Tony :

« *Quand je suis arrivé à X., la première chose que j'ai remarqué d'emblée, c'est la durée des réunions. J'avais travaillé pour l'entreprise britannique Z. et là, une réunion qui durait plus d'une heure, c'était un véritable phénomène, quelque chose de complètement inhabituel, vous savez. Ici, il y a des réunions de deux heures, trois heures et on m'a même dit que certaines réunions pouvaient aller jusqu'à quatre heures ! Ça, c'est quelque chose qui ne se produit jamais, sauf circonstances exceptionnelles.* »

• L'issue des réunions sera marquée par un sentiment de frustration générale qui entraînera des accusations réciproques de non-efficacité.

Critiques et reproches émis par les Anglais

Les Français parlent beaucoup et ne prennent pas de décisions, pense John :

« *Ils aiment bien parler, parler, parler, sans prendre les décisions et souvent, ces discussions sont répétitives, c'est des choses qui sont très, très longues* » (sic).

Du fait de leur bavardage et des discussions, il est difficile d'avoir une discipline qui permette de suivre l'ordre du jour, poursuit-il :

« *Les réunions, en général, sont mal organisées, mes*

réunions, ici, parce que j'ai du mal à discipliner les gens. Souvent, on a du mal à discipliner les gens pour dire qu'aujourd'hui, on est ici pour parler d'un sujet » (sic).

Toujours au dire de John, le caractère « chaud » des discussions est pris pour de l'impolitesse et provoque l'agacement de ses compatriotes :

« Souvent, si ça devient chaud, ce n'est pas si poli. En Angleterre, on est plus froid et souvent les gens, dans les réunions, ne sont pas si chauds, ils ne disputent pas des points qui sont les points petits. Ils ne font pas la gueule avec leur contact en face. Et vraiment, ça énerve les Anglais d'avoir des Français qui s'engueulent dans une réunion quand ce n'est pas nécessairement dans leur avis » (sic).

L'agacement est reflété dans le caractère « vociférateur » affecté aux Français par Nichola :

« Ce sont les Français qui crient le plus fort en réunion. »

Lassés du caractère conflictuel des discussions, les Anglais préféreront se retirer, constate Donald :

« On sort souvent des réunions complètement épuisés. Souvent même, on cesse de lutter pour ce qu'on croit être une meilleure proposition. On se dit simplement, "je ne peux pas communiquer, je n'y arrive pas avec cette personne, elle n'est pas ouverte à d'autres suggestions". »

Ce refus de la discussion conflictuelle n'a pas échappé à Vincent, côté français :

« Ça, les Anglais ne supportent pas. Ils ne supportent pas qu'on puisse se disputer à une réunion, qu'on puisse ne pas être d'accord. Quand on vient à ce genre de réunions, les Anglais ne veulent pas débattre. »

Outre le manque d'ouverture on reprochera également aux Français leur arrogance et leur ridicule :

« Je pense que leur pire défaut c'est leur confiance exagérée et leur arrogance », explique Caroline.

« Vous ne pouvez pas vous attendre à être gagnant à 100 % tout le temps ! s'exclame Tony. *C'est complètement ridicule ! »*

Toujours selon Tony, d'un point de vue stratégique, l'attitude des Français les mènerait à l'impasse :

« Les Français en réunion adoptent une attitude inflexible. Je pense que la faute la plus grave que vous puissiez faire lorsque vous allez à une réunion où vous devez régler un problème, c'est celle de vous mettre dans une situation d'où vous ne pouvez plus bouger. »

Du fait de l'inflexibilité de leur position, David décrit les Français acculés dans leurs derniers retranchements :

« Le Français se retrouve acculé. Pris au piège, il se recroqueville dans sa coquille, se ferme et ne dit plus rien, tandis que l'Anglais ou le Britannique émerge. »

Il semble, d'après Cliff, puisque la concertation collective ferait défaut aux Français, que la décision finale nécessite l'autorité d'un supérieur hiérarchique :

« Et je pense que c'est l'homme important, peut-être le directeur de département qui, en dernier ressort, prend la décision finale. »

Nous reviendrons dans la section suivante, qui traitera de la hiérarchie, sur l'importance de l'opinion du supérieur hiérarchique français en réunion.

| *Critiques et reproches émis par les Français*

Voici, en contrepoint, les critiques émises par les Français.

Les Anglais manquent d'efficacité car la recherche du consensus n'aboutit pas à une prise de décision :

« Ils sont pas forcément très efficaces. On a l'impression qu'ils savent passer beaucoup de temps en réunions. Il n'en sort pas grand-chose. Enfin, ils sont peut-être plus attachés à un consensus mou qu'à une efficacité où peut-

être un leadership est nécessaire, où il faudrait que quelqu'un prenne le pouvoir ou prenne les choses à son compte et puis fasse avancer les choses. »

On notera que le reproche anglais sur le recours au supérieur pour régler les décisions est ici inversé par Daniel, qui trouve nécessaire le poids d'un *leadership* opposé à l'inefficacité de la recherche collective du compromis.

Les Anglais n'ont pas de position claire, on est « dans le flou » en ce qui concerne la réponse *oui* ou *non :*

« D'autres expériences que j'ai eues avec des Anglais, ont toujours, quand même, été dans le flou. Je veux dire, on n'arrive jamais quelque part à avoir une réponse oui *ou* non*, c'est toujours intermédiaire »*, constate Sylvie.

Pour Daniel également, *« ce qui est déroutant, c'est le flou, c'est-à-dire qu'ils* (les Anglais) *sont parfois incapables d'aller au bout de leur propos. Ils peuvent avoir vis-à-vis de vous des exigences et puis, vous vous quittez, par exemple sur une réunion où vraiment vous avez mis noir sur blanc, enfin, pas noir sur blanc, mais on s'est dit face à face des choses en disant, "OK, OK, il vous faut ça, etc.". Donc, vous partez de leur réunion en disant, demain, je confirme par écrit, il me valide et c'est fait. Et puis, trois semaines après, toujours rien. Vous les relancez tous les jours. Vous êtes dans un vague complet »*.

On retrouve dans ces perceptions l'écho de toutes les stratégies observées au chapitre précédent concernant l'atténuation, les stratégies d'indirection et l'évitement du désaccord et qui contribuent au sentiment de « flou ». L'impression de « vague » entraîne l'accusation de manque de franchise :

« Ces gens-là n'ont pas de franchise, accuse Pascal. *Ils n'ont pas de franchise, parce qu'en fait, ils vous donnent l'impression d'avoir tout accepté. D'une part, bon, ils ne vous le diront pas franchement s'ils sont en accord ou*

en désaccord avec vous. Donc, ils vous laissent sur une interprétation, en fait, ils ne vous diront pas que c'est blanc ou noir. »

La politesse dont se prévalent les Anglais n'est pas toujours perçue comme un gage d'honnêteté.

Pour Christophe, *« ils sont polis, mais pas forcément honnêtes. Ils ne vont pas forcément vous dire la vérité même si c'est des gens que vous pensez connaître un peu et avec qui vous avez des relations courtoises. C'est pas pour ça qu'ils sont toujours honnêtes dans leur discours. Ils disent quelque chose et ils ne font pas ce qu'ils disent »*.

La franchise dont se targuent les Français s'oppose à la ruse et l'habileté des Anglais à manier le non-dit. Sylvie constate avec amertume :

« Rien n'est complètement dit, donc, à partir du moment où rien n'est complètement dit, toutes les interprétations sont possibles. Celles qui arrangent le plus fort gagneront ! »

Mais selon Jacques, « *même s'ils sont plus habitués aux problèmes de non-dit ou de dit à moitié, on sent quand même qu'il y a des fins politiques chez eux, il y a des gens qui sont manifestement rusés* ».

Dans ce dernier témoignage, la critique négative se teinte d'une pointe d'admiration pour l'habileté diplomatique des Anglais. Jacques n'est pas le seul à noter les qualités de diplomatie des Anglais, qualités liées justement à la courtoisie et l'attitude de compromis, et qui permettent des relations moins conflictuelles dans le travail lorsqu'on aborde des sujets délicats.

Pascal note que *« les Anglais restent très calmes, d'une manière générale. Et je vais vous dire que là, j'apprécie. J'apprécie parce qu'en France, c'est vraiment un trait de caractère qui manque énormément aux Français. On a un comportement très typé qui transparaît trop, à mon avis, dans la profession. Et je pense qu'eux, ils s'en sortent bien. Ils sont capables de faire preuve de fair-play, de diplomatie. Et c'est à mon avis plus appréciable. Parce qu'on discute pas toujours de sujets faciles mais la politesse, elle est là ».*

Jean-François en fait une justification du caractère diplomate des Anglais :

« Pourquoi l'Anglais est bon en diplomatie ? Parce que l'Anglais est très fort dans les discussions. Parce qu'avec sa gentillesse, la gentillesse, ça aide beaucoup de choses, en définitive. Il est très gentil, alors, on va discuter. Au bout d'un moment, si vous faites pas attention, l'Anglais, il a pas bougé d'un poil et vous, vous êtes déjà à moitié nu, parce qu'ils ont une façon de négocier gentille et tout ça, et c'est pour ça que ce sont de très bons diplomates. »

Le fair-play et la diplomatie seraient des valeurs acquises par les Anglais au cours de leur formation scolaire, poursuit Jean-François :

« Ça vient de leur système éducatif qui habitue les enfants, surtout pour les cadres qui sont allés dans les high schools, *enfin dans les écoles anglaises, où, effectivement, ils ont l'habitude de travailler en groupe, de faire des choses ensemble et de présenter devant les autres. »*

On remarquera au passage la référence à la formation à la présentation orale, analysée dans la section précédente sur le pragmatisme*, et qui mettait en évidence la plus grande compétence des Anglais dans ce domaine.

L'importance accordée à la formation de l'individu en tant que membre d'un groupe et de la société a été également notée par Marc, cadre français, dont le fils a fréquenté une école anglaise pendant deux ans :

« Mon aîné avait entre cinq et sept ans quand on était en Angleterre et il allait à l'école primaire et quand je voyais sa maîtresse, alors bon, sa maîtresse me disait, "bon effectivement, il est un peu en retard par rapport

aux Anglais dans l'apprentissage de la langue mais ce n'est pas tellement étonnant". Par contre, elle me disait, "c'est un bon camarade, il a de bonnes relations de groupe", genre de démarche auquel les instituteurs français s'intéressent assez peu. »

D'après Marc, le système français « normatif » s'opposerait au système anglais qui se préoccuperait davantage de la socialisation des individus :

« C'est-à-dire que le système français est un système normatif, c'est-à-dire qu'au premier trimestre de chaque année, vous devez avoir appris telle chose, au deuxième trimestre telle chose, au troisième trimestre telle chose, on ne sait pas si ça sert à quelque chose, si vous saurez vous en servir, mais vous devez être capable de restituer ce qu'on vous a appris. Le système anglais est quand même différent, on vous apprend à être un élément de la société, alors on vous apprend aussi du savoir, mais je veux dire qu'on attache une importance, me semble-t-il plus forte qu'en France, au fait de savoir si on va former quelqu'un qui va être un membre à part entière de la société telle qu'elle existe. »

Les non-dits et le flou anglais vus par les Anglais eux-mêmes

Informés des difficultés des Français à interpréter leur position, les Anglais acquiescent :

« Oui, bien sûr, dit Andrew, *quand un Anglais me dit quelque chose et qu'il y a des sous-entendus, je le vois tout de suite. Or, un de mes collègues français ne le comprendrait peut-être pas. »*

Certains tentent même une explication qui repose sur la difficulté de comprendre, pour un Français, une position qui oscille sans cesse entre des alternatives visant à trouver la meilleure solution :

« Les Français disent qu'à la fin d'une réunion, ils n'arrivent pas à savoir si une décision a été prise, ils trouvent les Anglais plutôt vagues. Comment expliquez-vous cette impression ?

— C'est intéressant la façon dont nous interprétons nos comportements réciproques, répond Nichola. *Je crois que je peux le comprendre parce qu'il y a toujours "d'une part", "d'autre part", voyez-vous, et ça peut être interprété comme si l'on ne savait pas de quel côté se diriger. Oui, je vois bien comment ça pourrait être pris pour de l'indécision. »*

Mais pour d'autres Anglais, comme Fiona, la réciproque est vraie car, elle aussi, sort de réunion avec le même sentiment de frustration dû à la perception de l'indétermination des Français :

« C'est intéressant que vous disiez que les Français trouvent les Anglais indécis ou trop vagues dans leurs propos. Parce c'est ce que je ressens parfois, moi aussi, avec les Français ! Je les trouve indécis et parfois on ne voit pas bien de quel côté ils veulent aller. »

Le désaccord « à l'anglaise » expliqué par les Français

Daniel explique que les Français, déroutés par l'absence d'opposition, donc du *non*, concluent trop hâtivement que l'absence de désaccord manifeste équivaut à un accord :

« Leur flegme, c'est aussi cette extrême civilité et cet aspect de consensus mou. C'est-à-dire que dans le débat ou dans la discussion, ça, nous, Latins, ça nous perturbe peut-être. On a le sentiment qu'il n'y a pas d'opposition. Dans un débat ou dans une discussion assez importante, on va avoir le sentiment d'un acquiescement par l'attitude ou par le non-débat. Et puis, en fait, ils sont contre, mais ils vont pas vous le dire. Donc vous partez de là bêtement,

en disant : "Bon, ils sont d'accord. Vous avez vu, on leur dit ça, ça et ça, ils sont d'accord." Eh bien, non, ils ne sont pas d'accord ! »

Quels sont, toujours d'après Daniel, les indices révélateurs de désaccord ?

« *Bien, ils ne font pas ce qui a été dit ou décidé. Ou ils ne l'ont pas dit, ou ils ont exprimé leur réserve dans des termes extrêmement vagues en disant : "Ça mérite discussion, oui, oui, effectivement." Vous dites quelque chose et ils répondent : "Oui, oui, on va sérieusement y réfléchir." Et ils vous disent* oui*, au lieu de vous dire : "non, attendez, on va regarder mais on n'est pas d'accord", comme nous, on le ferait. Eux, ils vont vous dire : "Oui, on va y regarder de plus près." Ils vont vous dire* oui. *Le* non *n'existe pratiquement pas dans leurs discussions.* »

Le même décodage du désaccord anglais est confirmé par le témoignage de Marc :

« *Si l'Anglais vous dit tout un tas de choses qui ressemble à oui mais sans dire oui, alors là, vous avez intérêt à ne pas être tranquille, parce que s'il vous dit, "ben ma foi, peut-être que je vais y penser", vous pouvez craindre qu'il ne va pas le faire, parce que s'il ne vous a pas dit oui, c'est qu'en fait, il pense non, mais comme il est courtois, il va vous masquer le fait qu'il est en désaccord avec vous derrière tout un tas de trucs pour essayer de vous dire, "ton idée n'est pas mauvaise mais cependant...", là où le Français va dire, "je ne suis pas d'accord avec toi".* »

On trouve, là encore, dans ce témoignage de Marc un parallèle avec l'analyse des stratégies linguistiques sur les mécanismes d'évitement du désaccord, analyse menée au chapitre précédent et qui avait mis en évidence la difficulté à user de stratégies directes et assertives pour un Anglais.

L'incapacité à dire non directement a été également

repérée par Jean-François qui dénonce les accusations d'hypocrisie formulées par les Français :

« *Les Anglais, parce que c'est des gens très polis, ils ne vous diront jamais les choses directement. Alors nous, on dit "ils sont faux culs", mais ils sont pas du tout faux culs. Bon, une fois que vous avez compris ça, c'est terminé, mais si vous le comprenez pas, vous avez la réaction, "Ah ben tiens, il est d'accord". Ben non, il n'est pas d'accord, mais il vous l'a dit dans des mots... Et c'est pour ça que les Français sont considérés comme très agressifs par les Anglais, parce qu'on arrive et plaf ! on leur dit "c'est nul !". Ça, jamais, jamais, jamais, un Anglais ne vous dira ça !* »

Au bout du compte, pour Marc, la validité du *oui* anglais serait plus fiable que celle du *oui* français :

« *Un Anglais qui vous dit oui, en principe, il va le faire.*

— *Là, je vous arrête, parce que le oui anglais semble très, très long à venir pour les Français.*

— *Absolument, parce que quand l'Anglais vous dit oui, vous pouvez compter dessus. Le Français vous dit oui, bon, il va peut-être le faire, ce n'est pas prouvé.* »

Une fois convaincus du bien-fondé d'une décision ou d'une solution, l'adhésion côté anglais est plus complète que du côté français, confirme Jean-François :

« *La différence entre un Anglais et un Français, c'est que l'Anglais, c'est dur de le convaincre, mais une fois qu'il est convaincu, vous n'avez même pas besoin de regarder, le changement va se faire. Le Français va dire "on va le faire", et il va continuer à traîner les savates pendant deux ans.* »

Pour Patrice également, la compréhension de la tâche à effectuer et la conviction de son bien-fondé seront les clés nécessaires à l'efficacité des Anglais dans la réalisation de cette tâche :

« *Quand on leur donne quelque chose à faire et s'ils*

(les Anglais) *ont bien compris ce qu'ils doivent faire, ils le font en général très bien et jusqu'au bout.* »

Le compromis, un facteur de conflit dans les interactions franco-anglaises

Les techniques de stratégie verbale anglaise, on l'avait vu au chapitre précédent, favorisent la quête du compromis. Cette attitude est également privilégiée par le comportement des Anglais qui trouvent naturel, dans un esprit pragmatique, d'œuvrer vers la meilleure solution en comparant et écoutant les différentes options possibles. La capacité d'écoute serait privilégiée par la formation au travail de groupe dans le cursus scolaire et universitaire.

Le balancement entre différentes solutions déroute les Français qui, eux, aiment défendre leurs idées à grand renfort de détails, de digressions et de passion. Ils jugent les Anglais « flous » et « vagues » dans leur comportement lors de réunions et de négociations, perceptions qui recoupent nos remarques sur les mécanismes d'évitement de désaccord et d'atténuation dans la langue anglaise elle-même.

Encore une fois, des accusations mutuelles sont lancées sur la responsabilité de perte de temps en réunion, d'une part parce que le Français se laisserait aveugler par sa passion et son amour du détail, d'autre part parce que l'Anglais semble trop indécis, chaque partie jugeant l'autre incapable de prendre une décision ou d'aboutir à une solution.

Les malentendus reposent sur ce que les Anglais ressentent comme de l'impolitesse, de l'agressivité et de l'arrogance de la part des Français et, côté français, sur la mauvaise interprétation des signes de désaccord chez les Anglais. Du fait de leur conformité à un modèle dit courtois et de l'alternance entre le pour et le contre, les Anglais ne peuvent signifier directement leur désaccord. Ils sont alors taxés d'hypocrisie, de perfidie, et on leur reproche d'abuser de non-dits pour ruser et arriver à leurs fins.

Il faut toutefois remarquer que la disposition des Anglais à écouter leurs interlocuteurs et à être plus flexibles dans leur appréciation des solutions et des décisions, les rend plus aptes à la diplomatie, aptitude généralement reconnue côté français.

Ces mêmes Français qui ont analysé leur propre déroute face à la stratégie anglaise dans le désaccord, lèvent l'accusation d'hypocrisie et invitent à décoder les indices de désaccord qui peuvent transparaître dans le discours anglais. Le *non* abrupt étant très rare dans la discussion, il faudra veiller à ne pas prendre l'absence de négation pour un accord. En l'absence de négation, des formulations qui invitent l'interlocuteur à réfléchir et qui « ressemblent à oui, mais sans dire oui », seront la marque d'un désaccord. Si le désaccord n'est pas perçu à ce stade, il apparaîtra ultérieurement car les Anglais ne feront pas suivre la réunion des effets attendus par les Français qui diront alors : « ils ne font pas ce qui avait été décidé ».

Chaque partie paraît donc avoir beaucoup de difficultés à convaincre l'autre. Il semblerait au bout du compte, que les Anglais soient très difficiles à convaincre mais qu'une fois convaincus du bien-fondé d'une solution, ils soient plus efficaces à mettre les choses en œuvre. Côté français, la décision finale sera fréquemment emportée grâce à l'autorité du supérieur hiérarchique, à qui reviennent le plus souvent les décisions.

Le poids d'imposition des opinions et des décisions par les supérieurs français introduit un malaise entre les deux groupes et fait émerger un autre îlot de malentendus concernant les représentations du pouvoir et de la hiérarchie. C'est à cette nouvelle escale et cette nouvelle découverte des correspondances entre langue et comportement que je vous convie maintenant.

— LES RAPPORTS DE POUVOIR : PERCEPTION DE LA DISTANCE ET DE LA HIÉRARCHIE —

Rappelons en préambule l'analyse de Wierzbicka[1] qui démontre qu'une langue qui ne possède pas de tutoiement serait justement le témoignage d'une volonté de mise à distance : l'absence de tutoiement reflète et encourage, selon elle, « la distance psychologique escomptée entre deux individus, le besoin d'un espace intime psychologique et physique ».

Cette mise à distance est également reflétée par tous les procédés d'atténuation étudiés au chapitre de l'analyse linguistique. Voici comment Pierre Bourdieu[2] définit cette stratégie verbale :

> « Ces locutions sont une affirmation de la capacité de tenir ses distances à l'égard de ses propres propos, donc de ses propres intérêts, et du même coup à l'égard de ceux qui, ne sachant pas tenir cette distance, se laissent emporter par leurs propos, s'abandonnant sans retenue ni censure à la pulsion expressive. »

Comment se manifeste la mise à distance de l'interlocuteur dans les comportements anglais en parallèle avec l'emploi d'un tutoiement neutre et neutralisant ?

Mise à distance physique

La mise à distance neutralisante se reflète tout d'abord dans la mise à distance physique.

1. Wierzbicka, 1991, p. 47.
2. Bourdieu, 1982, p. 89.

Le contact à travers la poignée de mains n'est pas quelque chose de fréquent et l'habitude française de serrer la main le matin surprend les Anglais :

« On ne fait pas tout un tour pour serrer la main à tout le monde le matin », constate Tom.

Pour Robin, *« les gens sont très polis, mais c'est leur façon d'être, ils se serrent tous la main le matin. C'est complètement différent de ce qui se passe en Grande-Bretagne, parce qu'en Angleterre, vous passez simplement à côté des gens, vous n'allez pas vers eux. Vous pouvez passer devant eux pendant des mois et des mois avant de pouvoir leur dire bonjour. Alors ça change vraiment »*.

Encore moins naturel sera le contact de l'embrassade, comme le souligne Laurence :

« On parlait de distance physique. On sent que certaines personnes venant en France veulent donner l'impression... soyons français quand on est en France, donc elles ont tendance à venir en voulant manifester des gestes affectifs, alors, elles s'approchent de nous pour nous embrasser et on sent en même temps que c'est une embrassade à l'anglaise, c'est-à-dire il faut notifier..., mais on sent une contrainte de faire le geste. »

Mise à distance des émotions

La distance physique semble aller de pair avec la répression de toute manifestation extérieure des émotions.

Delphine raconte la surprise de son manager anglais face à la réaction d'enthousiasme qu'elle avait manifestée à l'annonce de son embauche :

« En fait j'avais eu une réaction, c'est un petit peu dû à ma personnalité aussi, où j'avais montré beaucoup d'enthousiasme et où je n'avais pas hésité une seconde à dire oui, et où au téléphone il avait ressenti ma joie d'une façon très forte. Et quand je suis arrivée là-bas, il m'a dit

— enfin après on s'est connus un petit peu mieux au bout de quelques mois — il m'a dit : "Je t'avoue Delphine, c'est une des premières fois où je recrute et où j'ai eu une réaction aussi enthousiaste au téléphone." Il m'a dit : "Ça change beaucoup des Anglais qui, eux, ne montrent pas beaucoup leurs sentiments et que, quand on appelle la plupart des gens et qu'on leur dit : 'Voilà est-ce que vous acceptez le boulot ? Vous pouvez commencer le tant ?' c'est un oui très passif." »

La tendance à contrôler ses émotions irrite côté français, notamment parmi ceux qui, comme Delphine, se qualifient d'« expansifs » ou qui, comme Virginie, valorisent la manifestation de leurs propres émotions en l'identifiant à un signe d'ouverture et de franchise. L'agacement français sera perceptible dans la valeur négative attribuée au terme *flegmatique* utilisé pour qualifier le comportement des Anglais :

« Et je vous dis, le ton, enfin le flegme *anglais, c'est ça, c'est le mot que je cherchais, qui est assez réputé, et c'est vrai que c'est une réalité, est assez agaçant pour les Français qui sont un peu... »*

Pour Laurence, lorsqu'on est anglais, « on doit toujours être extrêmement réservé et toujours être très diplomate ». Elle dit le percevoir « au fait que c'est toujours le calme plat, il n'y a jamais de sautes d'humeur ».

Cette contrainte de flegme, de réserve, de diplomatie est critiquée dans le cas de Virginie qui ira jusqu'à dénoncer l'excès de courtoisie et l'hypocrisie qu'elle attache à cette attitude. Pour d'autres Français, cette attitude sera au contraire appréciée dans la vie quotidienne comme au travail et les termes *flegmatique* ou *flegme* auront alors une connotation positive qui s'apparente à la sérénité, la politesse ou l'urbanité :

« Une qualité qu'ils ont aussi, c'est qu'en général, ils

ont quand même un flegme qui passe bien, je veux dire, ils ne sont pas tendus », commente Patrice.

« Les aspects agréables, remarque Jean-François, *c'est que c'est avant tout des gens polis, extrêmement polis — ça, c'est une très grosse différence avec les Français — des gens pas agressifs, donc ça donne des relations de travail qui sont extrêmement différentes. C'est des gens calmes, en général, les Anglais. Tout ça, c'est des côtés très positifs. »*

Pour Marc, *« l'Anglais est plus courtois, plus courtois dans l'approche, plus urbain. Dans la vie de tous les jours, ça rend les choses agréables ».*

Le souci de protéger l'espace privé

L'attitude de réserve des Anglais se notera aussi dans le souci de protéger un espace privé ou intime, comme Virginie en a fait l'expérience :

« On a quelqu'un qui va se marier là-bas, donc ça fait trois ans que je le connais parce que je travaille avec lui. Il ne m'a pas dit qu'il allait se marier ! Moi, l'année où je me suis mariée, tout le monde était au courant, il n'y a pas de problème ! Mais aussi, je suis quelqu'un d'expansif, mais c'est vrai que je pense que c'est très British de, bon, chaque chose à sa place. On travaille ensemble bon, on s'aime bien mais enfin, je ne vais pas étaler ma vie privée. Je ne sais pas si là-bas, sur place entre eux, ils sont comme ça, mais en tout cas, avec nous, ils sont assez réservés, ils ne se dévoilent pas. »

Le témoignage de Jean-François confirme que les relations entre personnes sont peu développées à l'intérieur de l'entreprise, avec une séparation très nette entre travail et vie privée :

« Le travail est complètement séparé de la famille. Les relations de travail sont purement et simplement des rela-

tions de travail. Il n'y a pas du tout ce côté famille impliqué dans le travail, comme on peut l'avoir en France. Ça, ça a été une découverte pour eux (les Anglais), *parce que nous, on implique beaucoup la famille en France, en général et dans le groupe, en particulier. »*

Jean-François poursuit en relatant les difficultés rencontrées lors de la tentative de création d'un annuaire privé, pour les besoins d'un séminaire des sociétés du groupe où il travaille :

« Le premier séminaire qu'on a fait avec les cadres des sociétés, on leur a demandé, parce que c'étaient quatre sociétés, ils se connaissaient pas, donc on a dit, on va faire un petit bouquin avec la photo du gars, son nom, le nom de son épouse et ses hobbies. Il y en a plein qui n'ont pas voulu répondre. "Qu'est-ce que vous me demandez là ? Le nom de mon épouse ? Vous n'avez pas besoin de le savoir ! Mes hobbies ? Vous n'avez pas besoin de les savoir !" On a eu un mal fou à obtenir tout ça. Ils voulaient pas non plus que les autres sachent leur numéro de téléphone à domicile. Il y en a quelques-uns, on a été obligé de laisser en blanc. Je l'ai toujours, ce petit "booklet". Il y en a quelques-uns qui ont refusé. »

La demande de renseignements d'ordre privé dans le cadre du travail constituait une erreur de la part des dirigeants français qui avaient calqué leur stratégie de préparation du séminaire sur des méthodes irrecevables pour des Anglais. L'intrusion dans leur vie privée ne pouvait être perçue que comme dangereuse, contraire au souci de protection de soi, ainsi que l'explique Wierzbicka[1] :

> « Se laisser approcher par quelqu'un signifie que l'on a suffisamment confiance en cette personne et que l'on éprouve suffisamment d'affection (ou de bons sentiments) à son égard pour l'autoriser à vous connaître beaucoup mieux que les autres. Ce

1. Wierzbicka, 1991, p. 110 (traduit par l'auteur).

qui peut être perçu comme un danger parce que, si une personne vous connaît aussi bien, elle aura probablement le pouvoir de vous blesser. Il s'ensuivra davantage d'occasions d'accrochages, de blessures intérieures, de conflits ouverts. Il est sans doute plus sûr de ne pas être aussi proches si l'on privilégie les valeurs de paix, d'harmonie, d'absence de conflit et d'absence de blessures mutuelles. »

Les valeurs d'harmonie sont reflétées dans l'attitude de tact et de compromis, telle que nous l'avons observée dans la section précédente.

Liberté individuelle et désir d'autonomie

La non-intrusion dans la vie privée et la mise à distance vont encourager un grand respect pour la liberté des individus, comme le souligne Marc :

« La liberté individuelle est quelque chose d'important en Angleterre et elle est beaucoup mieux protégée qu'en France parce que ça va jusqu'au point où les Anglais se refusent énergiquement à créer une carte d'identité, je veux dire que c'est un empiétement sur le plan individuel. Donc moi, je vois l'Anglais, les Anglais sont plus individualistes et plus respectueux des droits des autres individus, donc moi, je le sens comme ça. »

Le respect de la liberté individuelle apparaît également dans le désir d'autonomie souhaitée au travail. L'autonomie s'exerçant à l'intérieur du cadre précis de la tâche surprend Jean-François qui s'étonne que l'on puisse être à la fois très respectueux du cadre de travail, de ses règlements et que l'on puisse aussi exercer une certaine liberté.

« C'est des gens assez disciplinés, par contre, c'est pas des béni-oui-oui, c'est-à-dire qu'un Anglais, il ne fera pas parce que le chef a dit, il le fera parce qu'il est convaincu que c'est bien. »

John ira jusqu'à dire :

« Les Français aiment bien être un peu plus dirigés que les Anglais. Les Anglais préfèrent d'être un peu plus mous, de faire des choses de leur propre façon » (sic).

Chacun à sa place

Liberté individuelle n'est cependant pas synonyme d'égalité comme le souligne vigoureusement le témoignage de Marc :

« Mais y a-t-il égalité ?

— Oh non, je ne dirais pas ça ! Ah non, certainement pas ! Ah non, non, non, la société anglaise n'est pas plus égalitaire et même peut-être encore moins que la société française, pour autant que je la vois. Vous avez une inégalité de culture en Angleterre, là où, en France, il y a une inégalité générée par le niveau scolaire... Bon, en Angleterre, il me semble qu'on va juger les gens par rapport à leur comportement qui est basé sur un certain niveau de culture et un certain niveau de culture que vous allez acquérir dans la bonne "grammar school", dans la bonne université payante. »

Chacun devrait-il donc rester à sa place en fonction de l'éducation reçue ?

Mark, originaire du nord de l'Angleterre, vit et travaille en France. Il explique les raisons de son choix :

« On m'avait dit que de toutes façons, vu mon accent (il a l'accent du nord de l'Angleterre et n'a pas été formé dans "les bonnes grammar schools"), *je ne pourrais jamais accéder à certains postes en Angleterre. J'ai préféré venir en France. »*

Cliff, à la suite de Mark, confirme que l'accent et les manières d'un individu trahissent son origine sociale en Angleterre :

« On peut dire beaucoup de choses sur un individu

anglais à partir de son accent et de ses manières. Un Anglais peut facilement relever les signes et les marques de l'éducation d'un individu et de tout ce qui va avec. »

Ces deux témoignages évoquent les commentaires de Bourdieu[1] sur la stigmatisation sociale liée à l'accent, indice révélateur de l'origine :

> « Les luttes à propos de l'identité ethnique ou régionale, c'est-à-dire à propos de propriétés (stigmates ou emblèmes) liées à l'origine à travers le lieu d'origine et les marques durables qui en sont corrélatives, comme l'accent, sont un cas particulier des luttes des classements, luttes pour le monopole du pouvoir de faire voir et de faire croire, de faire connaître et de faire reconnaître, d'imposer la définition légitime des décisions du monde social et, par là, de faire et de défaire les groupes. »

Les Français vont dans un premier temps croire à une meilleure acceptation des différences ethniques et des différences de classes sociales chez les Anglais :

« Prenons les étrangers, parce qu'il y a beaucoup d'étrangers en Angleterre, au moins autant qu'en France et il n'y a jamais un problème. Pourquoi ? Parce que la cohabitation ne pose aucun problème », constate Jean.

Yves s'intéresse à la division de classes : *« Les classes sociales me paraissent beaucoup plus acceptées en Grande-Bretagne qu'en France. »*

Mais encore une fois, les différences ethniques et sociales sont acceptées à condition que chacun reste à sa place. En ce qui concerne les différences ethniques, poursuit Jean :

« La cohabitation ne pose aucun problème. Un étranger, on l'ignore, l'Anglais l'ignore, c'est comme s'il n'existait pas, donc il ne le gêne pas, il n'émet pas d'opinion. »

Sur le chapitre des classes sociales :

1. Bourdieu, 1982, p. 137.

« Si vous êtes "working class" et que vous voulez réussir, on vous laissera réussir en tant que "working class"... à condition de ne pas vouloir changer de classe sociale », note Yves.

La division des classes sociales est intégrée par les Anglais eux-mêmes, en tant qu'individus. Ainsi, toujours selon Yves, un Anglais pourra éprouver une certaine fierté d'avoir réussi dans les limites fixées par sa position sociale :

« En Angleterre, finalement, les gens peuvent être fiers d'être "working class". Moi, j'ai rencontré des gens qui avaient gagné beaucoup d'argent et qui étaient très fiers d'être "working class". Ils avaient réussi en tant que "working class". »

Toutefois, il semble régner un certain égalitarisme et une certaine cordialité entre personnes de statut social différent, notamment dans les rencontres au pub, ce qui surprend Marc, pour qui ce comportement est perçu comme paradoxal :

« Alors ça n'empêche pas que l'Anglais est parfaitement capable au pub, parce que c'est là où vous allez apprécier d'avoir une relation parfaitement détendue et extrêmement étonnante avec des gens qui n'ont pas forcément le même niveau de culture, et je trouve que le pub anglais, c'est quelque chose de très surprenant. L'Anglais, à partir du moment où il est à la fête, où il est au pub, il laisse son statut social au vestiaire. C'est-à-dire que le Français, le directeur va dans le café et il voit l'employé, c'est toujours le directeur. »

La cordialité ne serait donc pas pour autant une marque d'amitié et, d'après Marc, il ne faudrait pas confondre *to be friendly* avec *to be friends :*

« L'Anglais ne recherche pas vraiment le contact. Alors, il peut être cordial, il peut être très naturel dans

les fêtes, mais ça ne génère pas une relation d'amitié, ça reste assez superficiel. »

La cordialité ne sera pas nécessairement non plus une marque d'égalité, parallèlement à l'illusion du caractère amical et égalitaire créé chez les Français par l'usage du pronom *you* et du prénom dans les formes d'adresse, conclut Nichola :

« Oui, vous pouvez très bien appeler votre patron ou votre supérieur par son prénom, mais ça ne signifie pas forcément que vous pouvez lui dire, "Tu viens, on va prendre un café !" ou "Mon mariage est sur le point de casser" ou "Ecoute, je n'arrive pas à me sortir de ce problème". Vous savez c'est davantage un mot qu'une réalité. »

Position hiérarchique et distance relationnelle

La concomitance de la distance impliquée par une fonction hiérarchique et de l'apparente proximité des managers avec leurs employés déroute les Français.

Ecoutez Vincent, Patrice et Christophe interrogés sur leur perception de la hiérarchie chez les Anglais.

« Comment percevez-vous les relations hiérarchiques en Angleterre ?

— Beaucoup plus protocolaires, mais en même temps beaucoup plus détendues. C'est assez bizarre. Je vois, un directeur d'usine va voir un chef de ligne, il n'y a pas cette notion de tutoiement chez eux, mais on sent bien que le you *qu'ils utilisent n'est pas le* you *de grande politesse. Et c'est plus décontracté, mais en même temps, il y a ce respect, chacun est à sa place et l'un et l'autre le savent. »* (Vincent)

« Il y a un sens assez fort de la hiérarchie, un respect de la hiérarchie. D'un autre côté, c'était mon impression au début, je trouve qu'il n'y a pas trop de difficultés de

contact entre ceux qui sont en bas de l'échelle, vis-à-vis de ceux qui sont en haut de l'échelle. » (Patrice)

« On respecte la hiérarchie, mais on s'exprime plus. » (Christophe)

Si bien que, lorsqu'un manager ou un cadre anglais communique avec son directeur français en position de séniorité, il va appliquer ses propres modèles de communication, échappant ainsi au protocole des relations hiérarchiques françaises et créant une situation surprenante de bonne entente :

« Un collaborateur anglais pourra mieux s'entendre avec un supérieur français que son homologue français lui-même, parce qu'il peut passer outre le protocole standard — user du prénom, par exemple — et être beaucoup plus direct avec son supérieur », note Cliff.

Pourtant, selon lui, cette pratique est mal interprétée par les Français qui y voient un sentiment de confiance, là où il n'y a qu'une relation égalitaire :

« Ce qui est souvent vu par les cadres français comme une marque de confiance alors que ce n'est pas ça, c'est simplement que nous ne nous conformons pas aux mêmes règles et que nous nous adressons à eux sur la base d'un rapport d'individu à individu. »

On le constate une fois de plus, les Français font la confusion entre la distance hiérarchique et la distance d'adresse en communication. L'illusion créée chez les Français ne tient pas lorsqu'on envisage les deux extrêmes de l'échelle hiérarchique, comme l'a bien compris Jean-François :

« La communication entre le sommet et la base, il n'y en a pas entre Anglais. C'est un pays de castes, il n'y a pas de communication. Du reste, les gens d'en bas n'en demandent pas. C'est ça qui est très surprenant. Ils sont là pour faire un travail, ce qu'on leur dit. C'est un pays de castes où ça cohabite très bien et sans problèmes parce

que celui qui est en dessous, il sait qu'il ne peut jamais être au-dessus et celui qui est au-dessus, il sait qu'il ne sera jamais en dessous. »

Parallèle entre division des classes sociales et division des fonctions hiérarchiques. Conséquences

Dans ce pays de castes, on pourra donc « être fier d'être *working class* » et « de réussir en tant que *working class* », ainsi que notre témoin Yves l'a décrit. La division des classes semble se refléter dans la division des fonctions hiérarchiques, au point, d'après Cliff, que ce ne soient pas seulement les compétences d'un individu dans un domaine particulier qui lui offriront les meilleures chances de réussite :

« Je trouve qu'il y a des obstacles à la réussite en Angleterre et que ce ne sont pas des barrières qui reposent sur un manque d'aptitude ou de talent. Il y a des barrières de classe et des barrières qui font qu'un groupe ne veut pas accepter l'immixtion d'un autre groupe dans le sien. »

La comparaison de la division des classes sociales avec la division hiérarchique en entreprise sera reprise dans deux autres témoignages français :

« Je pense que leur vieille culture de classes est quand même assez présente dans leur mentalité, et la hiérarchie chez eux est quand même plus formelle, enfin plus formalisée que chez nous. » (Daniel)

« Là encore, dans le domaine de la hiérarchie, je pense que c'est calqué sur cette société de privilèges. C'est-à-dire que là encore, comme on dit ici, il ne faut pas "avoir la mauvaise cravate". C'est-à-dire que dans la société anglaise, c'est comme cela que je le perçois, les gens qui sont passés par un certain collège, qui ont un certain

niveau d'éducation, qui ont un certain diplôme et qui font partie d'un certain club, sont plus reconnus. » (Francis)

Cliff confirme :

« *Le profil d'une personne recrutée pour faire un certain type de travail côté Royaume-Uni, dépend beaucoup, je pense, de la classe sociale de la personne, de son milieu, de ses diplômes et de facteurs de ce genre.* »

Ainsi, Francis nous fait part de ses démarches personnelles pour se faire reconnaître en Angleterre dans son secteur d'activité :

« *Moi, par exemple, dans le domaine technique, j'ai demandé un diplôme de* Royal Engineer *pour être considéré comme un* chartered engineer *ici, parce que je sais que les* chartered engineers *sont considérés mais que l'ingénieur français qui n'est pas* chartered *ou qui n'appartient pas à la* corporate institution... *Donc moi, je me suis fait inscrire, donc il a fallu faire des démarches, justifier du* background, *etc., pour avoir cette petite cravate qui fasse en sorte que dans son pôle d'activité, on soit reconnu en tant que tel. Et si on échappe à ces clubs, si on échappe à ces institutions, eh bien, même si la cordialité est toujours là, parfois la reconnaissance officielle ne se fera pas.* »

Un directeur français qui travaille en Angleterre doit donc respecter la formalité attachée à sa fonction s'il veut être reconnu en tant que tel, sous peine de rencontrer des problèmes dans l'exercice de ses fonctions, comme Jean-François en a fait l'expérience :

« *C'est très important la position où on met les gens. Par exemple, moi, j'ai eu beaucoup de problèmes au début parce qu'on m'avait pas mis au* board. *Le* board, *je dirais, c'est un peu l'équivalent d'un conseil d'administration, à moitié conseil d'administration, à moitié comité de direction. Alors j'y venais, j'y étais invité, mais officiellement, je n'étais pas un* director. *Eh bien ça, ça posait énormé-*

ment de problèmes. Je demandais des choses à un gars dans une société, il me disait "Pas de problème !". Et puis il mettait dans les papiers du prochain board, *dont je ne recevais pas la copie, puisque je n'étais pas* director. *Alors, j'étais au* board, *sans papiers. Eux, ils comprenaient pas ça. On avait beau leur dire, non, c'est T. le chef de l'Angleterre, moi, j'étais pas dans le* board, *donc on avait beau me mettre chef, eux, il n'y avait pas de structure comme ça, j'étais pas* director, *c'était tout !»*

Jean-François reconnaît l'erreur stratégique de départ des dirigeants français qui, visant à l'intégrer en douceur, suivant des normes françaises, n'avaient pas saisi l'importance de la fidélité à l'organigramme de la société ; leur stratégie avait abouti au résultat inverse de celui escompté :

« En Angleterre, il n'y a pas d'organigramme informel. Il n'y a qu'un organigramme dans une société. En France, il y a toujours l'organigramme et puis tout ce qui se dit pas autour de l'organigramme. En France, il y a deux organigrammes, celui qu'on vous montre et celui du pouvoir qui est totalement différent. Ça, ça n'existe pas en Angleterre. Ils ne connaissent que le chef. Donc, ça, c'est très important la position où on met les gens. »

Renforcement de la parcellisation

L'importance attachée à l'organigramme va renforcer le cloisonnement entre les différentes tâches et les différentes fonctions.

Ce cloisonnement est particulièrement mis en évidence dans l'entreprise où travaillent Virginie et François :

« Il y a toute une hiérarchie où on progresse en salaire et aussi en titre. Les rôles sont très, très bien définis, chacun à sa place. » (Virginie)

« En Angleterre, il y a des grades et on commence, pour

citer l'exemple du client service, *on commence comme* junior executive, *on passe après à* senior, *après,* client service manager, *pour devenir, enfin il y a cinq ou six échelons. Alors ça, c'est à l'intérieur d'un même département, il y a une sorte de cloisonnement. Bon, c'est pas une monarchie, on peut très bien aller voir ses supérieurs quand on est anglais, mais, disons, moi, j'ai ressenti, quand j'y suis allé, il y avait certaines personnes qui étaient effarées puisque j'allais poser des questions, puis prendre du temps à des personnes très haut placées, et j'en avais pas conscience. »* (François)

Hiérarchisation entre départements

François poursuit en faisant remarquer que la hiérarchie n'existe pas seulement à l'intérieur d'un même département, mais qu'il existe également une hiérarchisation entre les départements :

« Il y a de véritables fossés qui existent en Angleterre, et qui n'existent pas à Paris, entre les différents départements. C'est-à-dire qu'à W., ils cultivent véritablement une différence de classe entre le client service, *qui est en quelque sorte l'élite, c'est eux qui sont amenés à avoir des carrières, en termes professionnels, un petit peu plus intéressantes. Sur le plan professionnel, financier, c'est l'élite le* client service *et disons, il y a après une hiérarchisation des différents départements, le* data processing, *ils commencent à devenir des grouillots, et puis après, il y a des départements où il y a des personnes auxquelles tu ne vas pas parler, quasiment. »*

Le choix de François de passer en France du *client service* au *data processing* a provoqué l'étonnement côté anglais :

« Moi, travaillant pendant un an et demi avec des gens du client service *Angleterre, j'étais considéré comme un*

des leurs, français, mais comme un des leurs, et là, maintenant, passant au data processing, *les gens sont un petit peu interloqués, les gens de mon âge, disons, des personnes à poste équivalent. Les homologues anglais me disent : "mais pourquoi tu fais ça, t'es complètement fou !". Mais moi, j'y trouve mon intérêt, c'est mûrement réfléchi.* »

Diffusion hiérarchisée de l'information

La diffusion de l'information suit un circuit échelonné de service en service, ce qui entraîne des critiques de pesanteur du système hiérarchique de la part des Français :

« *Pour moi, c'est beaucoup plus lourd, c'est beaucoup moins flexible* », se plaint Jean-Pierre.

Sandrine renchérit : « *C'est une source de problèmes dans la mesure où on sait très bien que tel individu devrait arriver à nous répondre là, mais on ne peut pas le contacter parce qu'il faut qu'on contacte l'individu qui est à mon niveau hiérarchique et c'est pas lui qui va avoir la bonne réponse. Il va peut-être l'avoir, mais il va l'avoir quinze jours après, parce qu'il faudra qu'il descende ou qu'il remonte, ou le contraire.* »

Les Français, comme on l'a déjà signalé plus haut, répugnent à suivre le circuit hiérarchique et court-circuitent les « montées et descentes » des différents échelons :

« *Pour que ça aille plus vite, je ne téléphone pas à certaines personnes, je téléphone carrément à leur supérieur* », explique Jean-Pierre.

Le court-circuitage est attesté côté anglais par Kathryn :

« *Le bureau français refuse tout le temps de passer par la section internationale, ce qui fait qu'ils appellent juste la personne qu'ils veulent directement. En fait j'ai eu des tas de contacts avec eux — peut-être que je n'aurais pas dû — mais j'ai eu des tas de contacts.* »

Kathryn souligne le fait qu'elle n'était pas autorisée à avoir ce genre de contact, mais elle avoue que cette transgression, à l'initiative des Français, avait un caractère agréable :

« C'est vrai que c'est agréable d'avoir différentes choses à faire et ça me plaît de parler d'autres langues, c'est vraiment agréable de pouvoir faire ça. »

Ce faisant, les Français recréent un organigramme de type informel avec des fonctions et des responsabilités redistribuées, à l'image du fonctionnement multitâches qu'ils pratiquent chez eux.

Ce flou dans leur organigramme est parfois critiqué par les Français eux-mêmes. Sylvie, cadre français, ira jusqu'à faire son autocritique :

« Moi, j'ai probablement le péché inverse (des Anglais)*, c'est d'avoir pas assez structuré les choses. »*

Position hiérarchique, distance relationnelle et facteur d'imposition

Arrêtons-nous quelques instants sur la perception des notions de distance et de pouvoir. Les travaux de Ron et Suzanne Scollon[1] apportent un éclairage qui nous engage à distinguer entre position hiérarchique, distance relationnelle et facteur d'imposition.

Examinons d'abord la dissociation qu'ils font entre distance relationnelle et position hiérarchique[2] :

> « La distance entre deux participants ne doit pas être confondue avec la différence hiérarchique qui existe entre eux. Même au sein d'une seule et unique organisation, le pouvoir (P) n'est pas la même chose que la distance (D). Le chef du personnel pourra avoir une relation hiérarchique (+P) avec son personnel

1. Scollon & Scollon, 1995, pp. 42-43 (les citations qui suivent ont été traduites par l'auteur).
2. Cette distinction avait déjà été définie par Brown & Levinson, 1987, pp. 74-83.

mais très probablement aussi une relation proche (-D) parce qu'ils travaillent ensemble quotidiennement. »

Dans cet extrait[1] :

> « Le "pouvoir" (P) renvoie à un écart vertical entre les participants (membres) d'une structure hiérarchique. La "distance" (D) ne doit pas être confondue avec la différence de pouvoir entre eux. La distance (+D) se rencontre très facilement dans des relations égalitaires (-P). Deux fonctionnaires (ou représentants) de deux gouvernements peuvent très bien avoir un pouvoir égal au sein de leurs organismes respectifs, mais avoir une relation distante (+D). »

Les Français qui se réfèrent à leur propre système d'adresse, *vous* + *Monsieur* (+D) vis-à-vis d'un supérieur hiérarchique (+P), entretiennent l'illusion d'une relation hiérarchique égalitaire (-P), due à une distance d'adresse plus courte (-D) (usage de *you* et du *prénom* assimilé à *tu* + *prénom*), et qui faciliterait la communication entre subalternes et supérieurs anglais. Or, la hiérarchie (+P) reste très présente chez les Anglais et distance d'adresse et position hiérarchique ne peuvent être confondues.

Un troisième facteur entre en combinaison avec les deux autres (P) et (D), sans toutefois se confondre avec eux, c'est le facteur d'imposition (I)[2]. Dans le cadre de notre étude, le facteur (I) va s'appliquer à la parole et aux intérêts du supérieur. Le même facteur (I) peut être mis en relation avec ce que Bourdieu décrit comme l'imposition de parole[3] :

> « Celui qui a la parole, qui a le monopole de fait de la parole, impose complètement l'arbitraire de son interrogation, l'arbitraire de ses intérêts. »

Le facteur (I) est particulièrement pertinent dans notre

1. Scollon & Scollon, *ibid.*
2. Scollon & Scollon, *ibid.*
3. Bourdieu, 1984, p. 95.

analyse car il permet de cerner des techniques de travail différentes liées à l'utilisation ou non de l'imposition de parole et par conséquent de l'imposition des décisions d'un supérieur hiérarchique à son personnel. Dans un système (-I), on fera davantage appel à la participation des membres du personnel et à la concertation. Dans un système (+I), la décision appartiendra au supérieur hiérarchique. L'identification du facteur (I) éclaire les perceptions anglaise et française de chaque système de management réciproque.

Fonctionnement orchestral / Décision hiérarchique

Et c'est bien le facteur (I) qui semble être une des clés permettant de comprendre les perceptions mutuelles de la hiérarchie. Ecoutez Andrew exposer sa perception des supérieurs hiérarchiques français et critiquer le manque de concertation :

« Je trouve que la plupart des chefs de départements, ou des responsables de site, ou responsables en général en France, souhaitent imposer plus leurs opinions sur les gens qui travaillent avec eux. Je trouve qu'en Angleterre, il y a plus une ambiance un peu orchestre qui n'existe pas ici. »

Le fonctionnement « orchestral » anglais où tout le monde est invité « à jouer son morceau » et à participer, au contraire des Français, est souligné également par Cliff et Fiona :

« Les Anglais sont bien plus informels, d'une certaine manière, et il y a beaucoup plus de gens qui lancent ou agitent leurs idées. » (Cliff)

« Dans une réunion britannique, tout le monde s'efforce d'apporter plus ou moins sa contribution. » (Fiona)

L'analyse de la prise de décision dans la section précédente sur le compromis avait déjà souligné l'importance du travail en équipe et la nécessité de la capacité d'écoute de l'autre.

En fonction du facteur d'imposition (+I) du système français, perçu comme protocolaire par Cliff, c'est-à-dire (+D), les prises de décision seront concentrées à l'échelon supérieur (+P) :

« Vous voyez, c'est ma perception, ma vision des choses. Il y a une structure napoléonienne des choses avec le grand homme à la tête, que ce soit le directeur de département ou un autre, et ensuite les mortels de moindre importance qui gravitent autour de lui. Je crois, et encore une fois je généralise, que le processus de prise de décision est concentré à ce niveau élevé et qu'il y a moins d'occasions et un moindre encouragement à prendre des initiatives pour les cadres des échelons inférieurs. »

Les attentes des uns et des autres

En conséquence pour Tony, les attentes d'un Britannique seront totalement différentes de celles d'un Français, du fait que la décision n'est pas liée, pour lui, à la position hiérarchique :

« Lorsqu'un Britannique se rend à une réunion, il y va pour prendre une décision de façon normale. Et ça n'a pas d'importance que ce soit telle ou telle personne qui prenne la décision. Si c'est la personne la moins haut placée qui trouve la solution, tout le monde dit "oui" et puis ça y est ! J'ai l'impression que les Français s'en remettent à la personne la plus importante présente dans la salle pour prendre la décision. »

Cette différence dans les mécanismes de prise de décision est attestée côté français, mais le mécanisme anglais est considéré comme plus faible par Jean-François :

« Prise de décision. Ça je dirais que c'est pas la force des Anglais ! Ça, les Français, à mon avis, sont plus forts.

Les Anglais, c'est des décisions collectives toujours, c'est rarement des décisions personnelles, donc, c'est un groupe. Alors que les Français, là, je pense que c'est le côté bon des Français, les Français, à la fin, effectivement vous avez le chef qui a une vision de quelque chose et qui va la défendre jusqu'au bout. »

On observe à quel point la parole du *chef* est reconnue et acceptée côté français, et que c'est justement cette soumission à sa parole, cette forme de complicité, qui constitue la reconnaissance et le fondement de son autorité, à l'image de l'analyse qu'en fait Bourdieu[1] :

> « Le langage d'autorité ne gouverne jamais qu'avec la collaboration de ceux qu'il gouverne, c'est-à-dire grâce à l'assistance des mécanismes sociaux capables de produire cette complicité, fondée sur la méconnaissance, qui est au principe de cette autorité. »

Incompréhensions mutuelles

Le facteur d'imposition de parole et donc d'autorité va jouer un rôle important dans les incompréhensions mutuelles de fonctionnement.

Les Anglais trouveront qu'il est très difficile de faire valoir ses idées lorsqu'on est en position subalterne en France. Pour Stephen :

« *Il est très difficile pour quelqu'un considéré comme subalterne de prendre une décision.* »

Ou encore, Fiona, décrivant des réunions auxquelles elle a assisté en France :

« *Les cadres supérieurs ont dominé complètement la réunion. Les jeunes cadres n'ont pratiquement rien dit. Il y a une coupure plus importante entre cadres supérieurs et jeunes cadres.* »

1. Bourdieu, 1982, p. 113.

Dans un management de style britannique, on peut se permettre de défendre une idée face à un supérieur. Selon Donald :

« Au Royaume-Uni, si vous présentez une bonne idée, vous pouvez contester les idées de quelqu'un qui se trouve deux ou trois grades au-dessus de vous parce que vous savez que vous avez raison, que c'est logique. Et en fait vous allez beaucoup plus loin qu'un Français dans une position similaire qui, lui, de toute évidence, abandonnera. »

L'imposition du point de vue du supérieur hiérarchique sera alors critiquée par les Anglais qui accuseront les individus de travailler davantage pour eux-mêmes que pour le bien commun de l'entreprise :

« Mon sentiment ici (en Angleterre)*, et j'ai peut-être tort, c'est qu'on résout les problèmes dans l'intérêt de l'entreprise, tandis que dans les entreprises françaises, j'ai l'impression que c'est davantage au profit de celui qui est responsable à ce moment-là, et davantage pour des enjeux politiques que pour la réussite de l'entreprise pour laquelle ils travaillent. »*

Représentation du management franco-anglais à travers une étude de cas franco-français

Le dernier cas d'analyse que je vous propose, bien qu'il traduise les problèmes franco-français de management, apporte un éclairage sur la perception du management franco-anglais dans une filiale française, et souligne les difficultés de relations hiérarchiques liées aux notions de distance (D), pouvoir (P) et poids d'imposition (I).

Daniel, cadre français, ressent un malaise face au style de management de la direction de la filiale.

Sa directrice est d'un abord facile, donc la distance

n'est pas marquée (-D), comme en témoigne François, un autre membre subalterne du personnel :

« Si tu veux aller voir l'encadrement au plus haut niveau, tu vas aller voir N, sa porte est toujours ouverte, elle a le tutoiement facile, il n'y a vraiment aucun problème. »

Ce qui gêne Daniel, c'est le fait que sa directrice française, gérante de la filiale française, n'a pas le poids d'imposition (+I) qu'il souhaiterait face à la direction de la maison mère :

« Je trouve que N. n'a pas soit le pouvoir, soit la volonté de s'imposer vis-à-vis d'eux. »

Puisque sa directrice n'a pas ce poids d'imposition, elle met ses cadres en situation de vulnérabilité, donc en situation de moindre pouvoir (-P) :

« Nous, on n'a pas le pouvoir. Il y a des réunions internationales, mais globalement de toutes façons, il y a un nuage d'opacité qui se crée entre la direction internationale France et la direction internationale en Angleterre. »

Sans le poids d'imposition, qui est synonyme de pouvoir pour Daniel, sa directrice ne peut avoir de solidarité avec son personnel français et le défendre :

« On a l'impression que plutôt qu'il y a une solidarité en France, il y a un tampon qui se fait et qui n'est pas toujours très honnête, même vis-à-vis de nous. »

Cette attitude ressentie comme une trahison entraîne l'accusation de complicité avec les Anglais :

« Je sais pas si c'est un profil bas ou un profil complice avec eux... »

La caractéristique d'un directeur français serait donc la clarté et l'honnêteté qui permettraient la résolution de conflits de manière univoque sans trahison de son personnel :

« Bon, avant, je travaillais dans une société où j'avais un patron, au moins j'étais sûr à 100 % que la position

de mon président était clairement celle qu'il me disait. S'il y avait des conflits avec les gens de la holding à résoudre, il les résolvait, je dirais dans un sens qui me paraissait univoque. »

Quelle est donc, pour notre témoin, la différence entre un management anglais et un management français ?

« Je ne sais pas s'il y a une différence de management, je dirais qu'il y a une différence de personnalité dans les managers, ce qui est totalement différent. Généralement, en France, les gens, c'est clair, les choses sont comme ça ou comme ça ! Il y a toujours en Angleterre des flous artistiques, des choses moins définies, parce qu'il y a des personnages qui ne sont pas clairs ! »

On voit que Daniel transfère les difficultés et les tensions liées aux relations de pouvoir maison mère / filiale à un caractère type du manager anglais ou français. Son désarroi face à la situation le conduit à adopter l'opposition stéréotypée du « Français clair et droit » face à « l'Anglais flou et pas très honnête ».

C'est l'attitude de concertation de sa directrice qui ressemble davantage à une attitude de management anglaise (-I), où l'exercice du pouvoir ne se confond pas forcément avec poids d'imposition d'une décision ou d'une solution (+I), qui provoque finalement sa frustration :

« Je ne peux pas savoir si finalement, elle joue un double jeu, un peu comme les Anglais, ce qui n'est pas très clair... On n'a pas l'impression que les conflits se résolvent avec les Anglais, c'est-à-dire, je ne sais pas à quoi ça tient, si c'est une incapacité à avoir une position de force ou, au contraire, la volonté de ménager les deux côtés. »

Signalons toutefois que pour d'autres membres du personnel, il y a, au contraire, une confiance complète dans le rôle et l'autorité de leur directrice, confiance fondée justement sur sa capacité à dénouer les problèmes avec la maison mère !

Bilan des représentations de la notion de distance

La notion de distance intervient tout d'abord dans la mise à distance neutralisante, soulignée, selon la linguiste Anna Wierzbicka, par l'absence de forme de tutoiement de la langue anglaise et par toutes les formes d'atténuation repérées par Lakoff et Brown & Levinson.

La mise à distance par l'intermédiaire de la langue peut être mise en parallèle, toujours selon Wierzbicka, avec la mise à distance physique et avec le contrôle exercé sur la manifestation extérieure des émotions. Nous l'avons effectivement constaté, les contacts purement physiques, tels que la simple poignée de mains ou l'embrassade ne sont pas aussi naturels que chez les Français. Joie, émotion, colère ne seront pas manifestés par des signes physiques.

La réserve et la modération manifestées par les Anglais agacent certains Français qui se qualifient eux-mêmes d'« expansifs » et valorisent leur expressivité qui est pour eux un gage de franchise. Ce sont ces mêmes Français qui seront qualifiés de *vociferous* par les Anglais, qui, de leur côté, les jugent arrogants et discourtois. D'autres Français, à l'inverse, apprécient une attitude qui favorise des relations courtoises et non conflictuelles au travail.

L'attitude de réserve des Anglais entraînera un souci de préserver l'espace privé et une dissociation entre travail et vie privée qui étonne les Français. La protection de l'espace privé encouragera elle-même le respect de la liberté et de l'autonomie des individus. Toutefois liberté et autonomie ne vont pas de pair avec égalité. Les témoignages français mettent l'accent sur le découpage des classes sociales en fonction de l'origine et de l'éducation reçue et soulignent la coexistence des classes ainsi formées où chacun reste à sa place, indifférent au sort de l'autre. L'intégration du statut social par les individus eux-mêmes leur permet, par exemple, d'être fiers de leur réussite à l'intérieur des limites de leur classe d'appartenance, même s'ils appartiennent à la classe ouvrière.

Le découpage des classes sociales est mis en parallèle par les Français, avec le découpage de la hiérarchie dans l'entreprise en Angleterre et l'importance accordée, là aussi, à la « bonne cravate ». Chacun doit être à sa place dans l'organigramme en fonction de son niveau d'éducation et de son milieu d'origine. Ceux qui sont « en dessous savent qu'ils ne seront jamais au-dessus » et vice versa, comme le signalait l'un des cadres français. L'organigramme est à respecter formellement et il ne peut y avoir d'organigramme informel parallèle dans la distribution des rôles, comme on en trouve dans certaines organisations françaises. Le grand attachement au respect de l'organigramme et des fonctions et responsabilités qui y sont associées, va renforcer le système de parcellisation des tâches et de cloisonnement des départements. Les Français ont des difficultés à respecter la forte hiérarchisation des rôles et des tâches impliquée par le respect de l'organigramme.

La hiérarchie forte qui coexiste avec une apparente décontraction des rapports entre supérieurs et subalternes déroute les Français. La prise en compte de la dissociation du fonctionnement des paramètres de position hiérarchique (P), distance d'adresse (D) et poids d'imposition (I), permet de mieux comprendre les malentendus portant sur la perception des enjeux hiérarchiques.

Côté français, l'assimilation d'une position hiérarchique forte (+P) à une distance longue des rapports entre supérieurs et subalternes (+D) et un poids d'imposition fort des opinions et décisions des supérieurs (+I), entre en conflit avec la dissociation position hiérarchique forte

(+P), distance courte des relations supérieurs-subalternes (-D) et poids d'imposition moindre (-I) du fait d'un travail en concertation qui ne centralise pas la décision sur le seul dirigeant.

Il est à noter que certains Français se sentiront trahis lorsque leur directeur français ne correspondra pas au modèle approprié décrit, et tentera à se rapprocher d'un modèle plus consensuel (-I), à l'image du modèle anglais.

— BILAN : TROIS ÎLOTS DE MALENTENDUS CULTIVÉS PAR LA LANGUE ET LES COMPORTEMENTS —

A la suite du panorama linguistique découvert au chapitre 2, notre sillage nous a portés vers les comportements et les attitudes des interactants dans la communication. Une première escale a rappelé combien la langue anglaise incarnait encore, pour certains Français, une victoire et un impérialisme sur leur propre langue, leur propre pays et leur propre culture.

La visite de trois îlots de malentendus a mis en évidence la corrélation entre les pratiques spécifiques identifiées dans la langue et les attitudes et comportements observés dans les mêmes groupes. Ces trois îlots constituent des aires sensibles de la communication franco-anglaise où tendances culturelles s'affrontent et produisent des effets pathogènes sur les interactions des deux communautés entre elles.

Nous avons pu observer tout d'abord *les modes de travail plus « pragmatiques » ou plus « théoriques »*.

Le comportement pragmatique, apparu dans l'aptitude des Anglais à la compétence de communication orale, contraste avec le comportement théorique qui transparaît dans l'aptitude à la compétence écrite des Français. Les conséquences sont trouvées dans la différence d'attention portée à l'expérience ou aux diplômes, dans une plus ou moins grande flexibilité des orientations, dans la primauté de la tâche sur la relation personnelle ou inversement, ainsi que dans l'organisation des horaires et la parcellisation des tâches.

Vient ensuite *le domaine de la négociation et de la quête de décision.*

Cette quête s'effectue, côté anglais, grâce à une attitude de compromis, reflétée par toutes les techniques d'adresse indirecte privilégiées dans la langue anglaise, en contraste avec l'attitude de conflit dont on retrouve la trace dans l'*habitus* linguistique des Français. Ces attitudes entraînent des accusations réciproques d'inefficacité et une stéréotypisation du Français arrogant et de l'Anglais hypocrite.

Nous avons terminé avec *le domaine de la distance et de la hiérarchie,* où les marqueurs d'adresse, reflet pour les Anglais d'attitudes égalitaires et du respect de la vie privée, vont leur permettre de garder leur distance et de fonctionner sur un axe *formal / informal*, à la différence des Français qui marqueront distance ou plus ou moins grande familiarité. Ainsi les comportements anglais vont privilégier un fonctionnement en autonomie avec une division des tâches, où chacun est à sa place, et où l'on respecte la hiérarchie des fonctions et des départements. On trouvera également pour le groupe anglais, une dissociation des paramètres de pouvoir et de distance, qui s'opposera à la confusion des deux paramètres pour le groupe des Français.

L'explorateur pouvait-il en rester au stade de l'observation et de la description ? Le désir de comprendre ne peut que conduire au désir de dépasser le stade de l'observation pour tenter d'accéder au cœur du phénomène singulier de la relation de communication franco-anglaise. Eclairer les fondements des traits culturels identifiés dans la langue et les comportements, voyager dans le temps et explorer l'héritage culturel de chacun des deux peuples, tel est le nouveau sillage qu'il nous faut suivre. Sans compréhension de ces fondements, il ne pourrait y avoir compréhension des modes d'interaction à la fois langagiers et comportementaux des deux groupes en présence.

Le voyage interculturel se poursuit et va nous permettre d'ouvrir la mémoire de régions oubliées, où structures familiales, affinités religieuses, mythes de filiation et idées portées par les philosophes du Contrat social s'entrecroisent pour tisser l'enchaînement générateur des conduites contemporaines.

CHAPITRE 4

Souvenirs d'un voyage dans le temps

Les Anglais ont la tradition, nous avons la mémoire. C'est encore ce remaniement qui nous impose la dispersion atomique des objets. Non par papillonnage de fleur en fleur et d'objet en objet, mais à cause de l'éclatement du moteur central et du rayonnement lointain de ses particules. C'est lui qui nous contraint au souci historiographique. Non par goût du bricolage ou curiosité perverse pour l'envers des choses, mais parce que la manière dont ces blocs tout constitués ont été charriés jusqu'à nous, sont apparus, disparus, partis à la casse et réutilisés, est la matière même dont est fait ce qui nous a faits.

Pierre Nora.

— HISTOIRE DE FAMILLES —

Ouvrons, grâce à l'anthropologie, la mémoire de cette première région constituée par la famille et qui se situe au cœur de notre construction identitaire. Dans le cadre de l'histoire des mentalités et de leur construction, les structures familiales jouent un rôle prépondérant, car elles sont, pour André Burguière, le siège de « représentations inconscientes et de principes d'organisation[1] ».

Les coutumes d'héritage, notamment, nous renseignent sur les représentations de pouvoir, par le biais des stratégies successorales qui déterminent la souveraineté du père et sa libre disposition du patrimoine en fonction des différents modèles familiaux. Dès l'époque médiévale, le pouvoir va s'identifier au lignage et déterminer hiérarchie et directions, ainsi que le souligne Henri Bresc : « Le lignage domine la société et les lignages dominent les ménages nucléaires[2]. »

La famille sécrète donc la puissance, « mais comme les neveux sécrètent le népotisme, la puissance sécrète la famille en imposant des conduites de consolidation, de cristallisation[3] ».

Ainsi les travaux d'anthropologie familiale, notamment les travaux de l'équipe d'André Burguière (1986) et ceux d'Emmanuel Todd (1990) présentent-ils le plus grand intérêt pour notre approche de la genèse des comportements et idéologies français et anglais, car ils contribuent à leur étude diachronique en éclairant l'histoire des différents peuples d'Europe et les relations qu'ils entretiennent entre eux.

Selon l'hypothèse de Todd, hypothèse qui rejoint les travaux de Burguière sur l'histoire de la famille, la diversité des réactions nationales européennes aux phénomènes religieux (Réforme / Contre-Réforme), aux phénomènes économiques (maintien d'une économie agraire dominante / industrialisation), aux phénomènes démographiques (contraception / libre fécondité), est sous-tendue par une infrastructure idéologique où les systèmes familiaux permettent de déterminer, voire de prédire ces différentes

1. Burguière, 1986, p. 32.
2. Henri Bresc, 1986, p. 418.
3. *Ibid.*, p. 419.

réactions. Celles-ci, par exemple, dans le cas qui nous intéresse, conduiraient les Français, toujours selon l'hypothèse de Todd, à investir favorablement et conjointement *les valeurs de liberté et d'égalité* tandis que les Anglais donneraient *l'avantage à la liberté sur l'égalité.*

Cet ample système explicatif pourrait être assimilé à un schéma aussi élaboré que celui du système explicatif marxiste, avec une distinction méthodologique entre une infrastructure et une superstructure. Cette distinction permettrait de décrire une infrastructure constituée par les substructures anthropologiques et définies par les systèmes familiaux (et accessoirement agraires) apparus en Europe — donc en Angleterre et en France — à la fin de l'époque romaine et surtout après la fin des grandes invasions. Cette infrastructure déterminerait une superstructure idéologique, elle-même déterminante des réactions différentes aux percées historiques, donc un corpus doctrinal différent face aux problématiques du Contrat social, de l'autorité, du rapport hiérarchique, de la liberté, de l'égalité.

Todd pose toutefois la question de la validité de son analyse. Comment des systèmes anthropologiques, fondés il y a 1 500 ans, peuvent-ils, à la fin du XXe siècle, continuer à déterminer des idéologies et des comportements ?

On observe tout d'abord que les distinctions fondées sur les différents systèmes familiaux sont loin d'avoir disparu et ensuite, que là où ils se sont estompés, le couple nouveau (individualisme / anti-individualisme), épigone de ces structures familiales estompées, permet d'expliquer bien des différences de réactions chez les Européens. Elles constituent une aide précieuse à la compréhension du recul des religions puis des idéologies, des phénomènes de rejet ou d'acceptation des flux migratoires, du chômage et des bouleversements politiques.

On peut citer, à titre d'illustration, la différence de

développement entre l'est et l'ouest de l'Europe mise en relief par Burguière[1] :

> « La modernisation plus intense du nord-ouest de l'Europe, en accentuant les écarts de développement, voire les rapports de dépendance entre l'Est et l'Ouest, a fait ressortir avec une netteté toute nouvelle le soubassement culturel de ces différences et en particulier l'opposition entre plusieurs modèles familiaux dominants. »

Todd mettra l'accent sur la prise en compte de l'espace et du temps dans l'histoire des hommes et notamment de la nécessaire mise en coïncidence du temps des historiens avec les événements dans l'espace géographique :

> « La coïncidence des phénomènes dans le temps est fréquemment repérée, analysée, expliquée ; leur coïncidence dans l'espace ne l'est que très rarement. L'apparition successive ou simultanée, dans les mêmes lieux, de deux phénomènes distincts évoque pourtant bien la possibilité d'une relation d'un type ou d'un autre, se manifestant par une coïncidence spatiale[2]. »

La maîtrise de l'espace, pour Todd, est conditionnée par l'élaboration de cartes : ces cartes constituent la trace des correspondances entre événements et structures économiques et sociales et permettent de mettre en lumière des forces stables dans le temps, associées au cadre géographique, et dont la plus importante serait le système familial :

> « La plus importante de ces forces est le système familial, déterminant puissant, quoique silencieux, de nombreuses conduites humaines[3]. »

1. Burguière, *op. cit.*, p. 26.
2. Todd, *op. cit.*, p. 19.
3. Todd, *ibid.*, p. 20.

Quelques éléments d'anthropologie familiale

Dès le Moyen Age, les coutumes d'héritage induisent un morcellement anthropologique de l'espace européen :

> « Leur géographie oppose fortement les pays d'égalité, où le lignage l'emporte sur le ménage, et les coutumes préciputaires qui exaltent la volonté individuelle[1]. »

A chacune des ruptures historiques décisives, Todd observe que l'espace européen subit de nouvelles fragmentations qui coïncident de manière troublante avec les coutumes familiales d'héritage. Todd va s'appuyer sur les travaux de Frédéric Le Play qui avait, dès 1879, effectué un découpage méthodologique de l'espace européen en unités anthropologiques de base, et avait établi une typologie des structures familiales, basée sur les idées de liberté et d'égalité.

Les systèmes familiaux

Selon l'analyse de Le Play, règles de succession organisant les relations entre frères et sœurs, cohabitation de trois générations dans une même unité domestique, sont les marqueurs d'une typologie égalitaire ou autoritaire des systèmes familiaux. La combinaison des valeurs organisant les relations de type autoritaire ou libéral entre parents et enfants avec les valeurs organisant les relations égalitaires ou inégalitaires entre frères et sœurs, sont à l'origine de la définition de quatre grands systèmes : la famille nucléaire absolue, la famille nucléaire égalitaire, la famille souche et la famille communautaire.

1. Bresc, *op. cit.*, p. 415.

Répartition en Grande-Bretagne et en France

« Il apparaît que plusieurs modèles familiaux présentant des formes d'organisation et de répartition de l'autorité différentes coexistent depuis le Moyen Age. Le modèle nucléaire domine très largement dans l'Europe du Nord-Ouest[1]. »

A l'époque médiévale, dans l'Ouest français et dans l'Angleterre héritière du droit normand, c'est donc le modèle nucléaire avec égalité de la coutume successorale qui prévaut, mais des contraintes, telles que l'insécurité ou la réduction de superficie vont être à l'origine de changements :

« Les nécessités (...) imposent des glissements au régime d'option, qui permettent d'exclure les enfants dotés de l'héritage (...) et d'évoluer, comme en Angleterre, comme dans l'Allemagne du Hofrecht, vers l'unigéniture : le premier-né, généralement, hérite seul de la tenure, du manse, tandis que les cadets, s'ils s'établissent ailleurs, sont exclus, ou invités à demeurer célibataires[2]. »

A l'issue de ces glissements, l'Angleterre, l'est de l'Ecosse et du pays de Galles se trouveront régis par la catégorie anthropologique de la famille nucléaire absolue, définie par un rapport libéral entre parents et enfants, marqué par la non-cohabitation entre générations, et une inégalité entre frères, marquée par des lois successorales permettant aux parents de favoriser un des frères en lui léguant le titre, la maison, l'exploitation agricole ou l'établissement commercial.

La France se révèle plus multiforme :

« La France, qui fait preuve d'une hétérogénéité culturelle peut-être plus marquée que d'autres nations européennes, paraît se situer à l'intersection de deux traditions familiales : le nord du

1. Burguière, *op. cit.*, p. 26.
2. Bresc, *op. cit.*, p. 416.

pays appartient à l'aire nucléaire alors que la France méridionale manifeste une nette attirance pour les formes complexes[1]. »

Elle présente néanmoins sur une bonne partie de son territoire et notamment dans le Bassin parisien, une structure familiale de type nucléaire égalitaire où les règles d'héritage imposent une égalité absolue entre frères, dans des familles où la cohabitation entre générations n'existe pas. Seule la Bretagne, à l'instar de l'Angleterre, présente une structure de type nucléaire absolu, tandis que le tiers méridional de la France ressemble, du point de vue anthropologique, à l'Allemagne avec des familles de type famille souche, caractérisées par le primat d'une autorité paternelle alliée à une relation non égalitaire entre frères.

Il faut remarquer que sur l'ensemble de la carte de l'Europe dessinée selon ces critères[2], les ménages non égalitaires, de type anglais, ne semblent prévaloir que dans les zones maritimes côtières de la mer du Nord, tandis que les ménages égalitaires de type français ne se retrouvent que dans les zones marquées par la latinité, l'influence de Rome. Cette influence est corroborée par l'étude du droit romain selon lequel rare était le choix d'un héritier qui ne se conformait pas à l'ordre des successions légitimes et favorisait systématiquement un des enfants :

« Entre descendants, le testament certes parfois rompait l'égalité successorale, établissant des privilèges qui peut-être avantageaient le fils ou la fille mariés : on ne voit pas en tout cas que l'aîné, ni que les garçons en eussent systématiquement profité[3]. »

1. Burguière, *op. cit.*, p. 26.
2. Voir cartes, page suivante (source : Todd, *op. cit.*, p. 54 et 58).
3. Y. Thomas, 1986, p. 207.

La famille nucléaire égalitaire

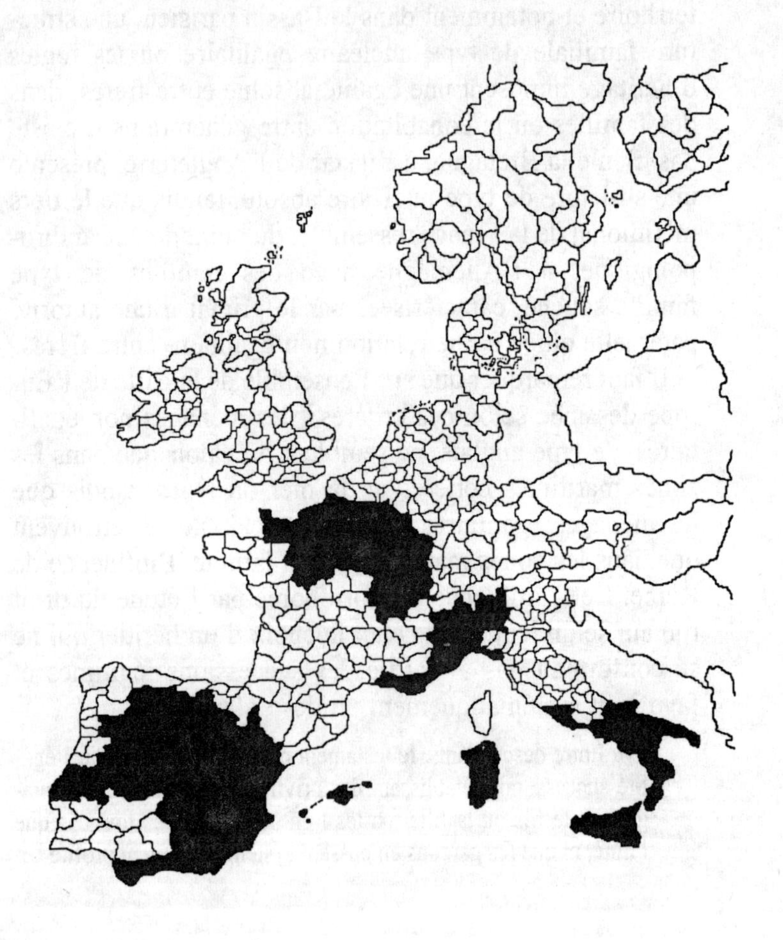

La famille nucléaire absolue

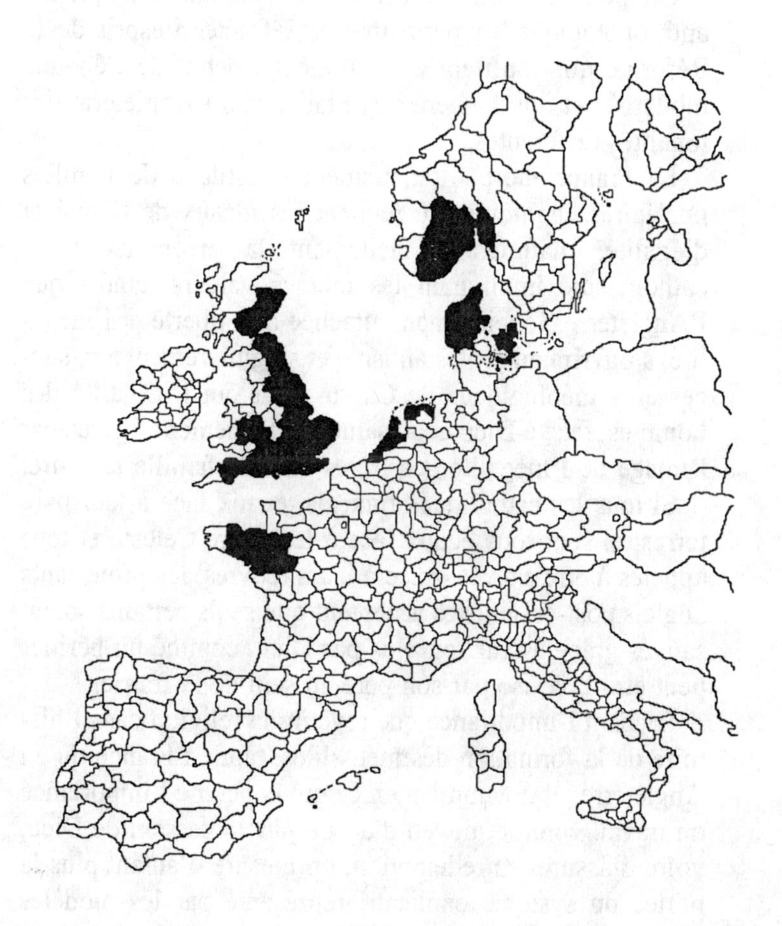

Conséquence directe : catholicisme et protestantisme

On perçoit à travers cette étude comment le prisme anthropologique va permettre de réfracter l'esprit de la Réforme qui soufflera au XVIe siècle, début de l'époque moderne[1] et qui donnera à la France et à l'Angleterre des tonalités différentes.

La France morphologiquement constituée de familles nucléaires égalitaires où règnent les idéaux de liberté et d'égalité, maintiendra facilement la prééminence du catholicisme impliquant les mêmes valeurs, tandis que l'Angleterre, foncièrement attachée à la liberté et l'inégalité, s'ouvrira au protestantisme et singulièrement aux successeurs théologiques de Calvin pour qui l'inégalité des hommes, face à Dieu et au salut, est facilement figurée par l'image de l'inégalité des frères dans la famille terrestre.

Si tous les catholiques français, égaux face à leur père terrestre, sont tous égaux face à leur Père Céleste et tous appelés à être sauvés grâce à leurs œuvres, les protestants anglais post-calvinistes acceptent que seuls certains soient sauvés grâce à leur foi, élus par Dieu, comme un héritier peut être favorisé par son père au sein de la fratrie.

Sachant l'importance que revêtira la religion dans l'histoire de la formation des mentalités, tant en France qu'en Angleterre, et notamment en ce qui concerne l'importance du travail comme moyen d'accomplir le dessein de Dieu, voire d'assurer sa rédemption, on mesure d'autant plus la portée du système explicatif représenté par les modèles familiaux. Les catégories anthropologiques seront à l'origine de tout un cortège d'attitudes dans le monde du travail et des relations humaines au sein des entreprises.

1. « L'époque moderne est celle de l'invention de l'Homme », selon Michel Foucault.

Sachant à quel point la religion, en partie déterminée elle-même par les structures familiales traditionnelles, détermine à son tour les modes et rythmes des progrès culturels et économiques, on mesure la force de l'intuition d'Emmanuel Todd.

C'est dans la section consacrée à l'analyse critique des thèmes de Weber que seront étudiées les conséquences des choix religieux.

Catégories anthropologiques et percées historiques à l'époque moderne

Les révolutions industrielles

Selon Burguière :

> « Il y a congruence entre les prédispositions de la famille nucléaire et les exigences nouvelles de la société. Sans aller jusqu'à prétendre avec A. Macfarlane (1978) que l'individualisme prométhéen qui a fait surgir la révolution industrielle germait depuis longtemps dans les entrailles de la famille nucléaire anglaise, on peut supposer qu'il y a eu stimulation réciproque entre le modèle familial enraciné dans cette partie de l'Europe depuis le Moyen Age et le dynamisme précapitaliste qu'on y observe à partir du XVIe siècle [1]. »

Dans toute l'Europe, au XVIIIe siècle, l'industrialisation naissante semble directement proportionnelle au taux d'alphabétisation et à l'urbanisation. Burguière rappelle que :

> « L'Angleterre et les pays scandinaves sont à la fin du XVIIIe siècle les régions les plus alphabétisées de l'Europe [2]. »

La France rurale et catholique sera écartée de ce premier flux. L'Angleterre, plus urbanisée et protestante — donc globalement pour cette époque, plus alphabétisée —

1. Burguière, *op. cit.*, p. 28.
2. *Ibid.*, p. 45.

accomplira dès lors la première révolution industrielle du monde. Cette révolution est favorisée par la différence d'évolution des coutumes successorales du modèle nucléaire en France et en Angleterre sous la pression démographique qui s'exerce dès le XVIe siècle :

> « La coutume évolue en France du Nord vers un régime d'option qui permet aux dotés, s'ils s'estiment lésés au moment de la succession, de rapporter leur dot pour participer au partage. En Angleterre, la coutume ne subit pas la même dérive égalitaire et la primogéniture devient pour les cadets une procédure d'exclusion qui les condamne à se prolétariser sur place ou en ville[1]. »

L'industrie naissante requiert une main-d'œuvre nombreuse, concentrée en certains lieux, donc urbanisée, déracinée de sa terre, telle que peuvent en fournir des familles inégalitaires où l'héritage de la terre n'est pas partagé également entre frères, laissant ainsi pour compte un grand nombre de cadets prêts à offrir au capitalisme naissant leurs bras et leur force de travail. Il existe, certes, d'autres causes à cette industrialisation et à cette urbanisation précoces, mais la cause anthropologique semble la plus prégnante.

En France, le partage égalitaire de la propriété terrienne permet de rester au pays, d'y vivre chichement sur des parcelles de plus en plus petites, au gré des découpages successoraux.

L'évolution divergente de la coutume successorale ne remet pas en cause le modèle nucléaire mais montre que des structures familiales identiques au départ peuvent recouvrir des conceptions différentes de la famille qui conduiront à opposer sa stabilité à sa mobilité :

> « En France, le ménage nucléaire étroitement articulé à la communauté villageoise constitue une cellule stable alors qu'en

1. *Ibid.*, p.67.

Angleterre, il stimule *l'individualisme, le désir d'autonomie, la mobilité* voulue ou subie[1]. »

Ainsi les cadets de Gascogne, de type anthropologique identique à celui de l'Angleterre, illustrent, dans la littérature qui en note pittoresquement la singularité par rapport au modèle nucléaire du Bassin parisien, la nécessité d'aller chercher fortune ailleurs, à l'instar des d'Artagnans et autres Cyranos.

En Angleterre, tout comme en Allemagne, une main-d'œuvre nombreuse sera ainsi mise à disposition de l'industrie et créera, jusqu'à l'époque contemporaine, un avantage décisif en matière d'industrialisation et de création d'un secteur secondaire sur la France.

Cette tradition industrielle de l'Angleterre suscitera une tradition marchande ; il était en effet nécessaire d'écouler les produits de l'industrie, moins périssables que ceux produits par le secteur agricole des Français. Le commerce anglais connaîtra une deuxième vague d'accroissement décisive entre 1750 et 1850.

En 1850, la population anglaise est urbanisée à 55 % tandis que l'agriculture n'emploie plus que 22 % des actifs contre 46 % pour le secteur secondaire[2].

A la même époque, la population de la France est rurale à 75 %[3]. Pourtant l'Angleterre n'est pas à cette date le pays le plus développé sur le plan culturel : elle est largement distancée par l'Allemagne et les pays scandinaves. Il s'y développe un prolétariat ouvrier médiocrement instruit qui inspirera à Marx un schéma conceptuel affirmant la primauté et l'autonomie de l'économique par rapport au culturel. Paradoxalement, le marxisme ne s'implantera jamais en Angleterre[4]. Les idées anticapitalistes et anti-

1. *Ibid.*, p. 67.
2. Chiffres cités par Todd, 1990, p. 179.
3. *Ibid.*
4. Séminaire CRIDAF, F. Poirier, 1996.

bourgeoises qui fleuriront dans les milieux révolutionnaires réfugiés attireront tout au plus la compréhension et ne tenteront pas les Anglais [1].

C'est en France que le schéma marxiste, pourtant en rupture avec la vision du progrès héritée de la philosophie des Lumières, réussira à s'implanter.

Le développement technologique de l'industrie anglaise se poursuit donc sans avancée parallèle significative dans le domaine culturel, mais avec une logique implacable conduisant à la spécialisation extrême notamment dans le domaine du textile. Les ouvriers anglais produisent du charbon et de l'acier qui, transformés en énergie alimentent des machines spécialement inventées par les ingénieurs anglais pour produire lainages et cotonnades. On importe des matières premières de l'Empire et on y exporte des produits finis, faisant de l'Angleterre, outre la première nation industrielle, la première nation marchande du monde.

Durant la même période et dans un système très autarcique, les paysans français produisent et commercent sur place leurs produits du terroir. La naissance du secteur secondaire se fera en France par le biais d'un artisanat qui apparaîtra dès lors plus évolué culturellement et socialement que la paysannerie dans laquelle il est noyé. Cependant, une petite aristocratie d'artisans trouvera dans le système du compagnonnage un mode de continuité par cooptation. Pour certaines corporations, telle celle des imprimeurs, qui savaient tous lire, leur statut avoisine celui des intellectuels (l'abandon de l'appellation « clerc » en témoigne). Ils sont volontiers frondeurs et contestataires, voire révolutionnaires, à l'image des ouvriers

1. Leur indifférence vis-à-vis de Marx ira jusqu'à ignorer sa mort sur le sol même de l'Angleterre : « Marx vit à Londres pendant trente-cinq ans quasiment inconnu (à sa mort en 1883, ce sera le correspondant du *Times* à Paris qui câblera la nouvelle au journal à Londres !) » (Bedarida, 1990, p. 120).

imprimeurs parisiens qui déclencheront les journées de juillet 1830[1].

Le peuple anglais, industrialisé, marchand, donc pragmatique, sera le grand rival du peuple français, rural, catholique, également épris de liberté, mais encore empreint de la philosophie des Lumières, volontiers rationaliste et dogmatique, amoureux de la culture.

A la fin du XIXe siècle et surtout au début du XXe siècle, industrialisation ne veut plus dire uniquement charbon, acier ou textile. Un éclatement industriel comparable à une « deuxième révolution industrielle » se produit à la faveur des découvertes scientifiques, où progrès est synonyme de diversification des activités, et où les Anglais ne sont plus les premiers :

> « La révolution industrielle anglaise étendait à toute une société un système technique relativement stable ; l'industrialisation de l'Europe étend à d'autres sociétés une technologie instable et beaucoup plus complexe[2]. »

Les Etats-Unis, mais aussi l'Allemagne, le Japon et même la France, qui dépassera l'Angleterre à la fin des années 1970, utiliseront mieux qu'elle les évolutions techniques, rendant le potentiel industriel anglais en grande partie obsolète.

Il reste que les Anglais, jusqu'à la fin du XXe siècle, offriront l'image d'une nation impériale et marchande, héritière de la splendeur des deux siècles précédents, tandis que les Français, ayant rattrapé une grande partie de leur retard industriel et commercial, perpétueront l'image de la France des Lumières, mère de la Grande Révolution à vocation universelle.

1. Bory, 1972.
2. Todd, *op. cit.*, p. 185.

Catégories anthropologiques et idéologies

Les religions refluent partout en Europe dès le XVIIIe siècle. La cosmogonie, dès le XVIIe siècle, puis toute la vie ne sont plus liées univoquement à une perspective téléologique. La France puis l'Angleterre (et l'Allemagne) subissent, à l'époque des Lumières, une déchristianisation massive. Les religions qui ne fournissent plus à l'homme européen une explication suffisante à son devenir et au sens de ce que deviendra la civilisation universelle — si importante surtout pour les Français — seront remplacées par les idéologies.

Todd décrit alors un mécanisme qu'il nomme *endomorphose**, et qui prend en compte, comme noté plus haut, les phénomènes dans l'espace et le temps[1] :

> « J'appellerai endomorphose la transformation temporelle d'une variable ou d'une structure n'affectant pas sa distribution dans l'espace. Le concept d'endomorphose rend compatibles l'évolution dans le temps des structures et leur inscription dans des régions anthropologiquement stables.
>
> Endomorphose = évolution temporelle + stabilité spatiale. »

Selon ce mécanisme d'*endomorphose**, les familles anglaises libérales et inégalitaires jusqu'alors protestantes — donc conformes métaphysiquement à cette image — auront pour seul idéal la liberté et ne seront guère soucieuses d'égalité sociale, civile ou civique, tandis que les familles françaises, anthropologiquement libérales et égalitaires, en accord avec les valeurs du catholicisme, investiront fortement et de façon égale les valeurs de liberté et d'égalité.

Le lecteur découvrira, dans la partie philosophique de l'étude, une autre explication de ces différences axiolo-

1. Todd, *ibid.*, p. 78.

giques, explication qui pourra être aussi une approche critique du déterminisme anthropologique quasi absolu proposé par Todd.

La France : liberté, égalité (... et fraternité)

« La continuité doctrinale du *libéralisme égalitaire théologique* au *libéralisme égalitaire idéologique* n'est pas l'effet d'un mouvement hégélien dans lequel des idées pures engendreraient d'autres idées pures, parentes mais distinctes. Un agent extérieur au domaine de la pensée consciente est responsable de la répétition des formes. Une structure latente et stable produit, successivement mais à deux siècles de distance, deux versions différentes d'un même libéralisme égalitaire. Entre 1588 et 1789, la structure familiale du Bassin parisien ne change pas Il s'agit, aux deux dates, du même type nucléaire égalitaire, combinant libéralisme des relations parents-enfants et égalitarisme des rapports entre frères[1]. »

Le mécanisme d'*endomorphose** est responsable, selon Todd, de la transformation du *libéralisme égalitaire théologique catholique* en *libéralisme égalitaire politique*. Le système familial nucléaire égalitaire poursuit son travail souterrain. La liberté vis-à-vis du père est projetée dans la relation de liberté face à l'Etat ; l'égalité entre frères se transpose en égalité dans la vie sociale. A l'appui de sa démonstration, Todd cite l'article *Autorité politique* rédigé par Diderot dans son *Encyclopédie* :

« Si la nature a établi quelque autorité, c'est la puissance paternelle ; mais la puissance paternelle a ses bornes et dans l'état de nature elle finirait aussitôt que les enfants seraient en état de se conduire[2]. »

Dans les écrits de cette époque, on remarquera l'assimilation de l'autorité du père à celle du chef, donc de l'Etat,

---

1. Todd, *ibid.*, p. 251.
2. Diderot cité par Todd, *ibid.*, pp. 252-253.

et l'assimilation de l'image des enfants à celle du peuple. De plus, cette autorité se fonde sur une autorité primordiale, celle de l'état de nature, qui alimentera la réflexion de tous les auteurs dont l'exploration sera présentée au lecteur dans la section concernant l'étude de la notion de Contrat social. Ainsi chez Diderot, comme chez Rousseau, l'homme né à la Renaissance voit sa raison déifiée ; le culte de *l'Etre suprême* institué par Robespierre est en quelque sorte le culte de *l'Homme suprême*, en tant qu'*Homme universel*, sujet et objet de droit dans la plus stricte égalité.

Le peuple est héritier de l'autorité de Dieu et sa quasi-personnification en fait le garant unique de la validité du Contrat social.

Toutefois, ce n'est guère l'homme qui est moteur de l'histoire, pour Todd, mais plutôt la structure anthropologique du groupe auquel il appartient. Cela lui permet de relativiser l'influence du catholicisme dans la Contre-Révolution par exemple :

> « Le catholicisme ne définit donc pas seul la Contre-Révolution... La famille souche autoritaire et inégalitaire, est le support idéal de la Contre-Révolution [1]. »

Ce ne serait donc pas le catholicisme qui serait contre-révolutionnaire en Vendée dans les années 1790 [2], par exemple, mais plutôt la structure de la famille vendéenne, famille souche, par conséquent génératrice d'un idéal inégalitaire.

Le point de vue de Burguière n'est pas aussi déterministe : pour lui, la structure anthropologique n'est pas en elle-même moteur de l'histoire, et la divergence des pratiques successorales en Angleterre et en France va s'expli-

1. Todd, *ibid.*, p. 260.
2. Todd, *ibid.*, p. 261.

quer par la souplesse du modèle familial nucléaire qui permet son adaptation aux conditions locales :

> « La famille nucléaire est apparue, selon la façon dont elle s'articulait sur la société locale, comme une structure souple qui s'adaptait facilement aux nouveaux rapports de domination ou comme le maillon d'un réseau de résistance et de protection[1]. »

Ainsi, en Angleterre, l'habitude de transmettre l'exploitation à un seul enfant dans les campagnes aux XIVe et XVe siècles, a été prise « quand l'homme était rare, la terre abondante et les salaires élevés ». Cette habitude s'est maintenue après la reprise démographique :

> « Comme les exploitations s'étaient agrandies, elles permettaient d'accumuler assez de liquidités pour doter en argent les enfants qui étaient prêts à aller s'installer ailleurs, et de préserver ainsi l'unité du patrimoine foncier. Cette pratique rendait l'idée de quitter la terre supportable et celle de cohabiter insupportable[2]. »

En France, en revanche, on constate une réaction opposée à la pression démographique qui va encourager des pratiques de partage :

> « Le seul moyen d'empêcher que le morcellement ne fasse descendre les exploitations en dessous du seuil de survie était de pouvoir compter sur l'usage des communaux et sur des mariages endogames[3]. »

Le déterminisme de l'histoire issu de l'anthropologie familiale et manifesté par le mécanisme d'*endomorphose**, finit par soulever une interrogation chez Todd lui-même ; il remarque que la proportion relative des familles nucléaires égalitaires dans les différents pays latins aurait dû faire éclore la Révolution tout d'abord en Espagne, puis en Italie, enfin au Portugal et en France ! Il en vient

1. Burguière, *op. cit.*, p. 30.
2. Burguière, *ibid.*, p. 29.
3. Burguière, *ibid.*

donc à relativiser le déterminisme anthropologique en attribuant un coefficient d'influence important à l'avance culturelle et au taux d'alphabétisation de chacune de ces nations au XVIIIe siècle.

C'est avec cette notable inflexion que l'on pourrait attribuer les conséquences de l'idéal de liberté et d'égalité à la descendance politique de la Révolution française.

« L'obsession de l'égalité » conduit à la négation de Dieu et, par là même, de la Royauté :

> « Le trait égalitaire du système familial, la stricte équivalence des frères, agit dans le domaine politique comme un dissolvant de l'autorité [1]. »

Il ne peut donc y avoir compatibilité du trait égalitaire entre les hommes d'une nation et l'existence de Dieu ou d'un roi. Cette incompatibilité marquée par une haine obsessionnelle de l'autorité se mue en une haine de l'autorité en soi, même lorsqu'elle sera représentée par une monarchie constitutionnelle, qui sera le choix anglais, mais qui ne pourra s'établir durablement en France.

La Révolution de 1848, l'instauration de la IIIe République en 1871, témoignent d'une forte réaction aux secousses de l'histoire : la Révolution de 1848 chassera la monarchie constitutionnelle établie en 1830, l'instauration de la IIIe République succédera à un empire initialement autoritaire.

Dans la mentalité française de liberté et d'égalité, la structure centrale d'autorité est niée au profit d'une idéale démocratie de proximité confinant à l'individualisme anarchique et encouragé par le type familial nucléaire égalitaire : les épisodes autoritaires bonapartistes ne pourront trouver place dans l'histoire que grâce à l'ambition de leurs auteurs. Bonaparte, premier consul, n'était-il pas le

1. Todd, *op. cit.*, p. 265.

successeur des sans-culottes ? Napoléon III, d'abord Prince Président, ancien *carbonaro*, ne prendra le pouvoir qu'à la suite de la grande révolution égalitariste de 1848 ; il représente l'incarnation, tout comme son oncle, du second terme d'une dialectique historique qui serait typiquement française, anarchisme / militarisme :

> « En pratique, une oscillation permanente entre dissolution anarchiste et réorganisation militaire peut être observée dans la plupart des pays dominés par ce système anthropologique [famille nucléaire égalitaire][1]. »

On comprend ainsi que le résultat de cette dialectique au XXe siècle conduira chaque Français à investir une représentation du pouvoir, tantôt proche et individuel dans la conformité anarchique, tantôt lointain dans l'antithèse jacobine puis militariste.

La nation, souligne Todd, sera une obsession de la littérature politique révolutionnaire et évoquera l'idée d'une communion mystique entre citoyens égaux. Archétype idéal, elle devient vite impérialiste au travers des guerres révolutionnaires et post-révolutionnaires. L'affirmation d'une supériorité intrinsèque du système national dont sont imprégnés les Français se traduira par l'exportation universelle des idéaux de liberté et d'égalité, logiquement suivis par celui de fraternité.

Les Français, tout à la fois nationalistes et universalistes, seront conquérants :

> « Le nationalisme révolutionnaire est en effet indissociable d'une conception libérale et égalitaire qui considère tous les hommes, et non seulement les Français, comme libres et égaux. C'est au nom de l'homme universel que la France part à la conquête de l'Europe[2]. »

1. Todd, *ibid.*, p. 266.
2. Todd, *ibid.*, p. 268.

Conquérants pour toujours, les Français, certes, ne tarderont pas à paraître arrogants aux yeux des autres peuples. Au regard admiratif porté par Hegel sur Napoléon à Iéna en 1806, on verra succéder chez les intellectuels européens une vision moins favorable des Français, perçus comme impérialistes. Ils ne perdront jamais leur double visage aux yeux des autres peuples : libertaires, universalistes et égalitaristes, ils seront également taxés d'anarchisme, d'indiscipline, d'esprit de conquête et d'arrogance.

L'Angleterre : liberté seule

L'Angleterre n'échappe pas plus que la France aux lois historiques liant les structures familiales et les formes idéologiques. Pour Burguière[1], la famille nucléaire anglaise est une « véritable école d'individualisme », d'une part parce qu'elle encourageait les cadets à quitter le toit familial selon la coutume successorale, et donc à desserrer les liens de solidarité familiale, d'autre part parce qu'elle développa parallèlement un système de transfert de l'éducation des enfants[2], placés dès l'adolescence comme domestiques, expérience à la fois mutilante et formatrice :

> « ... Mutilante pour les liens privilégiés qui attachaient l'enfant à sa famille d'origine (...). Le sentiment exclusif et fusionnel d'appartenance au cercle de ses proches parents qui avait accompagné son enfance cédait la place à *une conscience aiguë — et bientôt à la revendication — de son autonomie.*
>
> Le placement des adolescents a été une école d'individualisme. Expérience formatrice également car *elle apprenait aux jeunes à séparer les rapports de travail et les rapports de parenté*[3]. »

---

1. Burguière, *op. cit.*, p. 28.
2. Angleterre et pays scandinaves sont à la fin du XVIIIe siècle les régions où le phénomène est le plus répandu.
3. Burguière, *op. cit.*, pp. 45-46.

Très tôt, ces jeunes découvraient donc la dissociation entre relations affectives et relations contractuelles de travail, dissociation soulignée plus haut dans l'observation des pratiques de travail et de l'absence de relations interpersonnelles sur le lieu de travail. On pourrait utilement comparer ce système de placement « life-cycle servant » au système de scolarisation dans les *public schools* qui semble découler de la même tendance du modèle nucléaire anglais à transférer la charge de la formation des enfants.

Pour Todd, l'autonomie et l'individualisme favorisés par la famille anglaise se traduiront en « indifférence » vis-à-vis des notions d'égalité et d'inégalité. Ainsi la différence acceptée entre frères aurait permis à la société anglaise de fonctionner aussi bien dans une tolérance, voire une indifférence, vis-à-vis des classes sociales, des religions ou des ethnies. Pour lui, la famille nucléaire absolue qui entretient des rapports libéraux entre parents et enfants et une inégalité entre frères, ou plus exactement dans le cas de l'Angleterre, une indifférence absolue à la notion et à la valeur d'égalité, « n'affirme à l'époque moderne qu'une seule valeur positive : la liberté [1] ».

Cette liberté serait tellement absolue qu'elle nierait ou mettrait à distance l'égalité qui en constitue la condition nécessaire pour un esprit français.

On observe, en effet, que l'idéal politique fondé sur la dissociation des notions de liberté et d'égalité apparaît très tôt en Angleterre ; le principe de la liberté individuelle s'incarne dans l'*Habeas corpus* (1679), un siècle avant la Déclaration universelle des droits de l'homme (1789) ; le principe de la monarchie constitutionnelle apparaît dès le XVIIIe siècle ; la liberté de la presse, la tolérance religieuse et la souveraineté absolue du Parlement sont des acquis

1. Todd, *op. cit.*, p. 455.

anglais dès cette époque, un siècle à deux siècles plus tôt que dans les autres nations européennes.

La vie politique anglaise repose sur des élections qui font et défont les majorités parlementaires qui gouvernent, alors que le roi ne fait que régner, préfigurant la dissociation que l'on retrouve au travail entre position hiérarchique et pouvoir réel. Les Anglais sont aussi libres dès le XVIIe siècle que le réclament les révolutionnaires français dans la *Marseillaise*[1] ; mais ils sont inégaux : inégaux dans leur statut social, scandaleusement inégaux pour des Français dans le domaine politique, là où cette inégalité est la plus manifeste et la plus démontrable.

Institué en France en 1848, le suffrage universel — universel pour les individus de sexe masculin — n'est adopté en Grande-Bretagne qu'en 1918 :

> « A la veille de la Première Guerre mondiale (...) 4 à 5 millions de Britanniques sont encore privés du droit de vote. La réforme de 1918, qui accorde le droit de suffrage à tous les hommes majeurs et à toutes les femmes de 30 ans ou plus, n'implique cependant pas encore une acceptation absolue du principe d'égalité[2]. »

Certains électeurs ont un droit de double vote, tels les universitaires ou les propriétaires de biens industriels ou commerciaux. Il faudra attendre les élections générales de 1950 pour que le principe d'égalité « un homme, un vote » soit définitivement acquis.

Alors que pour les Français l'indissociabilité des valeurs de liberté et d'égalité conduit au concept de nation où l'égalité des citoyens est indissociable de leurs droits politiques et de leur souveraineté, les Anglais ne semblent afficher qu'indifférence pour la notion de représentativité. Aujourd'hui encore, le mode de scrutin britannique fondé

1. « Liberté, liberté chérie ».
2. Todd, *ibid.*, p. 456.

sur le système majoritaire à un tour permet, lorsque la distribution des voix dans chaque circonscription le favorise, de donner la majorité parlementaire à celui des deux principaux partis ayant obtenu le moins de voix, sans que cela suscite la moindre contestation.

Il est manifeste que cette liberté essentielle, associée à l'indifférence au principe d'égalité, apparaît en Angleterre dans d'autres domaines que le politique, notamment dans le domaine économique et celui de l'entreprise. Alors que l'Angleterre se perçoit, et est perçue à juste titre par le reste du monde, comme une nation parfaitement démocratique, la liberté n'y implique pas l'égalité.

Par quel mécanisme la structure familiale libérale anglaise se prolonge-t-elle par des institutions politiques si exemplairement et si précocement libérales ? Là encore, le relais religieux semble primordial. Todd explique que, dès le XVIIe siècle, une forme originale de protestantisme, l'arminianisme, est engendrée par la famille nucléaire anglaise. Cette doctrine partage avec le catholicisme la réaffirmation du libre arbitre et ne concède pas au calvinisme sa prédestination absolue. Les enfants de Dieu sont certes inégaux entre eux, mais non prédestinés à la damnation ou au salut. Ils sont libres face à leur Père Céleste, mais leur inégalité n'est pas d'origine divine, elle est le fait d'une autoproclamation en tant qu'élus faisant partie d'une élite, d'une aristocratie dans le domaine spirituel.

L'Eglise anglicane, tout en possédant certains traits de la métaphysique arminienne, se rapproche du catholicisme en maintenant un certain respect pour la hiérarchie cléricale. L'arminianisme anglican et le puritanisme radical favorisent la tolérance, le droit des fidèles à une opinion religieuse personnelle et, en conséquence, la prolifération de sectes diverses.

Todd signale que, dès 1644, la Révolution anglaise, en plein siècle de Louis XIV, produisait une affirmation prophétique de la liberté avec Milton qui publiait l'*Areopagitica*, ou *Discours pour la liberté d'imprimer sans autorisation ni censure*[1].

Mais alors qu'en France le déclin du religieux engendrera l'essor de l'idéologique, en Angleterre l'*endomorphose** décrite par Todd se produira progressivement : des interférences nombreuses et convergentes apparaîtront entre le politique et le religieux.

Les tentatives de réaliser sur terre *la Nouvelle Jérusalem*, préfiguration de la Jérusalem céleste, expression de la volonté de Dieu, marqueront l'histoire religieuse anglaise à partir de 1620. Rappelons que c'est à cette date, précisément, qu'aura lieu l'expédition du *Mayflower*. Cette Jérusalem est fortement hiérarchisée ; on verra chez Locke l'absolutisation du droit de propriété, inégalitaire par excellence, associée au refus tout aussi radical du pouvoir absolu du monarque. La recherche de la Jérusalem céleste sera un véritable laboratoire d'expérimentation sociale, mais aussi économique, qui contribuera grandement à l'industrialisation de l'Angleterre :

> « La volonté de construire sur terre la cité de Dieu explique en partie la frénésie d'expérimentation économique qui change la face de l'Angleterre entre 1750 et 1850. Le rêve puritain se profile derrière la révolution industrielle[2]. »

En Angleterre donc, tout comme en Amérique, son prolongement, et contrairement à la France, il n'existe nulle opposition entre religion et idéologie. Inconcevable pour un Français post-révolutionnaire, qui opposera toujours comme intrinsèquement incompatibles les catégories religieuses et idéologiques, l'arminianisme anglais, qui réduit la transcendance du religieux et l'insère dans une immanence terrestre, permettra une expérimentation sociale qui

1. Todd, *ibid.*, p. 458.
2. Todd, *ibid.*, p. 460.

servira de modèle, tout autant que l'universalisme et l'égalitarisme français, aux tâtonnements sociaux du XXe siècle. Parmi ceux-ci, le socialisme radicalement conservateur des travaillistes constituera une catégorie particulièrement hermétique à la compréhension des Français.

— CONTES ET LÉGENDES DE NOS ANCÊTRES —

Si la structure de la famille constitue une des clés de la compréhension de la construction mémorielle d'un peuple, nos ascendants réels ou mythiques n'en constituent pas moins un point d'ancrage de nos mémoires respectives. En conséquence, parmi les systèmes expliquant les différences culturelles entre nations, on ne pourra passer sous silence ceux qui mobilisent les concepts de races. L'on peut tout d'abord entendre ces concepts comme des « monades » c'est-à-dire, selon la définition de Leibniz :

> « Véritables Atomes de la Nature... impénétrables à toute action extérieure, différentes chacune l'une de l'autre, soumises à un changement continuel qui vient de leur propre fonds, et toutes douées d'Appétition et de Perception, sans préjudice des facultés plus relevées que possèdent quelques-unes d'entre elles [1]. »

Ce mode explicatif, sorte d'anthropologie primitive, a été très en vogue tout au long de l'histoire des idées. Comme le souligne Lévi-Strauss :

> « L'histoire de la notion de race se confond avec la recherche de traits dépourvus de valeur adaptative. (...) Mais l'histoire de la notion de race, c'est aussi celle des déboires ininterrompus essuyés par cette recherche. Tous les traits successivement

1. Article *Monade*. Lalande, 1972, p. 645.

invoqués pour définir les différences raciales se sont montrés, les uns après les autres, liés à des phénomènes d'adaptation[1]. »

La recherche d'une théorie sur la réalité de la race a côtoyé de très près les théories racistes combattues par l'historien Léon Poliakov qui a largement contribué à la critique radicale et définitive de ce déterminisme. On s'est demandé si la race influençait la culture et pouvait permettre d'affirmer que certaines races aient une supériorité sur les autres. C'est pendant le XIXe siècle et la première partie du XXe siècle que la question de l'influence de la race s'est faite la plus pressante.

Si l'on considère avec Lévi-Strauss que la question est posée à l'envers, on observera que :

> « Ce sont les formes de culture qu'adoptent ici ou là les hommes, leur façon de vivre telles qu'elles ont prévalu dans le passé ou prévalent encore dans le présent, qui déterminent dans une très large mesure, le rythme de leur évolution biologique et son orientation. Loin qu'il faille se demander si la culture est ou non fonction de la race, nous découvrons que la race... est une fonction parmi d'autres de la culture[2]. »

Si alors on considère la race, non plus comme une monade, mais comme une construction *a posteriori* — donc largement fantasmée — d'un groupe humain investi et auteur de valeurs culturelles, celle-ci révèle suffisamment de choses sur l'imaginaire des auteurs de cette construction pour constituer l'objet d'une étude débarrassée de toute constatation raciste.

Je vous propose donc d'ouvrir cette nouvelle porte de nos mémoires et de pénétrer l'imaginaire de nos filiations à la lumière des travaux de Léon Poliakov. Nous suivrons de très près la démarche de Poliakov considérant qu'elle

1. Lévi-Strauss, 1983, p. 23.
2. Lévi-Strauss, *ibid.*, p. 36.

constitue un apport fondamental dans la compréhension des cultures singulières anglaise et française.

France : Francs et Gaulois ou « la querelle des deux races »

L'étymologie de l'adjectif *franc*, issu du nom ethnique *Franc* apparu vers 1100[1], le rattache de longue date à la condition de liberté par opposition à celle de l'esclave. Depuis les écrits de la Bible[2] : « Qui était franc, est devenu esclave », le mot est quasiment synonyme de *libre*. Est *franc* celui qui est libre, intègre et puissant. Les villes qui ont pour nom Villefranche, la région baptisée Franche-Comté ont acquis ces qualités en se libérant, c'est-à-dire en s'affranchissant d'un joug.

Ensuite le Franc, homme d'origine germanique, s'est opposé au serf (*servus*) et à l'esclave (*slave*). Cette supériorité écrasante sur les autres races, le Franc la tient de Dieu lui-même, ainsi que continuaient de le proclamer au VIIIe siècle les hommes francs, classe dominante et future noblesse en germe, pourtant convertis depuis plusieurs générations :

> « Race illustre, fondée par Dieu même, forte sous les armes, ferme dans ses alliances, profonde dans ses conseils, d'une beauté et d'une blancheur singulières, d'un corps noble et sain, audacieuse, rapide, redoutable, convertie à la foi catholique[3]. »

Cette supériorité congénitale et héréditaire trouvait sa justification, entre autres, dans la conquête de la Gaule et l'asservissement des Gallo-Romains amollis. Ainsi, le prestige de cette germanité triomphante s'inscrivit rapidement dans la loi constitutionnelle, la loi salique, et consti-

1. Source : dictionnaire *Le Robert*.
2. Maccabées : I, 2, citation empruntée à Poliakov, 1987, p. 29.
3. Poliakov, *ibid.*, p. 30.

tua le terreau sur lequel allaient s'élaborer pour quinze siècles les mentalités franques françaises.

Dans la réalité, il est clair que le métissage entre Francs et Gallo-Romains était complet dès la fin du premier millénaire, ce qui, disent les démographes, rendait impossible de démêler qui venait de qui et d'où. Peu importe, car les imaginaires semblent plus puissants que la réalité. Fonder sa liberté, sa noblesse, sa francité par une généalogie appropriée, constituait une impérieuse nécessité.

Comme les Rois francs devinrent maîtres du continent sous Charlemagne, la tâche des apologistes en fut facilitée, permettant par exemple à l'empereur des Français, Napoléon (dont l'origine germaine est discutable !...), d'écrire en tête de ses premiers décrets : « Attendu que Charlemagne notre prédécesseur[1]... »

Une difficulté persistait toutefois ; il était malheureusement prouvé que les Gallo-Romains par leur filiation avec les Romains étaient de haute origine via Enée de Troie, fondateur de Rome (*L'Enéide* de Virgile). Il fallait alors trouver une filiation qui attribuât aux Francs une origine au moins aussi noble. Ce fut chose faite par l'intermédiaire des généalogistes mérovingiens qui démontrèrent que la noblesse française se trouvait être héritière des Francs grâce à la filiation de Francion, fils d'Hector, lui-même frère d'Enée...

Ainsi justifiait-on que tout ce qui était noble était franc et vice versa.

Une évolution commença à se manifester à partir du XVIe siècle. François de Belleforest, dans son ouvrage polémique dirigé contre la Gaule franque, se mit à parler de « nos ancêtres les Gaulois[2] ».

Jean Bodin, économiste et écrivain politique, lança à la

---

1. Poliakov, *ibid.*, p. 31.
2. François de Belleforest, *Les Grandes Annales et Histoires générales de France, de la venue des Francs en Gaule*, 1579, cité par Poliakov, *ibid.*, p. 33.

même époque une explication du mot *franc* qui, selon lui, dans la langue gauloise, aurait signifié *libre* et *indépendant*[1]. Toujours selon lui, en se justifiant d'un passage de César, les Gaulois, souhaitant échapper à la tutelle romaine, auraient, pour redevenir *francs*, émigré outre-Rhin, d'où ils seraient revenus à la chute de l'Empire romain vers leur mère patrie. Ainsi cette « réémigration » sauvait l'honneur de la *race* et fondait la noblesse des Gaulois francs en réconciliant tout le monde. Tous les Français nobles étaient *libres et égaux*. Audigier, adepte de Bodin, concluait un siècle plus tard :

> « La *nation* se trouvera par là, d'une manière aussi solide qu'imprévue, n'avoir qu'*une même origine* avec ce que le monde a jamais eu *de plus terrible, de plus brave et de plus glorieux*[2]. »

Comment ne pas trouver dans cette synthèse raciale fantasmée, les germes des concepts d'égalité, de liberté et de fraternité avec en prime la fameuse arrogance française ?

On conçoit aisément que cette première tentative d'affirmation : *tous libres, tous terribles, tous égaux*, ait pu provoquer une forte réaction ; la noblesse mise à mal par Louis XIV tentera de revendiquer pour elle, et pour elle seule, les privilèges d'une caste en justifiant son origine franque et guerrière. C'est l'époque où survient ce que Poliakov nomme *la querelle des deux races*. L'abbé Jean Le Laboureur affirmera le premier à la fin du XVIIe siècle :

> « Les Français étaient tous égaux, et le seul mérite faisait la différence entre eux tandis que les Gaulois ayant perdu leurs terres par la loi de la guerre, se donnèrent aux victorieux, et demeurèrent assujettis[3]. »

Jusqu'au libéral Montesquieu qui attribua aux mérites

1. Poliakov, *ibid.*, p. 34.
2. Poliakov, *ibid.*
3. Poliakov, *ibid.*, p. 36.

raciaux des Germains, les « belles » institutions anglaises qu'il proposait en exemple à la France :

> « Si l'on veut lire l'admirable ouvrage de Tacite *Sur les mœurs des Germains*, on verra que c'est d'eux que les Anglais ont tiré l'idée de leur gouvernement politique. Ce beau système a été trouvé dans les bois [1]. »

La querelle battait son plein et le prestige des Gaulois n'était pas encore complètement rétabli lorsque survint la Révolution avec son cortège de vertus révolutionnaires comparées aux vertus romaines. Les modes vestimentaires, les arts, jusqu'au vocabulaire politique : dictature, consulat, s'inspirèrent non plus des Francs, mais de l'Antiquité classique. L'intérêt manifesté pour Rome et les Romains rejaillit sur les Gallo-Romains et du même coup sur les Gaulois, dont le prestige s'en trouva revigoré. C'est ainsi qu'en 1792, La Tour d'Auvergne-Corret voulut dans ses écrits, dont le titre est déjà tout un programme, *Origines gauloises, celles des plus anciens peuples de l'Europe*, « rétablir enfin, sur la liste des nations, les Gaulois, ce peuple célèbre, qui semble en avoir été effacé, et qui pourtant, dès son aurore, se montre déjà l'émule de Rome [2] ».

Cependant pour Poliakov, il faudra attendre la Restauration pour que la pensée révolutionnaire puisse définitivement « exorciser » le mythe des Francs germaniques grâce à un nouveau mythe gaulois :

> « Sans doute fallait-il que les prodigieuses mutations des années 1789-1815 eussent exercé leur plein effet : l'attachement au sol de la mère-patrie, substitué à l'amour filial pour le roi ; le culte du progrès, ou de l'*avenir*, remplaçant les traditions sacrées, le culte du passé, inaugurant le nouvel âge de la science ; la légitimité de la droite, enfin, s'effaçant derrière celle commen-

1. Montesquieu (1748) 1995, XI, VI, p. 341.
2. Poliakov, *op. cit.*, p. 41.

çante, de la *gauche* ; transferts affectifs et inversions spatio-temporelles qui attestent la profondeur du bouleversement[1]. »

Mais le concept d'égalité entre les deux races libres était définitivement acquis comme fondateur de la nouvelle mentalité française après la catharsis définitive et bienfaitrice de la Révolution. Ainsi l'historien et homme d'Etat français François Guizot écrivait en 1820, donc au lendemain des années 1789-1815 :

> « La Révolution a été une guerre, la vraie guerre, telle que le monde la connaît entre peuples étrangers. Depuis plus de treize siècles, la France en contenait deux, un peuple vainqueur et un peuple vaincu... Francs et Gaulois, seigneurs et paysans, nobles et roturiers, tous, bien longtemps avant la Révolution, s'appelaient également Français, avaient également la France pour patrie. Mais le temps, qui féconde toutes choses, ne détruit rien de ce qui est... La lutte a continué dans tous les âges, sous toutes les formes, avec toutes les armes ; et lorsqu'en 1789, les députés de la France entière ont été réunis dans une seule assemblée, les deux peuples se sont hâtés de reprendre leur vieille querelle. Le jour de la vider était enfin venu...[2] »

Si bien que Michelet, dans l'édition de 1835 de son *Histoire de France*, inversant les valeurs et n'attribuant plus aux Germains que la dernière place, opposait au « principe aristocratique de la Germanie » la notion celte de « l'égalité, cette équité des temps modernes[3] ».

Le mythe des deux races perdurait au-delà de la Révolution et continuait à fonder les nouvelles valeurs. Il persiste encore dans la société française moderne, transposé dans d'autres problématiques où l'on se demande constamment ce qui est noble ou ce qui ne l'est pas, qui est au-dessus et qui est au-dessous, qui domine et qui est dominé sans jamais prononcer, dans la vie courante, le mot d'aristocra-

1. Poliakov, *ibid.*
2. Poliakov, *ibid.*, p. 43.
3. Poliakov, *ibid.*, p. 45.

tie, mot vidé de sens, puisque de toutes façons, tous sont Français, donc tous seigneurs et tous égaux.

Cette lente genèse de l'égalité sera le complément indispensable de la liberté — bien que l'existence concrète en soit largement fantasmée — et restera grandement influencée par les idées contradictoires issues du mythe de la race, par le conflit entre le mythe du Franc, du Celte et du Latin. Grâce à cette genèse et dans cette tension historique qui lui est propre, on peut penser que la France acquérait une fécondité culturelle, une vocation universaliste et un rayonnement qui allait la faire se poser pour longtemps en parangon de vertu politique, sociale ou civique. C'est ainsi que Michelet prédisait dans une formule qui résume cette représentation de la France : « par-devant l'Europe, la France, sachez-le, n'aura jamais qu'un seul nom inexpiable, qui est son vrai nom éternel : la Révolution [1] ! ».

Angleterre : les Celtes, les Angles, les Normands, les Juifs... et les autres

De multiples fois envahies et conquises au cours du premier millénaire de l'ère chrétienne, les îles Britanniques sont restées vierges de tout peuplement exogène depuis la conquête de 1066 jusqu'à la Seconde Guerre mondiale qui a été suivie par l'afflux contemporain de populations en provenance du Commonwealth.

Avant la bataille d'Hastings, les Ibères, les Celtes, les Romains, les Germains, les Scandinaves, puis finalement les Franco-Normands avaient abordé aux rivages d'Albion pour y laisser leur empreinte, leurs pouvoirs et leurs descendants.

Les vagues successives d'invasion sont semblables à celles du continent jusqu'à l'arrivée des Germains. C'est

1. Poliakov, *ibid.*, p. 48.

l'influence de Rome qui fera la différence : de partielle et fugace sur les îles Britanniques, elle se révèle complète dans la romanisation de la Gaule. En conséquence, chacune des civilisations qui se succèdent sur les îles Britanniques se juxtapose en gardant son identité, aucune d'entre elles n'ayant la possibilité de s'assimiler à une civilisation influente, perçue comme « supérieure ».

Cela ne signifie pas pour autant que la coexistence fût facile entre Celtes et Germains ; cependant un premier *compromis* de pouvoir fut trouvé entre Bretons et Saxons, premier du genre sans doute en Angleterre, mais on verra que ce ne sera pas le dernier. La légende du roi Arthur, reprise dans l'opéra de Purcell[1], relate la fureur de ces luttes interethniques et la provisoire victoire des Bretons sur les Angles, bientôt suivie du « premier compromis historique » anglais, où Bretons et Saxons finissent par vivre en bonne intelligence.

La francisation partielle qui suivit l'invasion normande conduisit à une nouvelle synthèse. Le compromis fut dès lors la première loi fondamentale des « Britanniques » habitants de l'île de Britannia chantée à l'acte V de *King Arthur* :

> Vous, frères des cieux qui vous déchaînez,
> Vous, dont le souffle a troublé la surface de la plaine envahie par les eaux,
> Retirez-vous, et laissez Britannia se dresser
> Triomphante au-dessus des flots.
> Sereine et calme, dépourvue de peur,
> Ainsi doit apparaître la Reine des Iles[2].

Ainsi que le souligne Poliakov :

> « On peut dire que la population bigarrée de ces îles dut apprendre de bonne heure l'art du *compromis*, dont le chef-

1. Purcell, *King Arthur*, 1691.
2. Purcell, *King Arthur*, traduction par l'auteur du texte de John Dryden, 1691, Harmonia Mundi, 1979, pp. 29-31.

d'œuvre est sans doute la *fusion linguistique* dont procède la langue anglaise. L'humour dit britannique, ce *compromis* intérieur entre soi et soi, ainsi que la notion de *fairness*, pourrait remonter aux mêmes sources premières[1]. »

Comment les Anglais construisirent-ils le mythe de leurs origines ?

Tout d'abord, les Bretons oublieux de leur première traversée mais christianisés avant les Anglo-Saxons, s'attribuèrent une généalogie mythique comparable à celle des continentaux : ils étaient naturellement descendants de Brutus, petits-fils d'Enée, donc cousins des Romains. Les Anglo-Saxons, finalement vainqueurs, les laissèrent à leur insoumission et à leurs « roitelets », sans chercher à s'immiscer dans leurs fantaisies généalogiques. Ce n'est qu'après leur christianisation, plus tardive, que ces mêmes Anglo-Saxons cherchèrent à christianiser ou plutôt judaïser leur origine ; le peuple anglo-saxon, peuple prédestiné, descendait d'un enfant-roi anglo-saxon qui, à l'instar de Moïse, déposé dans une nacelle, avait fait la première traversée maritime pour accoster dans une île dont il devenait le roi. Le nom de l'enfant-roi se transforma au fil des siècles en celui de Sem, fils de Noé. Le mythe fondateur de la lignée sémitique de la famille royale justifia la circoncision des héritiers mâles du trône jusqu'aux alentours de 1900. Le peuple anglais était bien le véritable peuple élu et non pas le peuple d'Israël, comme l'interprétation à la lettre des prophéties de l'Ancien Testament par les vieux chroniqueurs en apportait la preuve. Ainsi en témoignait la malédiction lancée par Osée au peuple juif : « Vous n'êtes pas mon peuple, et je ne suis pas votre Dieu[2]. »

La confusion entre Sem et David, au fil de généalogies

1. Poliakov, *op. cit.*, p. 50.
2. Osée, I, 9. *In* Poliakov, *ibid.*, p. 51.

compliquées, contribua à hébraïser davantage la famille royale, expliquant ainsi que plusieurs princes de Galles de l'époque moderne fussent porteurs du prénom de David. Cette tradition perdura jusque dans les couronnements des rois d'Angleterre. A l'instar du roi Salomon, ils étaient couronnés « sous les auspices du prophète Nathan et du prêtre Zadoc ». Jusqu'au XXe siècle encore, la représentation des rois d'Angleterre assimilés au « Christ du Seigneur », transparaît dans des écrits tels que ceux du *Times* relatant le couronnement du roi George VI en mai 1937 :

> « ... Et par ce couronnement dans lequel le roi est consacré par le Seigneur, Christ du Seigneur, ses deux expressions, religieuse et séculière, sont fondues en une seule de manière visible[1]. »

Le caractère divin de l'affiliation des rois d'Angleterre explique que la rupture d'Henry VIII avec Rome ait pu se faire aussi aisément, et qu'il se soit lui-même proclamé : « roi, empereur et pape ». Le siècle qui s'écoule entre la Réforme anglaise et la Révolution voit le peuple élu par Dieu comme le peuple de Moïse se transformer en peuple responsable ; l'éminence sacerdotale passe du roi au peuple, et le pouvoir du souverain au Parlement.

Cependant l'identification, voire la substitution des Anglais au peuple de Moïse reste très forte. Cromwell citera Isaïe devant le Parlement : « le peuple que je me suis formé publiera mes louanges[2] », proclamant que le peuple anglais était élu par Dieu comme Israël autrefois : « le seul cas semblable que je connaisse dans le monde est la sortie d'Egypte des Israélites[3] ».

Milton, partisan convaincu de Cromwell, produira les mêmes références :

1. Poliakov, *op. cit.*, p. 54.
2. Isaïe, XLIII, 21.
3. Poliakov, *op. cit.*, p. 55.

« Pourquoi cette nation a-t-elle été choisie de préférence à toutes les autres, sinon pour annoncer la bonne nouvelle de la Réforme à toute l'Europe, telle la bonne nouvelle qui jadis venait de Sion[1]. »

On trouvera la même illustration dans les poèmes écrits par Blake ; le poème *Jérusalem* est de nos jours assimilé à un hymne populaire et joué lors de certaines manifestations publiques ; la préface du poème intitulé *Milton* chante la venue légendaire de Jésus et de Joseph en terre anglaise et l'espoir de la construction de la nouvelle Jérusalem :

Ces pieds ont-ils dans des temps reculés
Foulé les vertes montagnes d'Angleterre ?
L'agneau sacré de Dieu a-t-il été vu
Dans ces riants pâturages d'Angleterre ?
La divine présence a-t-elle rayonné
Sur nos collines assombries ?
Jérusalem a-t-elle été construite ici,
Au milieu de ces sombres moulins démoniaques ?
(...)
Ni ne cesserai le combat de l'esprit,
Ni mon épée ne trouvera le repos dans ma main,
Tant que nous n'aurons pas construit Jérusalem
Sur cette verte et plaisante terre d'Angleterre[2].

Nous verrons plus loin que c'est à l'époque de leurs deux révolutions que se sont solidifiées les représentations que les Anglais et les Français se faisaient d'eux-mêmes, de leurs rapports avec les autres nations et de leurs rapports entre eux. On comprend comment un tel sentiment d'élection d'abord réservé au roi, puis diffusé à tous ses élus, renforcé par la prédestination calviniste, a pu engendrer l'idéologie inégalitaire des « Britanniques » et leur conception aristocratique des rapports sociaux.

1. Milton. *In* Poliakov, *ibid.*, pp. 55-56.
2. Blake, v. 1804-1810. In *Norton Anthology*, II, pp. 82-83 (traduit par l'auteur).

L'ancrage très fort de la croyance en la lignée sémitique des « Britanniques » éclaire depuis le début du XIXe siècle la prospérité d'un mouvement comme celui des *British Israelites* dont l'un des buts, à l'époque contemporaine, était d'empêcher la Grande-Bretagne d'entrer dans le Marché commun. En effet, l'entrée dans le Marché commun faisait, à leurs yeux, encourir à la reine le risque de se soumettre à la politique du continent et, par là même, de subordonner ses sujets à la rigueur de la « loi romaine de Byzance remontant à l'empereur Justinien », leur faisant perdre le bénéfice de « la *Common Law* d'Angleterre, remontant aux dix commandements de Moïse[1] ».

Autre exemple de compromis britannique, l'ascendance juive n'exclut nullement la généalogie celto-anglo-saxonne, quitte à affubler Henry II, qui accéda au trône en 1154, d'une ascendance sémitique.

« Juifs », Celtes et Anglo-Saxons trouvèrent d'ailleurs un motif à se fédérer dans la francophobie engendrée par la conquête de Guillaume le Bâtard. Bien que pendant trois siècles l'aristocratie anglaise parlât français, le peuple parlait anglais.

Après la Réforme, le nationalisme anglais s'exacerba et l'évêque de Londres, lançant la polémique en 1558, fulminait contre :

> « Les Français efféminés... qui nous savent que parler... Nous avons quelques termes de chasse en français, et quelques autres dans les pouilleuses lois apportées par les Normands : mais notre langage et nos coutumes sont anglais et saxons[2]. »

La campagne contre la tutelle normande fait resurgir à la même époque l'argument en faveur de l'origine germanique de la nation anglaise. Ainsi, après avoir visité l'Allemagne, s'exalte un voyageur anglais, Thomas Coryat :

1. Poliakov, *op. cit.*, p. 58.
2. Poliakov, *ibid.*, p. 59.

« Je dis, avec Kircher, que l'Allemagne est la reine de toutes les autres provinces, l'aigle de tous les royaumes et la mère de toutes les nations[1]. »

Si la Révolution française rendit les Français gaulois, la Révolution des Anglais leur fit retrouver le sentiment de leur germanité. Hume, dont nous avons souligné plus haut le nationalisme linguistique, opposait dans son *History of England* (1762) les Bretons « dégénérés » et « abjects » aux valeureux Anglo-Saxons et attribuait aux peuples nordiques et germaniques « les sentiments de liberté, honneur, équité et valeur, supérieurs à ceux du reste du genre humain[2] ».

Ces idées connurent leur apogée avec les romans historiques de Walter Scott où les luttes de sangs ennemis coïncidèrent avec les idées d'une Europe post-napoléonienne qui se mettait à penser en termes de race. Dans *Ivanhoé* (1820), qui a pour thème l'antagonisme entre conquérants normands et vaincus anglo-saxons au XIIe siècle, Athelstane réplique à du Bracy :

> « Mon lignage remonte à une source plus pure et plus ancienne que celle d'un misérable Français qui gagne sa vie en vendant le sang des voleurs qu'il réunit sous son vil étendard. J'ai eu pour ancêtre des rois, de puissants chefs de guerre et des hommes de sage conseil[3]. »

La germanomanie se prolongea jusqu'à la fin du XIXe siècle. La victoire prussienne de 1871, l'affaiblissement de la nation française, la montée en puissance d'un empire allemand, rival potentiel de l'empire britannique, recentrèrent les esprits et les théories sur une vision plus conformiste des origines de la nation issue du croisement de plusieurs races. Au début du siècle, l'anthropologue Sir

1. *Ibid.*
2. *Ibid.*, pp. 62-63.
3. *Ibid.*, p. 63.

Arthur Keith, dans son ouvrage *Nationality and Race*, écrivait : « On dit souvent que nous autres Britanniques sommes un assemblage mélangé et métissé de types et de races[1]. » Ce disant, il ne faisait rien d'autre que revenir au compromis historique déjà énoncé au XIIe siècle par Geoffroy de Monmouth :

> « Notre pays est habité par cinq races de gens, les Normands-Français, les Bretons, les Saxons, les Pictes et les Ecossais. Avant que les autres arrivent, c'étaient les Bretons qui occupaient tout le pays, d'une mer à l'autre[2]. »

Ce métissage maintenant définitivement reconnu n'empêche pas certaines prétentions aristocratiques à une généalogie qui remonte à plus de neuf siècles. « Il est bon en Angleterre de s'appeler Harcourt, Talbot ou Courtney[3] », signalait encore en 1950 le géographe et sociologue français André Siegfried.

Qui, au lendemain de la Seconde Guerre mondiale, se serait réclamé en France d'une origine remontant aux Francs ou aux Wisigoths ? A la même période, certains Anglais se glorifiaient encore de descendre de familles qui « avaient fait la traversée avec le Conquérant[4] ».

Comment ne pas trouver dans cette vision fantasmée d'un « assemblage » de civilisations et de cultures, les germes du *compromis* anglais, ainsi que ceux des concepts de liberté et d'indifférence à l'égalité de classes, qu'elles soient sociales ou professionnelles ? « Avoir fait la traversée avec le Conquérant », serait-ce un moyen congénital et héréditaire d'avoir « la bonne cravate » ?

---

1. *Ibid.*, p. 65.
2. *Ibid.*
3. *Ibid.*, p. 66.
4. *Ibid.*

— OÙ IL EST QUESTION D'AFFINITÉS RELIGIEUSES —

Nos constructions identitaires familiales, l'imaginaire de nos filiations mythiques, se mêlent à un autre pan de notre mémoire, constitué par notre histoire et notre empreinte religieuses. Ouvrons cette nouvelle porte qui nous permet d'aborder le domaine des affinités religieuses, autre lieu témoin de la cristallisation et de l'ancrage de nos comportements identitaires.

Le terme d'affinités religieuses fait écho aux travaux de Max Weber publiés en 1904 dans *L'éthique protestante et l'esprit du capitalisme*. Les nombreuses critiques émises à l'encontre de la théorie de Max Weber, ainsi que leur diversité parfois contradictoire [1] confèrent un rôle central à l'explication proposée par le sociologue des religions. Quant à la genèse du capitalisme, après Max Weber, les auteurs sont soit wébériens — orthodoxes ou bien critiques — soit anti-wébériens mais jamais indifférents.

Le lecteur aura déjà pu mesurer dans la section concernant les structures familiales l'importance du facteur religieux dans la formation des mentalités et des idéologies. Ainsi, Todd et son mécanisme d'*endomorphose** expliquent-ils l'idéologie inégalitaire des Anglais par le protestantisme : c'est parce que les Anglais sont protestants qu'ils sont inégalitaires en matière politique ou économique, donc secondairement voués au capitalisme.

L'explication de Weber est plus directe ; quelle que soit la nature du lien [2], causalité ou affinité, qui lie protestantisme et capitalisme, ce lien est direct et n'a pas besoin

1. Disselkamp, 1994.
2. Sur lequel ses commentateurs ont beaucoup disserté. *In* Disselkamp, *ibid.*, Trevor-Roper : 23-28, Samuelson : 29-32, Parsons : 34-41.

d'un médiat idéologique : c'est l'éthique protestante qui génère l'esprit du capitalisme. En conséquence, les différences religieuses entre la France, très majoritairement catholique, et l'Angleterre, quasi exclusivement protestante, vont expliquer, d'après Weber, outre l'accumulation du capital dont la survenue dans l'histoire des deux nations se situe à deux siècles d'écart, un rapport éthique différent de l'homme à l'argent et une notable divergence dans le projet social des deux pays.

La France et le catholicisme

La longue tradition catholique de la France implique une distance et une mauvaise conscience vis-à-vis de l'argent. Se fondant sur la parole de Jésus selon laquelle « il est plus aisé à un chameau de passer par le chas d'une aiguille que pour un riche d'entrer dans le royaume de Dieu[1] », les pères de l'Eglise, tel saint Thomas d'Aquin parlant de « turpitudes », et les théologiens catholiques — plutôt d'ailleurs que la hiérarchie qui ne pouvait se prévaloir de l'exemple qu'elle donnait — diabolisaient l'argent et son accumulation. Judas vendait Jésus pour 30 pièces d'argent[2], renouvelant l'apostasie des Juifs abandonnant leur Dieu et leur alliance pour adorer le Veau d'or. Saint François d'Assise distribuait tous ses biens aux pauvres et certains groupes religieux tels les *vaudois* et les *dolciniens*[3] méprisaient toute possession terrestre.

On constate fréquemment à la fin de notre XXe siècle, presque complètement déchristianisé, combien il est difficile de savoir le montant du salaire de son voisin, de son collègue et encore plus de son chef : un tabou très puissant et d'autant plus fort qu'il est inconscient, héritier de l'an-

1. Marc X, 25.
2. Mathieu VII, 14-16, 23-25.
3. Ecco, 1987, pp. 201-239.

cienne malédiction, scelle les lèvres des Français sur leurs revenus, le prix d'achat d'un appartement ou d'une voiture dont les montants sont quasi systématiquement minorés.

Cependant, tout le monde ne peut suivre l'exemple de saint François d'Assise ; la vie sociale nécessite quelques arrangements avec l'idéal religieux. Il s'ensuivra pour le catholicisme une morale du grand nombre — lequel pourra néanmoins être sauvé — accommodante avec les contraintes financières, et une morale d'idéal plus élevé, voire plus éthéré, réservée à une minorité d'appelés dont le sacerdoce est de témoigner de la possibilité d'enracinement des valeurs évangéliques. Ce sacerdoce sera restreint aux prêtres et surtout aux moines qui devront s'imposer chasteté, obéissance et pauvreté. Une vie retirée du « monde », extra-mondaine, s'opposera à une vie intra-mondaine qui ne pourra que faire ses accommodements avec les réalités économiques. C'est à tort que les jésuites taxeront les jansénistes de « calvinistes rebouillis » ; les solitaires de Port-Royal et Pascal seront bien catholiques en ce sens qu'ils glorifieront, malgré leur spécificité, une vie pour ainsi dire monacale.

En France, seul le recul de la religion catholique pouvait permettre l'émergence du capitalisme ; encore celui-ci ne pouvait-il s'implanter initialement que grâce à des familles juives ou protestantes. La noblesse française catholique, héritière fantasmatique des traditions franques [1], comptait sur son sang bleu pour asseoir ses revenus. De ce fait, elle négligeait, contrairement à la noblesse anglaise, toute gestion de domaine agricole et *a fortiori* toute création d'entreprise industrielle et surtout commerciale, ce qui la conduisait à faire épouser à ses fils des filles de la bourgeoisie juive ou protestante, pour périodiquement « redorer son blason ».

1. *Cf.* section sur les mythes raciaux.

La Réforme luthérienne

La Réforme luthérienne fut au XVe siècle, alors que par ailleurs naissait l'humanisme, à l'origine d'une révolution sémantique. Luther, le premier, emploie le mot *Beruf*, *vocation*, dans le sens de *métier*, conférant du même coup à son exercice une valeur éthique. La conception du métier comme devoir moral est dès lors inscrite dans la langue allemande. Traduisant la Bible en allemand, Luther écrit [1] :

> « Tiens-toi à ton alliance et consacre-toi à elle, *vieillis à ton ouvrage, "Beharre in deinem Beruf"*.
>
> Ne t'étonne pas des œuvres du pécheur, fais confiance au Seigneur et *persévère dans ta besogne, "Bleibe in deinem Beruf"*, car il est facile aux yeux du Seigneur d'enrichir soudain le pauvre d'un coup (Sir. II, 20-21). »

Selon Weber, l'interprétation du métier séculier comme devoir éthique marque une révolution dans la pensée : alors que l'éthique catholique était marquée par l'opposition entre les *praecepta* et les *concilia*, l'éthique luthérienne proclame, en revanche, le sacerdoce universel : *allgemeines Priestertum*. Abolissant la distinction entre vie séculière et vie monacale, elle adresse à tous les mêmes exigences et la morale ne peut être qu'intra-mondaine : chacun doit remplir avec assiduité les devoirs de la vie quotidienne.

Les puritains anglais reprendront le concept luthérien des obligations séculières commandées par la volonté divine, en employant le terme *Calling* parallèlement au terme allemand *Beruf :*

> « Les frères mendiants et autres moines qui ne vivent que pour eux-mêmes et leur dévotion officielle, mais ne s'emploient à rien

1. *In* Weber (1947) 1964, p. 81 *sq.*

de plus que leur propre subsistance ou le bien de l'humanité (...) ont cependant le front de glorifier leur ligne de conduite comme l'état de perfection ; ce qui, en vérité, si l'on considère le caractère louable de cette ligne de conduite, est loin de valoir celle du plus pauvre des cordonniers, car sa conduite à lui est un *métier / appel de Dieu*, tandis que la leur n'est rien[1]. »

Etre fidèle à son métier, c'est obéir à ses obligations religieuses. La conséquence en sera une survalorisation du métier : « l'accomplissement consciencieux de ses devoirs de travail est l'une des vertus religieuses et morales les plus élevées[2] ».

Si Weber remarque que les régimes protestants d'Allemagne sont plus dotés en chefs d'entreprise et en détenteurs de capitaux que les régimes catholiques, il pense que le luthérianisme associé aux circonstances historiques ne constitue pas à lui seul la cause de l'esprit du capitalisme :

« Ces circonstances (...) font apparaître l'appartenance confessionnelle non comme la *cause première* des conditions économiques, mais plutôt, dans une certaine mesure, comme leur conséquence[3]. »

En effet, Luther n'a guère bouleversé l'ordre économique traditionnel : il proteste contre l'usure, par exemple. Fataliste, il considère que le métier est la place assignée à chaque homme, une fois pour toutes.

Avec Luther, le premier pas vers la formation de l'esprit du capitalisme est accompli, l'éthique chrétienne est matériellement redéfinie, mais ce n'est que le premier pas vers l'élaboration d'un nouveau style de vie qui s'épanouira dans l'Angleterre des sectes, puis dans l'Amérique de Benjamin Franklin.

1. Steele (1684). *In* Tawney, 1990, p. 239 (traduit par l'auteur).
2. Steele. *In* Tawney, *ibid.* (traduit par l'auteur).
3. Weber, *op. cit.*, p. 30.

Le calvinisme et les sectes protestantes

Si, pour Weber, le luthérianisme ne représentait qu'un préliminaire à l'émergence du capitalisme, il faut attendre le calvinisme pour en trouver la véritable racine. Il est vrai que Weber ne définit pas un rapport de causalité au sens strict entre calvinisme et capitalisme, mais il se prononce, en reprenant la formulation de Goethe, pour un rapport d'*affinités électives*. Pour lui, ce sont des raisons intrinsèques à la doctrine calviniste, et non pas des raisons historiques, économiques ou psychologiques qui ont poussé les protestants ascétiques, successeurs de Calvin à développer, bien avant les catholiques et même les luthériens, leur esprit industrieux. Si le salut est, selon la doctrine, le lot d'une minorité d'élus prédestinés, si l'on ne peut pas même influencer sa destinée éternelle par ses œuvres, on peut au moins tenter de reconnaître à des signes extérieurs que l'on compte parmi ces élus. Tel est le raisonnement qui aurait conduit les fidèles à investir dans le travail quotidien et à rechercher le succès économique interprété comme le signe par excellence de la grâce divine. Selon Parsons :

> « C'est un fait que l'éthique du travail qui a ainsi pris forme entretient un rapport de "congruence au niveau des significations" *(congruence on the meaningful level)* ou de "correspondance" avec "l'esprit du capitalisme", au sens où l'on a affaire à deux systèmes d'attitudes qui se correspondent parfaitement. La valorisation de l'activité intra-mondaine, la poursuite des gains, l'accent mis sur l'importance du travail et de la discipline, bref tout un ensemble d'attitudes *(set of attitudes)* qui constituent comme le soubassement du capitalisme, sont autant de traits qui caractérisent l'éthique protestante [1]. »

---

1. *In* Disselkamp, op. cit., pp. 35-36.

Ainsi, « le gain est devenu la fin que l'homme se propose ; il ne lui est plus subordonné comme moyen de satisfaire ses besoins naturels[1] ».

Qu'on ne se méprenne pas sur la motivation des capitalistes protestants :

> « Ces novateurs furent élevés à la dure école de la vie, calculateurs et audacieux à la fois, des hommes avant tout sobres et sûrs, perspicaces, entièrement dévoués à leur tâche, professant des opinions sévères et de stricts "principes" bourgeois[2]. »

Ils professent une morale certes *pragmatique*, mais il s'agit d'une éthique du profit avec un idéal type du capitaliste protestant :

> « Il [le capitaliste protestant] ne tire rien de sa richesse pour lui-même, en dehors du sentiment irrationnel d'avoir bien fait sa besogne (Berufserfüllung)[3]. »

Il se trouve que *bien faire sa besogne* implique une rationalisation de l'accumulation du profit, mais « l'activité sociale » du calviniste se déroule purement *in majorem Dei gloriam*, au nom de la *lex naturae*. L'amour du prochain au service de la gloire de Dieu est un élément caractéristique de l'éthique calviniste :

> « Il revêt ainsi l'aspect proprement *objectif et impersonnel* d'un service effectué dans l'intérêt de *l'organisation rationnelle* de l'univers social qui nous entoure[4]. »

Pour Baxter, auteur du *Christian Directory* (1677), cette activité industrieuse est le meilleur moyen de fuir une angoisse, angoisse qui ressemble fort à celle du puritain Kierkegard ou celle de nos existentialistes modernes.

Adoucissant la prédestination rigoureuse de Calvin, les

1. Weber, *op. cit.*, p. 50.
2. Weber, *ibid.*, p. 72.
3. Weber, *ibid.*, p. 74.
4. Weber, *ibid.*, pp. 123-124.

piétistes anglais, plus indifférents au dogme, considèrent que Dieu reconnaît les siens et les récompense par le succès de leur travail. Il importe pour leurs successeurs ascétiques de rationaliser l'organisation du temps :

> « *Gaspiller son temps* est donc le premier, en principe le plus grave, de tous les péchés. Notre vie ne dure qu'un moment, infiniment bref et précieux, qui devra confirmer *(festmachen)* notre propre élection. Passer son temps en société, le perdre en vains bavardages, dans le luxe, voire en dormant plus qu'il n'est nécessaire à la santé — six à huit heures au plus — est passible d'une condamnation morale absolue[1]. »

On invoque la rigueur paulinienne :

> « Si quelqu'un ne veut pas travailler, qu'il ne mange pas non plus[2]. »
>
> « Dieu vous a ordonné de travailler d'une manière ou d'une autre à votre pain quotidien[3]. »

reprendra Baxter dans son *Christian Directory* (guide du chrétien).

Dieu donc donne à chacun un métier, même *parcellaire*, qu'il doit accomplir. Il est même bon, si cela est profitable au bien général ou même au bien particulier — car Dieu n'a jamais commandé d'aimer son prochain plus que soi-même mais comme soi-même — d'exercer plusieurs métiers ; de toute façon, il faut choisir la voie la plus rémunératrice comme le souligne à nouveau un extrait du *Christian Directory* de Baxter :

> « Si Dieu vous montre une voie qui vous permettrait de gagner légalement davantage que par une autre voie (sans causer de tort à votre âme ou à celle d'autrui) et si vous refusez cette voie et choisissez la voie la moins lucrative, vous contrariez l'un des

1. Weber, *ibid.*, p. 189.
2. Paul, 2 Thess. 3,10.
3. Baxter, 1677. *In* Tawney, *op. cit.*, p. 241 (traduit par l'auteur).

> desseins de votre métier / vocation et vous refusez d'être l'intendant de Dieu[1]. »

En conséquence, si vous refusez de vous faire l'intendant de Dieu, vous refusez donc d'accepter ses dons et de les employer à son service, vous refusez de travailler à être riche pour Dieu et non pour le péché.

Pour Baxter et les puritains anglais, sans aucun doute, « désirer être pauvre équivaut à être malade, ce qui est condamnable en tant que sanctification par les œuvres, et dommageable à la gloire de Dieu[2] ».

Répercussions sur la civilisation anglo-saxonne

L'idée puritaine, selon laquelle l'accumulation de richesses comporte une forte licéité morale, trouvera un prolongement chez les théoriciens américains du capitalisme libéral ; simplement la théorie morale des post-calvinistes pour qui gagner de l'argent est travailler *in majorem Dei gloriam*, pourvu que ce soit dans une vie industrieuse et ascétique, se dégradera en *pragmatisme* avec une *morale pratique*, pour ne pas dire *utilitariste*, qui définira le succès de l'ambition comme critère de valeur éthique :

> « La vie chrétienne, en résumé, doit être méthodique et organisée, l'œuvre d'une volonté de fer et d'un esprit posé. Ceux qui ont lu le récit de Mill sur son père auront été frappés de voir à quel point l'Utilitarisme n'était pas seulement une doctrine politique mais aussi une attitude morale[3]. »

Ainsi Benjamin Franklin, lui-même assez pâle déiste, n'hésitera pas à invoquer dans son livre *Advice to a Young Tradesman*[4] l'héritage religieux puritain pour dispenser ses conseils et son célèbre précepte : « Time is money. »

1. Baxter, *ibid.* (traduit par l'auteur).
2. Weber, *op. cit.*, p. 197.
3. Tawney, *op. cit.*, p. 242 (traduit par l'auteur).
4. Benjamin Franklin, 1748, *Advice to a Young Tradesman.*

Citons ici quelques passages des plus marquants repris par Weber[1] :

> « *Souviens-toi que le temps*, c'est de l'argent. Celui qui pouvant gagner dix shillings par jour en travaillant, se promène ou reste dans sa chambre à paresser la moitié du temps, bien que ses plaisirs, que sa paresse, ne lui coûtent que six pence, celui-là ne doit pas se borner à compter cette seule dépense. Il a dépensé en outre, jeté plutôt, cinq autres shillings.
>
> Souviens-toi que le *crédit*, c'est de l'*argent*...
>
> Souviens-toi que l'argent est, par nature, *générateur et prolifique*. L'argent engendre l'argent, ses rejetons peuvent en engendrer davantage, et ainsi de suite... Celui qui assassine *(sic)* une pièce de cinq shillings, détruit tout ce qu'elle aurait pu produire : des monceaux de livres sterling.
>
> Souviens-toi du dicton : le bon payeur est le maître de la bourse d'autrui (...) tu apparaîtras comme un homme scrupuleux et honnête, ce qui augmentera encore ton crédit *[c'est bien d'apparence qu'il s'agit]*. »

Le titre du livre de Franklin fait écho au titre et aux écrits du puritain anglais Richard Steele dans son ouvrage *The Trademan's Calling :*

> « Lui qui t'a accordé tous tes talents, a dit aussi : Occupe-toi à ton travail jusqu'à ce que je vienne ! Ta force est un talent, les rôles que tu as à tenir sont des talents et ton temps l'est aussi. Comment peux-tu rester oisif la journée entière[2] ? »

L'éthique protestante anglo-saxonne / la catholicité française

Nous voyons comment chez Weber l'éthique protestante et surtout calviniste est à l'origine, soit par causalité, soit par affinité élective, de « l'esprit du capitalisme » des Anglo-Saxons, lequel esprit diffère notablement de celui

1. Weber, *op. cit.*, pp. 44-45.
2. Steele, 1684, *The Trademan's Calling. In* Tawney, *op. cit.*, p. 243 (traduit par l'auteur).

des Allemands post-luthériens. A cet esprit du capitalisme, à cette éthique du protestantisme, est attaché tout un *habitus* culturel d'où émergent les valeurs que nous avons pu observer dans l'environnement de travail de nos informateurs : les valeurs de rationalisation du travail (impliquant éventuellement sa parcellisation), le concept de pragmatisme (la réussite est le critère de la vérité) qui encouragera une plus grande mobilité professionnelle ; cette morale, qui est en même temps austère, semble, pour un esprit latin, dégradée dans un fonctionnalisme et un individualisme utilitaristes.

A l'universalité, à la catholicité française, volontiers théoricienne, le protestant anglais préférera une *praxis* de « l'ici et maintenant » qui lui fera préfigurer la *Jérusalem céleste*.

Tout comme le primat anthropologique développé chez Todd, le primat religieux de Weber paraît très séduisant. Mais Weber saura devancer les reproches encourus par des disciples trop zélés ou les critiques adressées par des lecteurs trop rapides :

> « Fût-il pétri de bonne volonté, l'homme moderne est incapable d'accorder aux idées religieuses l'importance qu'elles méritent pour les conduites, la culture et le caractère national. Est-il nécessaire de protester que notre dessein n'est nullement de substituer à une interprétation causale exclusivement "matérialiste", une interprétation spiritualiste de la civilisation et de l'histoire qui ne serait pas unilatérale ? *Toutes deux* appartiennent au domaine du *possible* ; il n'en demeure pas moins que, dans la mesure où elles ne se bornent pas au rôle de travail préparatoire, mais prétendent apporter des conclusions, l'une et l'autre servent aussi mal à la vérité historique [1]. »

Les paroles de sagesse et de mise à distance de Weber par rapport à son propre travail d'explication, nous encou-

1. Weber, *op. cit.*, pp. 226-227.

ragent à faire une pause et à nous retourner sur les premières avancées explicatives du travail mené jusqu'alors. Demandons-nous quel crédit accorder à ces premières tentatives d'explication et quels effets pervers seraient susceptibles d'être engendrés par une théorisation hâtive de notre approche.

— AUX FRONTIÈRES DES SYSTÈMES EXPLICATIFS —

Chacune des approches qui ont été menées dans les domaines anthropologique, religieux ou dans celui des filiations symboliques constitue un éclairage précieux — Weber parle de travail « préparatoire » — aidant à la connaissance psychologique des peuples anglais et français dans le domaine de la communication professionnelle. L'on ne peut toutefois dissimuler le danger qu'il y aurait à vouloir transformer ces éclairages en théories explicatives, au langage totalisant, qui permettraient de rendre compte, de leur seul point de vue, de toutes les différences ethno-psychologiques* de ces deux peuples.

Il serait imprudent, voire totalitaire, de vouloir saisir leur réalité psychologique dans un noyau unique à partir duquel rayonneraient leurs traits culturels. Ce qui est peut-être concevable pour des sociétés dites « primitives » et monoculturelles, ne l'est pas pour l'Angleterre et la France contemporaines qui comportent des pôles multiples et des groupes sociaux disparates. Il importe donc de ne pas se limiter à la lecture de Todd, Poliakov et Weber dans l'exploration que nous suivons, et de dépasser les clés d'une lecture univoque de ces auteurs sans toutefois nier l'éclairage qu'ils apportent. Le chercheur et le voyageur interculturel y sont encouragés par les erreurs précédemment commises dans les systèmes d'explication de l'histoire et de l'ethno-psychologie*.

Je rappellerai l'exemple de l'Ecole de la Science sociale, petite école sociologique française dont les maîtres Demolins et l'abbé de Tourville enseignaient au début du siècle que :

> « Le lieu géographique conditionnait le mode de travail, le mode de travail conditionnant à son tour la propriété et la propriété conditionnant finalement la famille *[lieu de croisement avec la théorie de Todd]* et les pouvoirs publics *[lieu de croisement avec les philosophes du Contrat social]*[1]. »

Cette cascade de conditionnements, avec un déterminisme géographique comme point de départ, permettait ainsi aux tenants de cette école de rendre compte de toute la structure d'un peuple avec ses habitudes morales et psychiques.

Pour Montesquieu, la théorie des climats, première tentative en date d'explication ethno-psychologique à l'époque moderne, rend compte, par son déterminisme climatique, donc géographique, de toutes les diversités culturelles :

> « Vous trouverez dans les climats du Nord des peuples qui ont peu de vices, assez de vertus, beaucoup de sincérité et de franchise. Approchez des pays du Midi, vous croirez vous éloigner de la morale même : des passions plus vives multiplieront les crimes ; chacun cherchera à prendre sur les autres tous les avantages qui peuvent favoriser ces mêmes passions. Dans les pays tempérés, vous verrez des peuples inconstants dans leurs manières, dans leurs vices mêmes, et dans leurs vertus ; le climat n'y a pas une qualité assez déterminée pour les fixer eux-mêmes[2]. »

On retrouve assez drôlement chez les spécialistes du management interculturel, la tentation de l'explication déterministe par le lieu géographique et le climat :

1. *In* Miroglio, 1971, p. 31.
2. Montesquieu (1748) 1995, pp. 447-448.

« La position géographique du pays est donc le premier élément déterminant. Plus le pays est proche de l'équateur, plus la distance hiérarchique sera grande (...). La survie d'un groupe humain dans une contrée froide nécessitera protection contre les épreuves infligées par la nature. Cela suppose que seuls peuvent survivre ceux qui sont capables de maîtriser une compétence technique minimum[1]. »

Norbert Alter commente avec scepticisme et souligne l'écueil déterministe :

« Ils [Bollinger et Hofstede] tirent de cette analyse toute une série de lois sociales dont le caractère totalisant laisse parfois le lecteur songeur[2]. »

Pour Marx et les marxistes, les rapports de production à un moment donné de l'histoire suffiraient à déterminer la superstructure idéologique et culturelle que nous avons tenté de cerner. L'appartenance à une classe sociale serait d'ailleurs, selon eux, plus importante que l'appartenance à une nation. On a vu s'écrouler l'internationalisme prolétarien au cours de la Seconde Guerre mondiale sans que ce dogme soit, avant une époque récente, remis en cause.

Même la religion, facteur explicatif privilégié par Durkheim et son école, ne peut expliquer, ainsi que Weber le reconnaissait lui-même[3], la totalité des différences de mentalités. Miroglio[4] s'interrogeant sur ce point à propos de Durkheim et son école, déclare :

« En admettant qu'on puisse leur donner raison pour les religions des "cités antiques" et des "cités primitives" qui sont des religions toutes statiques et sociales, une généralisation de l'idée, son extension à nos sociétés occidentales caractérisées par une "religion dynamique" comme le christianisme, sont-elles acceptables ? »

---

1. Bollinger et Hofstede cités par Norbert Alter, 1996, p. 155.
2. Alter, *ibid.*
3. Cf. *supra.*
4. Miroglio, 1971, p. 63.

Nous avons suffisamment vu combien le calvinisme initial des protestants anglais avait été transformé par l'arminianisme et les sectes si typiquement anglaises, et avait également subi l'influence d'autres facteurs externes à la religion elle-même, pour ne pas considérer la religion autrement que comme un éclairage, d'importance il est vrai, mais un éclairage uniquement.

De la même manière, on peut se poser la question du crédit à accorder au déterminisme sociologique et démographique de l'école de Durkheim. La puissance de conditionnement de la pression démographique opposait dans sa théorie, les sociétés denses aux sociétés clairsemées :

> « On sait que Durkheim (...) avait expliqué le progrès de l'individualisme par l'accroissement de la densité des populations en passant par l'intermédiaire de l'augmentation de la concurrence vitale et de l'allongement incessant de la liste des professions, ces dernières se subdivisant et devenant de plus en plus spécialisées [1]. »

Certains biologistes eux-mêmes ont apporté leur contribution aux systèmes explicatifs avec bien sûr des théories sur la race, mais également des théories plus bénignes et bizarres, telles les théories qui étudiaient les différences de prévalence des groupes sanguins [2] ; le groupe A, d'après ces théories, prédominait à l'ouest du rideau de fer et le groupe B à l'est, expliquant la coupure en deux de l'Europe (mais non sa réunification trente ans plus tard !).

Une perspective différente s'ouvre avec le structuralisme tel qu'il a été défini par Michel Foucault [3] :

> « La structure, c'est cette désignation du visible qui, par une sorte de tri prélinguistique, lui permet de se transcrire dans le langage. »

1. Miroglio, *ibid.*, pp. 65-66.
2. Bourdel, 1960.
3. Foucault, 1966, p. 150.

La structure est donc, dans le domaine qui nous intéresse comme dans toutes les sciences humaines, plus que la forme, plus qu'un agencement qui comporterait une ou deux pièces maîtresses, un système analogue à une langue ; la recherche de son intelligibilité doit porter simultanément sur les éléments et les relations, les premiers ne pouvant être découverts indépendamment des seconds. Ainsi comme le souligne Verschueren :

> « Notre centre d'intérêt sur un domaine spécifique au sein des sciences humaines et sociales ne doit pas nous faire oublier qu'il est aussi possible de faire une distinction entre les grands modèles d'entreprise scientifique (le premier incluant les mathématiques et la physique ; le deuxième la linguistique, les sciences de la vie et l'économie ; le troisième constitué de la réflexion philosophique) envisagés comme différentes dimensions d'un champ épistémologique général. Dans la lignée de Foucault (1966), les sciences humaines qui étudient la vie, le travail et le langage humain, devraient se situer par rapport à ces trois dimensions ; au sein de ces sciences humaines, n'importe quel sujet pourrait être abordé sous des angles multiples et différents[1]. »

C'est la méthode que j'ai choisie, tant dans l'analyse linguistique de ce travail que dans l'étude comportementale. C'est également la méthode que je souhaite suivre dans la genèse des mentalités franco-anglaises, notant au passage les éclairages, et m'efforçant surtout d'en remarquer leurs éventuels rapports dialectiques et les coïncidences historiques et spatiales. L'approche philosophique permettra au chercheur et au lecteur de compléter cette exploration mémorielle.

1. Verschueren, 1995, p. 13.

— LE CONTRAT SOCIAL DES PHILOSOPHES —

En établissant un idéal type à l'aide des schémas anthropologiques étudiés par Todd et Burguière, à l'aide des codes de filiation mythique rapportés par Poliakov et des affinités religieuses analysées par Weber et Tawney, je vous ai présenté quelques-uns des déterminismes qui peuvent influencer les acteurs anglais et français de l'entreprise dans leurs rapports avec leurs collègues ou leur hiérarchie. Il s'agit maintenant de décrire ce qui lie entre eux des individus en vue d'un but commun, que ce soit au sein de chacune des nations, c'est-à-dire dans le domaine politique, ou au sein des entreprises, c'est-à-dire dans le domaine de la production.

Comment s'est constitué cet *affectio societatis*, notion juridique qui recouvre la volonté qu'ont les hommes de vivre en groupe, d'organiser entre eux les pouvoirs, de définir leurs obligations réciproques en vue d'un but commun ou d'un *commonwealth* ? Quelle est la nature du Contrat social conclu explicitement ou implicitement dans chacune des nations ? Quelle est l'histoire de ce Contrat social dans les deux pays ? Quelles influences les deux histoires ont-elles l'une sur l'autre ?

On conviendra tout d'abord que le Contrat social est une notion politique largement développée par les philosophes des deux pays, et que cette notion d'ordre politique ne recouvre pas nécessairement le champ de notre étude qui se situe dans le domaine économique et dans le monde de la production. Il importe également de reconnaître que l'assimilation des relations humaines dans le domaine de la cité avec celles qui prévalent dans le domaine de l'entreprise, relève en partie du postulat. Ce postulat paraît cependant raisonnable dans la mesure où l'on imaginerait un processus comparable à celui que Todd nomme *endomorphose** [1] et qui permettrait au pouvoir politique, à sa nature, à son contenu et à son style de déterminer largement les mêmes catégories dans le domaine économique.

On remarque, en effet, d'importantes similitudes de langage : l'étude des rapports sociaux emprunte les termes et les catégories du politique : *pouvoir, hiérarchie, représentation.* On a vu également [2] que les partenaires sociaux dans l'entreprise se perçoivent eux-mêmes, ainsi que leurs interlocuteurs, à l'aide d'une grille de lecture héritée de la politique.

Si les philosophes du Contrat social analysent la notion de pouvoir dans le champ politique, il faut remarquer qu'ils sont antérieurs à la création d'entreprises industrielles ou commerciales et qu'eux-mêmes empruntent leur terminologie et leurs notions à des domaines extra-politiques : le roi est assimilé à un père, le peuple à ses enfants.

Le processus d'*endomorphose** de Todd pourrait s'exprimer selon le schéma suivant :

père → roi → patron
enfants → peuple → salariés

Au XXe siècle d'ailleurs, l'étude du Contrat social et les mouvements politiques qui s'y sont consacrés [3] ne se situent plus guère dans le champ politique mais bien dans celui de l'économique, de l'organisation de la production et du partage des richesses.

Aux deux sources traditionnelles du pouvoir, le roi — potentiellement de droit divin — et sa cour, opposée au peuple — éventuellement souverain — et à ses représen-

---

1. Cf. *supra.*
2. Voir chapitre 3 traitant des comportements.
3. Edgar Faure, Paul Granet.

tants, il faudrait introduire une troisième source : l'argent, le capital, qui transcende les deux autres.

Toutefois, l'assimilation entre le patron et le capitaliste est tellement étroite que l'imaginaire des acteurs sociaux les confond le plus souvent, si bien que la représentation qu'ils ont d'eux-mêmes peut être exprimée par le schéma dualiste *roi / peuple* ou *patron / salariés* et la notion de Contrat social.

Je vous propose donc d'étudier successivement les deux sources traditionnelles du pouvoir politique dans l'exemple français : le roi et la cour, le peuple et ses représentants. En effet si les deux sources coexistent dans l'histoire, dans le droit constitutionnel et surtout dans l'imaginaire des deux nations, c'est en France qu'elles se sont le plus longtemps opposées pour se figer secondairement en stéréotypes. L'Angleterre, fidèle à sa démarche, avait pu trouver plus rapidement un compromis.

Il conviendra ensuite d'envisager comment s'est organisé le compromis entre ces deux sources traditionnelles en comparant la notion de Contrat social chez La Boétie, Hobbes, Locke, Montesquieu, Voltaire et Rousseau. Ce faisant, nous tenterons de repérer la trace laissée par chacun de ces philosophes dans les rapports de pouvoir au sein de chacun des deux peuples, et de souligner les coïncidences historiques qui ont gravé leur empreinte dans les imaginaires français et anglais, au point de constituer le soubassement des pratiques langagières et comportementales observées chez les deux populations.

Les deux sources traditionnelles du pouvoir en France

La société de cour

Lorsqu'en 1833 Chateaubriand, émissaire de la duchesse de Berry, rendit visite à Prague au roi Charles X, déchu depuis trois ans, il fut reçu par le dernier frère de Louis XVI au château de Hradschin dans toutes les formes protocolaires qu'imposait l'étiquette héritée du Versailles de Louis XIV[1].

Trois ans après la révolution bourgeoise de 1830, quarante-quatre ans après la Grande Révolution, le dernier des Bourbons, le dernier de ceux « qui n'avai[en]t rien appris et rien oublié », perpétuait, bien que devenues dérisoires, les traditions d'une autre époque. L'histoire des mentalités et cet exemple l'attestent, l'histoire des mentalités des grands est en retard sur l'Histoire, celle des événements.

L'Histoire avait accompli un saut en avant dont témoignaient les transformations sociales et la pénétration d'esprit de Michelet. Le vent révolutionnaire avait balayé la légitimité royale et les contemporains de Charles X avaient déjà tourné la page de la monarchie absolue. Le pouvoir royal était remplacé par le culte de la nation et la nouvelle religion du pouvoir du peuple. Ainsi Michelet pouvait-il déclarer en 1845, à l'ouverture de son cours annuel au Collège de France :

> « Ce qui est légal c'est la Révolution, en sorte que, traitant de la Révolution, je m'assois sur la base, sur la plus fondamentale des lois. Il ne faut pas dire la Révolution, mais la Fondation[2]. »

Et pourtant la logique curiale se perpétuera en France jusque dans la société moderne, dans la représentation que les gouvernants donnent à voir et dans celle que les grands capitaines d'industrie ont d'eux-mêmes. Les grands décideurs, qu'ils se situent dans le champ du politique ou dans celui de l'économique, sont assimilés ou s'assimilent au roi et à son pouvoir.

Le Canard enchaîné du 3 avril 1963 publiait dans sa

1. Chateaubriand, *Mémoires d'outre-tombe* (1848-1850). *In* Nora, III, *Les France*, 2, 1992, pp. 129-130.
2. Cité par *Le Monde*, Michelet, 29/9/97, p. 12.

chronique hebdomadaire, *La Cour* (le titre choisi pour ce feuilleton politique et moral ne peut de toute évidence relever d'un pur hasard), un dessin de Moisan représentant le président Charles de Gaulle, alias Louis XIV, aménageant le Grand Trianon ; les travaux avaient été décidés par le grand thuriféraire André Malraux. Coiffé d'une perruque, portant culotte et bas de soie, il allait, majestueux, visitant le chantier, suivi de ses courtisans où l'on reconnaissait sous les habits « grand siècle », Georges Pompidou, André Malraux, Maurice Couve de Murville... Le style de la chronique, pastiche de Saint-Simon, ne laissait aucun doute sur l'identification par l'auteur, du président de la République au monarque du XVIIIe siècle. Le dessin de Moisan faisait allusion au mémorialiste Saint-Simon :

> « Le Roi était très attaché à voir sa cour grosse, même de gens dont il se souciait le moins, et qui, par eux-mêmes, n'y faisaient que foule [1]. »

Sous le trait du caricaturiste et de l'humour satirique du chroniqueur, transparaissait la représentation du pouvoir dans l'esprit des Français de 1963.

Quant à la représentation que les dirigeants politiques ont de leur propre pouvoir, il n'est besoin que de visiter les monuments de Paris, chantiers réservés du Président, érigés durant la Ve République, pour constater qu'on a tenté de créer un style Georges Pompidou (Centre Pompidou), et un style François Mitterrand (pyramide du Louvre, Opéra Bastille, Grande Arche, Grande Bibliothèque), comme autrefois un style Henri III ou Louis XVI.

Les grands industriels ne sont pas en reste et poussent l'analogie avec le grand roi parfois plus loin que les politiques. A quelques kilomètres de Versailles et du Grand Trianon, un vaste ensemble immobilier, construction néo-

1. Saint-Simon, cité par Revel, 1992, p. 142.

classique entourée de jardins à la française, parsemés çà et là de copies des statues du parc de Versailles, abrite le siège d'une grande société française ainsi que ses filiales. Comment ne pas y voir une analogie entre les patrons français et les souverains français de droit divin ?

Les images largement diffusées par la télévision montrent ce même grand patron, qui briguait la concession de la première chaîne de télévision, entouré de toute une cour de conseillers et font inévitablement penser au dessin du *Canard enchaîné* et à l'observation de Saint-Simon citée plus haut.

On peut donc constater avec Jean Revel que la cour reste un « lieu de mémoire », malgré les deux siècles écoulés depuis la publication du *Contrat social* de Jean-Jacques Rousseau et la Grande Révolution :

> « La Cour est, de façon fort évidente, un lieu de mémoire. Elle signale, dans l'expérience française, une modalité récurrente de l'exercice du pouvoir et des agencements sociaux qui lui sont associés. La réalité curiale est, on le sait, attestée dans de très nombreuses cultures et dans le seul cadre européen, elle présente des faciès profondément diversifiés dans une très longue durée. Le double rôle de référence et de matrice dont elle est investie dans l'histoire de la France n'a pourtant pas de contrepartie dans les autres expériences nationales. Tout se passe au fond comme si le pôle monarchique-curial constituait l'un des termes de l'exceptionnalité française — jusqu'à en être considéré comme une sorte d'invariant toujours prêt à l'usage [1]. »

Le pouvoir curial peut, bien sûr, être largement fantasmé :

> « On se situe, du coup, dans le domaine des représentations où ce que l'on croit, ce que l'on pense a autant d'importance que ce qui est [2]. »

1. Revel, *ibid.*, p. 134.
2. *Ibid.*, p. 135.

L'imaginaire français, en ce qui concerne le pouvoir ou du moins sa représentation, est modelé par « la valeur cour[1] ».

Comment l'organisation des pouvoirs politique et, nous l'avons vu, économique, a-t-elle pu s'identifier peu ou prou à la cour de Louis XIV ?

Norbert Elias (1974) pense que la cour de Louis XIV, loin d'être l'expression du désir du seul monarque, est en fait l'aboutissement d'une évolution sociale et politique qui s'inscrit dans une longue durée : le roi, depuis Philippe le Bel, s'arroge petit à petit les droits féodaux et régule les tensions sociales en redistribuant les instruments de la puissance. C'est ainsi que Louis XIV promet une nouvelle noblesse d'Etat (ou d'office) qui ouvre la voie du privilège à la bourgeoisie. Le roi prend, mais également donne, en modifiant la distribution initiale fondée sur la féodalité.

Cette même féodalité comportait trop de pôles disparates générateurs de pouvoirs et de privilèges. Progressivement, pour aboutir à Louis XIV, la puissance de chacun s'est trouvée prise dans une mécanique newtonienne, héliocentrique, où tout pouvoir, toute lumière, ne trouve finalement sa source et sa justification que dans le centre, siège de la majesté royale :

> « La cour est dans son essence une société hiérarchisée autour de celui qui lui donne raison d'être et qui la surplombe d'une hauteur incommensurable. Aussi bien doit-elle toujours être décrite en partant du monarque et de sa famille et selon l'ordre décroissant de la proximité qu'on entretient avec lui[2]. »

L'espace privé et la liberté de chacun à l'intérieur de la cour sont réduits à une fiction : lorsque le roi se rend à Marly en emmenant avec lui quelques privilégiés, soi-disant sans étiquette, tout manquement à une règle impli-

1. *Ibid.*, p. 137.
2. *Ibid.*, p. 147.

cite fortement imprégnée de cette étiquette est sanctionné par la disgrâce.

Les rapports entre le monarque et les courtisans ne sont pas négociables contrairement à ce qui existait par exemple dans les cours italiennes de la Renaissance où tel artiste, tel écrivain, tel *condottiere*, pouvait vendre ses talents à tel ou tel prince :

> « On peut donc parler [*pour les cours italiennes*] d'un contrat curial au sens où l'on parlera d'un contrat social [1]. »

Nul besoin pour le monarque français d'avoir lu Machiavel : son pouvoir n'est pas contractuel et porte en lui-même sa propre justification. Mais contrairement à ce qu'en diront plus tard les sans-culottes, ce pouvoir n'est pas non plus celui d'un tyran : car le roi est le père de tous ses sujets. C'est sur ce mythe du roi-père que seront assises toutes les théories du Contrat social qui justifieront une forte autorité hiérarchique.

L'autorité du pouvoir hiérarchique centralisé et organisé autour de son moteur premier, hérité de la société de cour, constitue l'un des pôles de la conception française du management.

L'autre pôle, le peuple, également lieu de mémoire, lui est complètement antithétique et n'entretient avec le premier qu'un difficile rapport dialectique. Loin de constituer une synthèse, ces deux pôles définissent une société française en quelque sorte schizophrène, avec une double personnalité qui se manifeste dès qu'il s'agit du fondement des rapports de pouvoir. Ainsi que le souligne Pierre Nora [2] :

> « Sous le signe de la mémoire, la France ne s'appelle pas diversité, elle s'appelle division. »

1. *Ibid.*, p. 165.
2. Nora, 1992, III, 1, p. 35.

Le peuple

Pour Jacques Julliard :

> « Le peuple est bien le *deus ex machina* de la politique moderne, à la fois agent historique et principe spirituel de la démocratie[1]. »

L'ambivalence des fonctions du peuple, en tant que lieu de mémoire, exprime, d'après lui, les ambiguïtés sémantiques du mot. Le peuple considéré comme agent historique, est un concept social discriminant en ce sens que l'on est ou l'on n'est pas du peuple ; on est ami du peuple comme Marat, ou ennemi du peuple comme Louis XVI. Considéré comme principe spirituel de la démocratie, le peuple est un concept politique, destiné à transcender toutes les distinctions sociales.

Dans ses différentes acceptions le mot peuple nous renvoie d'un côté à *populus* et de l'autre à *plebs* (qui ira parfois jusqu'à se décliner en *vulgus* = la canaille). Ainsi cette ambivalence sémantique fera que le peuple-*plebs* sera associé aux massacres des journées de Septembre, à la Commune de 1871, au socialisme révolutionnaire, à la lutte des classes, au Front populaire, au « populisme » du parti communiste ou de la CGT, tandis que le peuple-*populus* véhiculera l'idée de nation omniprésente dans la littérature révolutionnaire, la légitimité républicaine opposée au bonapartisme et au boulangisme, l'Union Sacrée de 1914, ou le Rassemblement du Peuple Français du général de Gaulle. Source ultime du pouvoir légitime après la Révolution, le peuple désigne tantôt un tout : *populus*, tantôt une de ses parties : *plebs*, opposée à ce qui précisément n'est pas le peuple.

Quelles que soient les ambiguïtés ou les arrière-pensées

---

1. Julliard, 1992, p. 185.

qui se cachent derrière le mot *peuple*, c'est lui qui sera vainqueur dans la lutte avec la cour pour la revendication de la légitimité du pouvoir. Dans la France d'après-guerre, le pouvoir sera toujours exercé au nom du peuple ou revendiqué au nom du peuple — y compris par les partis d'extrême droite. La société de cour, si présente, comme nous l'avons vu, à l'esprit de certains grands capitaines d'industrie, si présente qu'elle perdure même dans certaines sociétés et dans une certaine conception du « management à la française », ne peut plus revendiquer officiellement la légitimité de l'exercice du pouvoir et de l'organisation des rapports sociaux ; elle ne peut plus que se manifester masquée, ou en contrepoint de l'autre source du pouvoir que constitue le peuple. Les grandes lois sociales de 1946 ont profondément modifié les rapports humains au sein de l'entreprise, de même qu'elles ont permis la reconnaissance accrue du fait syndical. Le CNPF n'a eu de cesse de regretter la faiblesse du syndicalisme ouvrier qui le privait d'un interlocuteur ou d'un adversaire clairement identifié.

Le triomphe du peuple-nation n'était pas réalisé à la veille de la Révolution. C'est cependant au XVIIIe siècle que le concept s'est figé et qu'il s'est inscrit dans les consciences. Le *Contrat social* de Rousseau dont on ne peut nier qu'il influencera grandement les révolutionnaires de 1789, est l'aboutissement d'une maturation philosophique de près de trois siècles. C'est cette maturation qui s'est exprimée chez les philosophes français et anglais des XVIIe et XVIIIe siècles que je souhaite décrire dans les lignes qui suivent.

— LE DIALOGUE DES PHILOSOPHES ANGLAIS ET FRANÇAIS —

Le Français La Boétie inaugure le débat

La Boétie (1530-1563)

Le cri *Ni Dieu, ni maître* des canuts révoltés de Lyon trouve en France une racine très ancienne qui remonte en fait au XVIe siècle, chez Etienne de La Boétie. Après que Machiavel (1469-1527) avait, quelques décennies plus tôt, renoué avec la pensée politique inaugurée par Platon [1], La Boétie, au tournant de la Renaissance, instaure dans la pensée occidentale la question du politique. Quel est le fondement du pouvoir et quelle est la nature du contrat social qui lie la masse à ceux ou celui à qui elle confie la puissance publique, s'interroge-t-il. Mais alors que Machiavel posait la question en tant que ministre courtisan et en se plaçant du côté du Prince, La Boétie se situe d'emblée du côté des asservis, du côté du peuple, des futurs canuts, des futurs « damnés de la terre ».

Dans le dialogue de deux siècles qui va s'instaurer entre les philosophes anglais et français sur la nature du pouvoir et l'irruption des valeurs de liberté et d'égalité, il semble que ce soit aux Français que revienne le mérite d'avoir commencé.

La réapparition quasi automatique de l'ouvrage de La Boétie : *Le Discours de la servitude volontaire* et le questionnement qui lui est fait à chaque période de l'histoire de France où se pose le problème de la liberté — sous la Révolution par Marat, sous la monarchie bourgeoise par

1. Platon, *La République, Les lois.*

Lamennais, par Simone Weil sous la dictature idéologique du stalinisme, par Claude Lefort et Pierre Clastres lors de l'interrogation contemporaine sur le totalitarisme[1] — en font un fondement de l'idéologie française.

• *La servitude volontaire*

Comment expliquer, s'étonne La Boétie, qu'un grand nombre d'hommes acceptent de s'asservir à la tyrannie d'un seul et combattent pour leur servilité comme s'il s'agissait de leur salut ?

> « Chose vraiment surprenante (et pourtant si commune, qu'il faut plutôt en gémir que s'en étonner) ! c'est de voir des millions de millions d'hommes, misérablement asservis, et soumis tête baissée, à un joug déplorable, non qu'ils soient contraints par une force majeure, mais parce qu'ils sont fascinés et, pour ainsi dire, ensorcelés par le seul nom d'*un*, qu'ils ne devraient redouter, puisqu'il est *seul*, ni chérir, puisqu'il est envers eux tous, inhumain et cruel[2]. »

Serait-ce paresse ou bien terreur qui soumettrait les hommes à qui les traite si mal ? La Boétie poursuit :

> « Appellerons-nous vils et couards les hommes soumis à un tel joug ? Si deux, si trois, si quatre cèdent à un seul ; c'est étrange, mais toutefois possible ; peut-être avec raison, pourrait-on dire : c'est faute de cœur. Mais si cent, si mille se laissent opprimer par un seul, dira-t-on encore que c'est de la couardise, qu'ils n'osent se prendre à lui, ou plutôt que, par mépris et dédain, ils ne veulent lui résister[3]. »

Pourtant ce n'est ni la terreur, ni les tyrans qui oppriment les masses, démontre La Boétie, ce sont les peuples eux-mêmes qui construisent leur joug : « c'est le peuple qui s'assujettit et se coupe la gorge[4] », comme si le

1. *Cf.* La Boétie, 1993.
2. La Boétie (1574) 1993, p. 175.
3. *Ibid.*, p. 176-177.
4. *Ibid.*, p. 179.

peuple, alors qu'il a le choix entre s'asservir ou être libre, dédaignait cette liberté :

> « La seule liberté, les hommes la dédaignent, uniquement, ce me semble, parce que s'ils la désiraient, ils l'auraient[1]. »

La Boétie exhorte alors les peuples :

> « Soyez donc résolus à ne plus servir et vous serez libres. Je ne veux pas que vous le heurtiez [le tyran], ni que vous l'ébranliez, mais seulement ne le soutenez plus, et vous le verrez, comme un grand colosse dont on dérobe la base, tomber de son propre poids et se briser[2]. »

Certes, concède-t-il, le tyran n'agit pas seul. Non pas qu'il soit soutenu par de puissantes armées, mais bien plutôt parce qu'il s'entoure d'un petit groupe de cinq ou six courtisans, petits chefs, contremaîtres, qui servent de relais à son appétit de puissance :

> « Ces six [courtisans] dressent si bien leur chef, qu'il devient, envers la société, méchant, non seulement de ses propres méchancetés, mais encore des leurs[3]. »

De maillon en maillon, cette chaîne de pouvoir va asservir la totalité du peuple. Evidemment, la position de courtisan n'est pas de tout repos. Alors qu'il suffit au peuple d'obéir, les petits chefs doivent de plus se plier à la maxime : « Ce n'est pas tout de lui obéir, il faut lui complaire[4]. »

• *La sélection du chef*

Comment s'opère la sélection du chef ? La Boétie distingue trois sortes de tyrans :

1. *Ibid.*, p. 181.
2. *Ibid.*, p. 183.
3. *Ibid.*, p. 212.
4. *Ibid.*, p. 215.

> « Les uns possèdent le Royaume par l'élection du peuple, les autres par la force des armes, et les autres par succession de race[1]. »

On connaît les turpitudes du conquérant en pays conquis, la morgue affichée de l'héritier, mais l'on pourrait s'attendre à ce que celui que le peuple a élu se comporte différemment, à ce qu'il soit plus « supportable ». Il n'en est rien, semble-t-il :

> « Il le serait, je crois, si dès qu'il se voit élevé en si haut lieu, au-dessus de tous les autres, flatté par je ne sais quoi, qu'on appelle *grandeur*, il ne prenait la ferme résolution de n'en plus redescendre[2]. »

Il n'y a finalement que peu de différence entre ces tyrans :

> « S'ils arrivent au trône par des routes diverses, leur manière de régner est toujours à peu près la même[3]. »

• *La nature et l'égalité des hommes*

Pourtant, La Boétie souligne les bienfaits de la nature envers les hommes qui ont tous été créés égaux :

> « La nature, premier agent de Dieu, bienfaitrice des hommes, nous a tous créés de même et coulés, en quelque sorte au même moule, pour nous montrer que nous sommes tous égaux, ou plutôt tous frères[4]. »

Son hymne à la fraternité résonne d'accents lyriques, plus de deux siècles avant Rousseau qui l'inscrira dans la conscience des rédacteurs de la Déclaration des droits de l'homme :

> « Et si, dans le partage qu'elle nous a fait de ses dons, elle a prodigué quelques avantages de corps ou d'esprit, aux uns plus

1. *Ibid.*, p. 187.
2. *Ibid.*, p. 187-188.
3. *Ibid.*, p. 188.
4. *Ibid.*, p. 184.

qu'aux autres, toutefois elle n'a jamais voulu nous mettre en ce monde comme en un champ clos, et n'a pas envoyé ici-bas les plus forts et les plus adroits comme des brigands armés dans une forêt pour y traquer les plus faibles. Il faut croire plutôt que, faisant ainsi les parts, aux uns plus grandes, aux autres plus petites, elle a voulu faire naître en eux *l'affection fraternelle* et les mettre à même de la pratiquer[1]. »

• *L'égalité source de liberté*

C'est ainsi qu'apparaît l'originalité de la pensée de La Boétie, le premier qui ait lié, bien avant les révolutionnaires français ou les socialistes utopiques de 1848, la valeur *égalité* à la valeur *liberté*. Mieux, inversant *a priori* l'ordre des deux valeurs communément admises par les penseurs politiques libéraux qui lui ont succédé, c'est l'égalité naturelle qui est pour lui le fondement de la liberté, de même que la fraternité constitue l'origine de l'égalité :

> « Si enfin elle [la nature] a montré en toutes choses le désir que nous fussions, non seulement unis, mais qu'ensemble nous ne fissions, pour ainsi dire qu'un seul être, dès lors, peut-on mettre un seul instant en doute que nous soyons tous naturellement *libres*, puisque nous sommes tous *égaux*[2]. »

Plus de deux siècles s'écouleront sans que cet hymne fondateur à la fraternité, à l'égalité et à la liberté soit repris. Et pourtant, ainsi que l'affirmait avec force Lamennais :

> « Cette parole *qui ne passera point*, a désormais été comprise, et, quoi qu'on fasse, elle sera le fondement de la société future. Toute doctrine opposée restera dans l'enfer d'où elle est sortie[3]. »

L'homme politique idéal devra se conformer à la

1. *Ibid.*
2. *Ibid.*, p. 185.
3. Lamennais (1835). *In* La Boétie, *ibid.*, p. 23.

maxime : « Que celui qui veut être le premier entre tous, soit le serviteur de tous[1]. »

• *Actualité de la pensée de La Boétie*

Simone Weil, dans son ouvrage : *Méditation sur l'obéissance et la liberté*, paru en 1955, faisait remarquer, à propos de la question posée par La Boétie sur la soumission du plus grand nombre au plus petit dans toute organisation sociale, que nul, pas même lui, n'y avait apporté de réponse[2]. Comment, s'étonnait-elle, un seul homme, Staline, peut-il saigner et asservir toute une génération de ses compatriotes ?

> « Que beaucoup d'hommes se soumettent à un seul par crainte d'être tués par lui, c'est assez étonnant ; mais qu'ils restent soumis au point de mourir sur son ordre, comment le comprendre ? Lorsque l'obéissance comporte au moins autant de risques que la rébellion, comment se maintient-elle[3] ? »

Lectrice assez désabusée de La Boétie, elle constate qu'on ne peut intervenir dans le champ de la politique ou celui du social, sans quelque peu se salir les mains. Le moindre mal de la social-démocratie lui paraît la seule attitude valable ; contenir les luttes entre concitoyens dans des bornes acceptables de violence lui semble une ambition plausible. Une fraction importante du syndicalisme français, notamment la CFDT et la CFTC, doit à Simone Weil son inspiration personnaliste et, à travers elle, paradoxalement, son affiliation aux idées de l'ami de Montaigne. Une autre fraction, la CGT, héritière du syndicalisme révolutionnaire, sera également fille de La Boétie et de sa révolte primordiale, sans avoir subi le filtre

1. La Boétie, *ibid.*
2. Weil (1937). *In* La Boétie, *ibid.*, p. 87.
3. Weil, *ibid.*, p. 88.

de la social-démocratie. Les héritiers de La Boétie n'auront de cesse de se déchirer.

De Hobbes à Locke : l'évolution de la pensée anglaise

Hobbes (1588-1679)

Si La Boétie n'avait pas encore conçu un contrat au sens du Contrat social, puisque pour lui, ce qui liait l'individu, l'asservi, à l'autorité, le tyran, n'était qu'une adhésion quasi inconsciente au chef et à sa férule, il supposait déjà, ainsi que nous avons pu le voir, un état antérieur qu'il ne nommait pas encore état de nature — bien qu'il fît référence à la nature — et où les hommes étaient libres.

• *Une nouvelle époque*

La publication du *Léviathan* de Hobbes en 1651 ouvre une nouvelle ère, celle du Contrat social :

> « S'ensuivit une nouvelle ère dans le siècle qui se situe entre la publication du *Léviathan* de Hobbes en 1651 et la publication *Du Contrat social* de Rousseau en 1762. C'est la grande époque de la doctrine du Contrat social[1]. »

La théorie du Contrat social, telle qu'elle apparaît avec Hobbes, est issue de l'idée que la société, ou tout du moins l'Etat, n'est pas un phénomène naturel mais bien plutôt une création artificielle et de ce fait une création volontaire. De Hobbes à Rousseau, la nature finit là où commence l'individu. Il faut donc présupposer que la société a été créée par une décision des individus, animés eux-mêmes par une sorte d'*affectio societatis*. Le pouvoir ne serait alors qu'une conséquence de cette décision initiale, de même que les lois et les règles qui régissent la

1. Barker, 1976, p. XI (traduit par l'auteur).

société. Avant cette décision, régnait un état d'égalité entre les hommes, plus ou moins heureux. Cet état était heureux, nous l'avons vu chez La Boétie, comme il le sera plus tard chez Rousseau ; c'est cet état que les théoriciens nommeront *état de nature*. Avec l'apparition du Contrat social, l'individu abandonnera l'état de nature.

Deux types de contrats peuvent être distingués :

• Tout d'abord le *pactum societatis* ou contrat social proprement dit, destiné à expliquer l'origine de la société et de l'Etat. Au cours de ce pacte initial, les individus décident d'abandonner l'état de nature et de se constituer en société. Ils renoncent donc chacun au profit de la collectivité qui devient souveraine, à tout ou partie de leurs droits naturels et obtiennent en échange des droits civils. Le Contrat social de Rousseau est l'exemple du *pactum societatis*.

• Ensuite le *pactum subjectionis* ou pacte de soumission, ou encore contrat de gouvernement et qui permet d'expliquer la forme du gouvernement. Il est conclu entre le peuple et un chef qui acquiert la souveraineté et s'engage en contrepartie à assurer la sécurité des individus. Le pacte social de Hobbes est l'exemple du *pactum subjectionis*. Nous verrons plus loin que Locke, quant à lui, privilégie la théorie des deux contrats simultanés : *pactum societatis* et *pactum subjectionis*.

Hobbes, successeur de la Renaissance, substitue dans sa théorie du pouvoir, la référence anthropologique aux références cosmologique et théologique antérieures. Pour lui, au début de tout est l'individu, dont il convient d'étudier l'association à d'autres individus au sein d'une société, de la façon la plus rigoureuse et la plus scientifique qui soit.

• *Égalité des hommes dans l'état de nature*

A l'état de nature, pour Hobbes, « tous les hommes sont naturellement égaux[1] », mais une égale insécurité les menace tous. En effet, la guerre incessante de chacun contre chacun et de chacun contre tous crée la misère. *Homo homini lupus*, cette idée apparue chez Plaute[2] sera largement développée par Bacon, puis par Hobbes dans *Léviathan*, avant d'être reprise par Marx.

Puisque « la nature a donné à chacun de nous égal droit sur toutes choses[3] », puisque chacun, tout en s'efforçant d'accumuler le plus de puissance possible, demeure pratiquement égal à chacun des autres, il ne peut exister ni société, ni non plus agriculture, industrie, lettres, arts, justice ou injustice. Chacun, en proie à une crainte continuelle de mort violente, ne vit qu'une vie bestiale et brève.

• *Le fondement de l'inégalité*

Il s'ensuit que la crainte de la mort détermine en fin de compte les individus à sacrifier une grande partie de leur libre arbitre au profit d'un souverain et, puisque l'égalité ne suscite que désordre et instabilité mortels, à fonder l'inégalité qui seule assure un ordre stable : « L'inégalité qui règne maintenant a été introduite par la loi civile[4]. »

Cette justification primordiale et théorique de l'inégalité sociale restera incontestée chez les philosophes anglais du Contrat social, admise, comme on le verra plus loin, par leurs admirateurs français jusqu'à Voltaire pour être finalement combattue par Rousseau.

C'est bien cette justification théorique de l'inégalité sociale par les philosophes anglais que l'on trouve en écho

1. Hobbes (1642) 1982, p. 95.
2. Plaute, *Asinaria*, II, 488.
3. Hobbes, *ibid.*, p. 97.
4. Hobbes, *ibid.*, p. 95.

dans la société anglaise et qui recoupe, comme nous l'avons vu plus haut, d'autres modes explicatifs, notamment anthropologiques, religieux ou de filiation symbolique.

• *La soumission au souverain tout-puissant*

L'inégalité instaurée par l'abandon de l'état de nature trouve son achèvement dans la désignation d'un souverain tout-puissant qui imposera sa loi à tous et assurera à tous paix et sécurité : c'est ce qui constitue le *pactum subjectionis* selon Hobbes. Chacun renonce donc au droit de gouverner lui-même et remet tout son pouvoir aux mains d'un seul homme qui est seul souverain. Celui-ci dispose d'un pouvoir absolu, indivisible, irrésistible. Si les citoyens demeurent rivés à lui par le *pactum subjectionis*, il n'est lui-même lié à personne, tel le tyran de La Boétie. Il n'a contracté avec personne, il est au-dessus de tous les pouvoirs et n'a que des droits, aucun devoir :

> « La communauté une fois formée, peut transférer tout droit et tout pouvoir à un souverain Léviathan, ce qui signifie absence de contrat avec lui et en conséquence absence de sujétion à quelque limite d'un contrat de gouvernement[1]. »

Le souverain n'est pas tenu non plus par quelque loi naturelle que ce soit car il en serait le seul juge. Bien entendu, nul ne peut, sous peine de mort, s'opposer à ses décisions souveraines, pas même le peuple, pas même le *commonwealth*, car il est lui-même le *commonwealth*[2].

Hobbes s'efforce de montrer que son omnipotence rend seule possible l'accomplissement rationnel, voire scientifique, de sa fonction, c'est-à-dire le maintien d'un ordre pacifique dans l'état et la sécurité des individus. L'organisation sociale elle-même est le fruit d'une réalité impla-

1. Barker, *op. cit.*, p. XIII (traduit par l'auteur).
2. Au sens de *res publica* ainsi que l'entendent les traducteurs de Hobbes.

cable qui n'est pas sans rappeler celle des *Lois* de Platon. Cependant, si dans la République idéale de Platon, seuls les philosophes pouvaient devenir rois, chez Hobbes, les rois doivent devenir philosophes.

• *Le souverain n'est pas un tyran*

Car la toute-puissance du souverain n'implique pas la tyrannie pour Hobbes. Si la tyrannie devait s'exercer — contre le principe de la fonction du souverain qui est de protéger les individus — les sujets, que Hobbes nomme *citoyens*, auraient le droit imprescriptible de résister par tout moyen excepté le tyrannicide :

> « Car, pourquoi nommez-vous tyran celui que Dieu vous a donné pour roi, si ce n'est à cause que vous voulez vous arroger la connaissance du bien et du mal, quoique vous soyez une personne privée, à qui il n'appartient pas d'en juger ? On peut aisément concevoir combien cette opinion est pernicieuse aux Etats, en ce que par elle, quelque roi que ce soit, bon ou mauvais, est exposé au jugement et à l'attentat du premier assassin qui ose le condamner[1]. »

• *Une première version de l'* Habeas corpus

Puisque le but initial du Contrat social est la sécurité de chacun, il importe pour le rationaliste qu'est Hobbes, que la logique en soit respectée jusqu'au bout, jusqu'au droit de résistance quand survient le péril de mort :

> « L'obligation qu'ont les sujets envers le souverain est réputée durer aussi longtemps, et pas plus, que le pouvoir par lequel celui-ci est apte à les protéger. En effet, le droit qu'ont les hommes, par nature de se protéger, lorsque personne d'autre ne peut le faire, est un droit qu'on ne peut abandonner par aucune convention (...). La fin qui vise la soumission c'est la protection : cette protection, quel que soit l'endroit où les hommes la voient résider, que ce soit dans leur propre épée ou celle d'autrui, c'est

1. Hobbes, *op. cit.*, p. 217.

vers elle que la nature conduit leur soumission, c'est elle que par nature ils s'efforcent de faire durer[1]. »

C'est ainsi que sous l'implacable autorité d'un souverain omnipotent, au sein d'une société inégalitaire idéalement hiérarchisée, où le principe de la séparation des pouvoirs est *a priori* récusé, se trouve fondé, en cas d'urgence vitale, une première version de l'*Habeas corpus*. Rappelons que c'est sous le règne d'un roi absolutiste, Charles II, que le *Bill d'Habeas corpus* fut définitivement imposé au Parlement par les Whigs en 1679.

Il faut rappeler également le contexte historique de la rédaction du *Léviathan*. C'est en effet durant son exil volontaire à Paris de 1640 à 1651, que Hobbes le rédigea, au moment de l'exécution du roi Charles Ier, en pleine Fronde, alors que le jeune Louis XIV tentait d'asseoir un pouvoir si proche dans son exercice de celui décrit par Hobbes[2]. En accord parfait avec l'absolutisme français, en décalage avec ce que deviendra le pouvoir en Angleterre après la *Glorious Revolution* de 1688, Hobbes, aussi autoritariste que La Boétie fut libéral, semble être le théoricien du pouvoir « à la française » jusqu'à la Révolution de 1789. Si bien que Diderot ne manquera pas de recommander :

« Gardez-vous de lui [Hobbes] passer ses pernicieux principes, si vous ne voulez pas la ruine partout où il lui plaira de vous conduire[3]. »

Toutefois Diderot expliquera :

« La philosophie de M. Rousseau de Genève est presque l'inverse de celle de Hobbes. L'un croit l'homme de la nature bon, et l'autre le croit méchant. Selon le philosophe de Genève, l'état de nature est un état de paix, selon le philosophe de Malmesbury,

1. Hobbes (1651) 1971, pp. 233-234.
2. Cf. *supra* : « La société de cour ».
3. Diderot, *Encyclopédie* : article Hobbisme (1765). *In* Hobbes (1642) 1982, p. 404.

c'est un état de guerre (...). Entre les systèmes de l'un et de l'autre, il y en a un autre qui peut être le vrai c'est que, quoique l'état de l'espèce humaine soit dans la vicissitude perpétuelle, sa bonté et sa méchanceté sont les mêmes[1]. »

• *Actualité de la pensée de Hobbes*

Longtemps négligé, Hobbes bénéficie aujourd'hui d'un regain d'intérêt digne du penseur qui a inauguré la réflexion moderne sur les fondements du droit et de la théorie du Contrat social.

En 1996, un débat lui a été consacré à Amsterdam, débat qui confrontait l'école hobbesienne de Cambridge autour de Quentin Skinner, à celle de Paris autour de Yves-Charles Zarka. Voici comment Hans Blom justifie l'organisation de ce débat dans sa présentation des communications des deux grands spécialistes de Hobbes :

> « La philosophie politique de Thomas Hobbes est plus actuelle qu'elle ne l'a jamais été. Elle fournit le langage fondateur d'une modernité en proie au *dilemme de la liberté et du pouvoir*. (...) Elle hante l'homme moderne par ses concepts et ses arguments étonnamment nouveaux, encore malaisément situés dans l'histoire et la philosophie[2]. »

Il est frappant de constater que l'intérêt porté à Hobbes par les écoles française et anglaise se situe dans la continuité du dialogue engagé entre les deux nations sur le Contrat social trois siècles auparavant. C'est ce même dialogue et ce même dilemme de la liberté et du pouvoir que je m'efforce justement de mettre en lumière dans le prolongement de l'analyse des pratiques des deux groupes étudiés dans leur environnement de travail.

1. Diderot, *ibid.*, p. 404.
2. Blom, « Le débat d'Amsterdam », *Le Débat*, n° 96, sept./oct. 1997, p. 90.

Locke (1632-1704)

- *La réfutation de la thèse de Filmer*

Un contemporain de Hobbes, Sir Robert Filmer, écrivit un traité intitulé le *Patriarcha* qui ne fut publié qu'en 1680, sept ans après sa mort. L'auteur, partisan de l'absolutisme de Charles Ier, emprisonné sous la République d'Angleterre, y défendait la thèse d'une monarchie fondée sur la descendance de Noé [1] et sur l'autorité du patriarche sur ses enfants. Selon Filmer : « les hommes ne sont pas naturellement libres [2] » mais sujets soumis à une autorité primordiale, celle de leur père. Il pouvait ainsi affirmer que « tout gouvernement est une monarchie absolue [3] ».

Le sommaire du *Patriarcha* de Filmer, figurant en tête de l'édition de 1680, est tout à fait édifiant :

> « Chapitre I : Les premiers rois étaient des pères dans des familles.
>
> Chapitre II : Il est contre nature que le peuple gouverne ou choisisse des gouvernants.
>
> Chapitre III : Les lois positives n'enfreignent pas le pouvoir naturel et monarchique des rois [4]. »

C'est contre cette conception du pouvoir, justifiée par Hobbes, défendue à l'époque en Angleterre par les rois Stuart et en France par Louis XIV, que va s'élever Locke qui consacrera son *Premier traité du gouvernement civil*, paru en 1690, à la réfutation de la thèse de Filmer.

Il n'est pas inutile de rappeler que, pendant quinze ans, Locke avait été très proche de Shaftesbury, fondateur du parti whig ; les cinq années qui avaient suivi, Locke s'était exilé volontairement en Hollande où il avait rencontré les

1. Cf. *supra* : les filiations symboliques.
2. Cité par Locke (1690) 1977, p. 48.
3. Locke, *ibid.*, p. 46.
4. Notes du commentateur. *In* Locke, *ibid.*, pp. 47-48.

calvinistes hollandais libéraux, ainsi que les réfugiés huguenots qui avaient fui la France en 1685. Lorsque Guillaume d'Orange débarqua en Angleterre en 1688, Locke ne fut pas long à le suivre.

Dans le *Deuxième traité du gouvernement civil*, paru la même année que le premier, Locke s'attache à fonder le socle théorique d'une monarchie constitutionnelle.

• *État de nature et liberté*

Tout part de l'état de nature. Pour Locke cette condition naturelle des hommes implique qu'ils sont libres et indépendants :

> « C'est-à-dire un état où ils sont *parfaitement libres* d'ordonner leurs actions, de disposer de leurs biens et de leurs personnes comme ils l'entendent, dans les limites du droit naturel, sans demander l'autorisation d'aucun autre homme ni dépendre de sa volonté[1]. »

Cette condition naturelle implique aussi que les hommes sont égaux :

> « Un état, aussi, d'égalité, où la réciprocité marque tout pouvoir et toute compétence, nul n'en ayant plus que les autres ; à l'évidence des êtres créés de même espèce et de même rang, qui (...) doivent encore être égaux entre eux sans subordination ni sujétion[2]... »

• *Propriété et travail*

Dans l'état de nature, règne le principe de la propriété qui résulte du travail appliqué à des matières premières naturelles illimitées ; à chacun selon son travail, mais aussi à chacun selon ses besoins. Le gaspillage reste seul interdit.

1. Locke, *ibid.*, p. 77.
2. *Ibid.*

Mais où trouver des hommes dans un tel état de nature ? A cette objection, Locke répond :

> « Tous les *princes* et chefs de gouvernement indépendants, de par le monde se trouvent dans l'état de nature[1]. »

Ce même état de nature est régi par la loi divine qui postule avec les prescriptions de la Raison :

> « L'homme ne saurait, ni par voie conventionnelle, ni de son propre consentement, se faire l'esclave d'autrui, ni reconnaître à quiconque un pouvoir arbitraire, absolu de lui ôter la vie à discrétion[2]. »

• *Le Contrat social et la nécessité de s'organiser en société*

A l'inverse de Hobbes, pour qui l'état de nature était un état de guerre, Locke introduit un rudiment de vie sociale pacifique avec la famille, cellule sociale fondamentale et aussi certains échanges rendus possibles par le travail et la propriété. La paix et la guerre alternent entre les groupes familiaux. Cet état d'instabilité nécessite donc la conclusion d'un contrat social.

Aux termes de ce contrat, les hommes ne s'unissent pas pour former uniquement une société, mais bien pour profiter des avantages d'une organisation en société :

> « La grande fin que les hommes poursuivent quand ils entrent en société, c'est de jouir de leur propriété paisiblement et sans danger[3]. »

• *La séparation des pouvoirs*

Il existe tout d'abord dans la conclusion du contrat un *pactum societatis* à buts utilitaires, suivi d'un *pactum subjectionis* avec le souverain.

1. *Ibid.*, p. 82.
2. *Ibid.*, p. 89.
3. *Ibid.*, p. 150.

L'apport fondamental de Locke dans l'histoire des idées constitutionnelles et celle du Contrat social, réside dans le principe de la séparation des pouvoirs ; c'est l'accord de la majorité des individus qui suffit à valider le contrat. Le pouvoir suprême, c'est-à-dire le pouvoir constituant mis à part, Locke va distinguer trois sortes de pouvoir : le législatif, l'exécutif et le fédératif.

La séparation des pouvoirs ainsi décrite n'impliquera pas la séparation des personnes. Le roi, chef de l'exécutif est également détenteur du pouvoir fédératif ; il s'agit en fait d'un pouvoir exécutif élargi. Seule la distinction législatif / exécutif s'appliquera également aux personnes. Il s'agit d'un *gentleman's agreement :* le roi doit agir de bonne foi et s'abstenir de porter atteinte à l'existence et aux attributions du Parlement. Ainsi la faute des Stuarts réside-t-elle essentiellement dans le fait d'avoir suspendu unilatéralement l'application de lois constitutionnelles non écrites.

• *Inégalité des citoyens devant la propriété*

La transformation politique impliquée par les théories du *Deuxième traité* a marqué une étape importante. L'essai de justification par Locke du droit naturel de propriété a été largement discuté. Peut-on définir le sujet ou le citoyen par son rôle de propriétaire et le réduire ainsi à un simple agent économique ? Si l'état de nature comportait, comme la société civile, l'existence de la propriété familiale, c'était un état où régnait l'égalité comme nous l'avons vu plus haut. La société civile selon Locke, à l'instar de Hobbes, instaure et légitimise l'inégalité ; le fondement de cette inégalité repose sur la propriété.

Dans un écrit de jeunesse, *Constitutions fondamentales de la Caroline* (1669), Locke proposait cent vingt articles ou constitutions destinés à organiser le gouvernement idéal. Le système des Constitutions fondamentales mis en œuvre pendant quelques années en Amérique, se révéla vite anachronique et inapplicable mais illustre la pensée de Locke dans l'application qu'il en proposait.

La Caroline et sa terre appartenaient en propre à huit propriétaires qui concédaient néanmoins des droits d'usage à des tiers, moyennant le paiement d'une redevance. La province était divisée en comtés qui comportaient chacun un certain nombre de « seigneurs propriétaires ». L'articulation des mécanismes gouvernementaux correspondait rigoureusement à l'organisation des droits immobiliers. Ainsi la propriété créait le pouvoir politique. Les titres portés par les ministres de la Caroline : *palatin, landgrave, cacique, amiral, chambellan, connétable*, etc., correspondaient en fait à un certain patrimoine immobilier. Le caractère féodal du système était atténué par l'existence d'un parlement à chambre unique composé également de propriétaires. Les lois votées ne pouvaient être contestées que par un propriétaire. Divers articles statuaient sur l'esclavage qui survivait et sur la religion pour laquelle une certaine tolérance était admise.

Outre le fait que ce régime ne pouvait s'appliquer sur un continent où les espaces libres s'étendaient à perte de vue et rendaient anachronique un règlement sur la propriété, force est de constater que le système imaginé collectivement par Locke et quelques contemporains, introduisait dans une *société libérale* un système de castes fondamentalement et intrinsèquement *inégalitaire*.

• *Cristallisation de la pensée de Locke au cours de l'histoire*

Depuis la *Reformation* et la mainmise de Henry VIII sur l'Eglise, l'Angleterre a connu jusqu'à la *Glorious Revolution* de 1688 un siècle et demi de guerres civiles dont deux révolutions. Trois camps se sont disputé le pouvoir et ont fait tour à tour l'expérience du gouvernement :

• les papistes fidèles à Rome et partisans de l'absolutisme royal ;

• les puritains qui triomphèrent sous Cromwell et imposèrent une sorte de démocratie religieuse ;

• les anglicans tenant d'un christianisme national associant l'Eglise et le roi.

Le pouvoir qui triomphe en 1688 est le résultat d'une sorte de *compromis* historique entre des factions qui se sont longtemps entre-déchirées. Après la Révolution, la conception particulière que les Anglais ont du pouvoir politique, d'une monarchie constitutionnelle, il est vrai, mais fondamentalement inégalitaire, tend à se cristalliser et à fonder durablement le socle idéologique sur lequel ils penseront désormais le pouvoir. Etre *fair* devient le mode d'être contractuel. L'*inégalité* restera sous-jacente dans toute l'histoire sociale anglaise. La *liberté* sera assurée à tous et en premier lieu par l'*Habeas corpus*, pourvu que les règles de *fairness* et de l'inégalité soient acceptées.

La philosophie politique de Locke exprime complètement le compromis historique du XVIIIe siècle anglais et ses conséquences. Sa cristallisation dans la vie politique, la vie sociale et surtout dans le mode de pensée des citoyens, favorisée par les événements de la *Glorious Revolution* et l'arrivée d'un roi venu d'ailleurs, rendra pour longtemps les Anglais *amoureux de la liberté, indifférents à l'égalité et consensuels.* L'état d'équilibre qui s'instaurera alors favorisera un prodigieux développement de l'industrie et du commerce, privilégié par le *Bill of rights* de 1689 qui n'est pas celui des droits de l'homme mais celui des nantis.

Libérés du pouvoir absolutiste, alors que les Français sont encore soumis au bon vouloir de Louis XIV, ils seront les premiers en Europe à bénéficier de l'*Enlightenment*. Bien avant les Lumières, bien avant l'*Aufklärung*, les Anglais auront posé les bases de la société moderne :

« Tout prouve que les Anglais sont plus philosophes et plus hardis que nous. Il faut bien du temps pour qu'une certaine raison et un certain courage franchissent le Pas-de-Calais [1]. »

Il faudra encore un siècle à la France pour cristalliser la pensée de ses philosophes :

« La France accomplit en 1789 ce que l'Angleterre a achevé, ou croit avoir achevé, en 1689. Paradoxalement, ce retard implique un progrès : à plus d'un siècle de distance, on pousse les choses beaucoup plus loin [2]. »

De Montesquieu à Rousseau : l'évolution de la pensée française

Montesquieu (1689-1755) et Voltaire (1694-1778)

• *La fascination exercée par les penseurs anglais en France*

Ainsi au début du XVIIIe siècle français, les Lumières venaient-elles d'Angleterre et de ses penseurs. La liberté que les armées universalistes de la Grande Révolution allaient défendre sur les champs de bataille d'Europe, avait été acquise par les Anglais un siècle auparavant. C'est une véritable fascination que les philosophes anglais allaient exercer sur Montesquieu et sur Voltaire.

Cette fascination n'échappa pas aux Anglais eux-mêmes. Tawney, commentant l'évolution sociale de la société anglaise à la fin du XVIIe siècle et au début du XVIIIe siècle, disait :

« L'Angleterre géorgienne provoquait l'étonnement d'observateurs étrangers, tels Voltaire et Montesquieu, qui y voyaient le Paradis de la *bourgeoisie*, où le marchand prospère évinçait facilement les grands noms d'une aristocratie appauvrie [3]. »

1. Voltaire (1734) 1961.
2. François Poirier, 1996, p. 50.
3. Tawney, 1990, p. 208 (traduit par l'auteur).

Voltaire avoue lui-même sa filiation tout admirative :

> « Après tant de courses malheureuses, fatigué, harassé, honteux d'avoir cherché tant de vérité et d'avoir trouvé tant de chimères, je suis revenu à Locke, comme l'enfant prodigue qui retourne chez son père[1]. »

Et voici ce que Montesquieu disait des Anglais :

> « C'est le peuple du monde qui a le mieux su se prévaloir à la fois de trois grandes choses : la religion, le commerce et la liberté[2]. »

La référence au système politique anglais hérité de la *Glorious Revolution* et à la monarchie constitutionnelle est constante chez Montesquieu qui approfondit le principe de séparation des pouvoirs fondé par Locke.

• *L'homme et l'état de nature chez Montesquieu*

Très vite sa théorie du Contrat social envisage l'homme dans l'état de nature. Pour lui, « la paix serait la première loi naturelle[3] ». Ce faisant il est en désaccord avec Hobbes et critique ouvertement sa position :

> « Le désir que Hobbes donne d'abord aux hommes de se subjuguer les uns les autres, n'est pas raisonnable[4]. »

Dans cet état de nature le sentiment de faiblesse de l'homme se conjuguerait avec le sentiment de ses besoins, d'où son besoin de se nourrir. Son sentiment de faiblesse l'engage également à se rapprocher des autres hommes et s'augmente du *plaisir que l'autre sexe lui inspire*, le poussant ainsi au désir de vivre en société.

1. Voltaire (1766) 1961, p. 905.
2. Montesquieu (1748) 1951, p. 590.
3. Montesquieu (1748) 1995, p. 92.
4. *Ibid.*

• *Nécessité d'établir des lois*

Malheureusement, Montesquieu constate que :

> « Sitôt que les hommes sont en société, ils perdent le sentiment de leur faiblesse ; l'égalité, qui était entre eux, cesse, et l'état de guerre commence[1]. »

Il sera donc nécessaire d'établir des lois entre les hommes. Ces lois définissent le rapport que les peuples ont entre eux : *le droit des gens*, le rapport entre gouvernants et gouvernés : *le droit politique* et le rapport des citoyens entre eux : *le droit civil.*

Le pouvoir, que Montesquieu dénomme *force générale*, peut se trouver entre les mains d'un seul homme ou de plusieurs. La forme de gouvernement qui en résulte sera conforme à la géographie physique du pays et notamment à son climat.

• *Les formes de pouvoir*

Il existe trois formes principales de gouvernements fondés sur des principes différents : le républicain, le monarchique et le despotique. Le républicain est fondé sur la vertu, le monarchique sur l'honneur et le despotique sur la crainte.

• *Le gouvernement républicain.* D'autres paramètres, outre le climat, influencent le choix du régime constitutionnel, telles la nature du sol ou l'étendue du territoire. Ainsi un gouvernement démocratique, formé par un peuple organisé en corps, se rencontrera surtout sur les sols pauvres et souvent accidentés, dans des pays de faible étendue, chez des peuples vivant en climat froid ou tempéré, se livrant peu aux conquêtes et ne pratiquant que la

1. *Ibid.*, p. 93.

guerre défensive. Ces peuples vivant sous régime démocratique sont soumis aux valeurs d'égalité et de frugalité.

• *Le gouvernement monarchique* conviendra à des peuples vivant en climat tempéré, sur un sol fertile, dans une nation moyenne ou grande, cultivant comme valeurs essentielles, l'honneur et l'inégalité.

• *Le despotisme* sera observé dans les pays immenses, au climat excessif, au sol désertique peuplé d'hommes vivant dans la crainte et acceptant l'inégalité.

• *Vers un modèle de gouvernement aristocratique*

Montesquieu se sent proche du gouvernement aristocratique qui partage avec le gouvernement démocratique son organisation en république, c'est-à-dire le *commonwealth* décrit par Locke. Le gouvernement aristocratique lui semble idéal pour les nations de faible étendue, vivant dans un climat tempéré, sur un sol fertile, où la vertu essentielle du gouvernement, malgré l'inégalité des citoyens, est constituée par la modération.

Dans des pays régis par un tel gouvernement, les lois fondamentales sont acquises par un vote secret. Les jugements des tribunaux sont soumis à une forme légale ; ils fixent une proportionnalité entre les délits et les peines. L'esclavage y est inutile. Les impôts auxquels les nobles sont soumis doivent être établis sur les marchandises et se situer à un niveau élevé. Le commerce, nécessaire à l'économie, doit être interdit aux nobles, et les lois successorales, pour inégalitaires qu'elles soient, ne doivent pas l'être excessivement. L'éducation y est une affaire d'Etat. Il convient, dans le respect indispensable de la liberté, de limiter tout excès : des lois somptuaires doivent limiter le luxe. Le protestantisme est la religion du Nord tandis que le catholicisme est celle du Sud.

• *Le modèle anglais*

Dans cette longue énumération, on aura bien sûr reconnu la constitution d'Angleterre, qui, bien qu'organisée autour d'un monarque, correspond le mieux à ce modèle aristocratique. C'est le principe de séparation des pouvoirs qui prévaut dans le modèle anglais que Montesquieu décrit comme suit :

> « Il y a (...) trois sortes de pouvoir : la puissance législative, la puissance exécutrice des choses qui dépendent du droit des gens, et la puissance exécutrice de celles qui dépendent du droit civil.
>
> Par la première, le prince ou le magistrat fait des lois pour un temps ou pour toujours (...). Par la seconde, il fait la paix ou la guerre, envoie ou reçoit des ambassades, établit la sûreté, prévient les invasions. Par la troisième, il punit les crimes, ou juge les différends des particuliers[1]. »

La liberté des Anglais est donc établie par leurs lois, remarque Montesquieu qui ne prétend pas pour autant que le modèle de la constitution d'Angleterre soit le seul modèle politique possible, ni même que :

> « cette liberté politique extrême doive mortifier ceux qui n'en ont qu'une modérée. Comment dirais-je cela, moi qui crois que l'excès même de la raison n'est pas toujours désirable, et que *les hommes s'accommodent presque toujours mieux des milieux que des extrémités*[2] ? »

Au vu de l'importance attachée par Montesquieu à la constitution d'Angleterre à laquelle il consacre un chapitre entier et au vu de ses propos qui exaltent l'attitude de *compromis* que l'on rencontrera en permanence dans l'attitude anglaise, serait-il hasardeux de penser qu'une révolution politique qui serait survenue en France dans la

1. Montesquieu, *op. cit.*, p. 327.
2. *Ibid.*, p. 342.

première moitié du XVIIIe siècle, avant que Louis XV le « Bien-aimé » ne devienne le « Tant-haï », eût cristallisé la constitution, les lois, les mentalités et les façons de vivre des Français dans une idéologie politique qui eût beaucoup ressemblé à celle des Anglais ?

• *Le point de vue de Voltaire*

Ce ne serait certainement pas Voltaire qui s'y serait opposé, lui dont on a noté plus haut l'intensité de l'anglophilie. Ce chantre de la liberté de pensée et de la tolérance religieuse se trouvait bien dans son siècle et la façon de vivre très anglaise que son milieu social avait adoptée. Réfutant Rousseau et les nostalgiques d'un état de nature où les hommes vivaient ensemble dans l'harmonie, il écrivait :

> Regrettera qui veut le bon vieux temps et l'âge d'or,
> Et l'âge d'or et le règne d'Astrée
> et les beaux jours de Saturne et de Rhée,
> Et le jardin de nos premiers parents ;
> Moi ; je rends grâce à la Nature sage,
> qui, pour mon bien, m'a fait naître en cet âge
> Tant décrié par nos pauvres docteurs ;
> Le temps profane est tout fait pour mes mœurs.
> J'aime le luxe et même la mollesse
> Tous les plaisirs, les arts de toute espèce,
> La propreté, le goût, les ornements ;
> Tout honnête homme a de tels sentiments [1].

Voltaire le libéral ne remettait pas en cause ses investissements dans le commerce triangulaire et dans l'esclavage. Il n'attachait pas tant de prix à l'égalité : « Ce n'est pas l'inégalité qui est un malheur réel, c'est la dépendance [2]. » Autrement dit, pourvu qu'on soit libre de toute sujétion, peu importe que l'on se trouve au bas de l'échelle

1. Voltaire (1736) 1961, p. 203.
2. Voltaire (1764) 1967, p. 176.

sociale. L'inégalité ne justifiera pas une éventuelle révolution :

> « Chaque homme, dans le fond de son cœur, a le droit de se croire entièrement égal aux autres hommes ; il ne s'ensuit pas de là que le cuisinier d'un cardinal doive ordonner à son maître de lui faire à dîner ; (...) le cuisinier doit faire son devoir, ou toute société humaine est pervertie[1]. »

Avec Voltaire, c'est un monde intellectuel imprégné du modèle anglais qui se termine. Après une rupture épistémologique profonde, un nouveau modèle émerge qui sera le modèle français inauguré par Jean-Jacques Rousseau :

> « Avec Voltaire, c'est le monde ancien qui finit, avec Rousseau, c'est le monde nouveau qui commence[2]. »

Rousseau (1712-1778)

En plein siècle des Lumières, Jean-Jacques Rousseau, le nouvel homme, élève une violente protestation contre l'accumulation des richesses, contre le scientisme latent de ses contemporains philosophes. Plaçant l'homme au centre même des systèmes de pensée, ce qui fera dire à Kant : « Rousseau est le Newton du monde moral », il réalise en matière d'éducation, de droit et dans les institutions politiques et sociales, une véritable révolution copernicienne. Ecrivant en français, la langue « universelle » du XVIIIe siècle, il touchera, bien plus que Locke n'eût pu le faire, un public européen.

La société, selon Rousseau, devra assurer à l'homme — et en cela il ne fait que suivre Hobbes et Locke — sa sécurité tout en préservant sa liberté. Le bonheur sera chez les héros de *La Nouvelle Héloïse* comme chez les citoyens du *Contrat social*, le mobile qui poussera les hommes à

1. Voltaire, *ibid.*, p. 177.
2. Goethe. *In* Rousseau, 1966, p. 192.

quitter l'état de nature pour former une association. Quelle désillusion les attend à l'issue de cette transformation ! Retrouvant l'étonnement de La Boétie, Rousseau écrit :

> « L'homme est né libre, et partout il est dans les fers. (...) Comment ce changement s'est-il fait ? Je l'ignore. Qu'est-ce qui peut le rendre légitime ? Je crois pouvoir répondre à cette question[1]. »

• *La souveraineté du peuple*

Le nouveau Contrat social que les hommes passeront désormais entre eux devra éviter l'écueil qui transforme le *pactum societatis* en *pactum subjectionis*. Dans les anciennes doctrines du contrat, en effet, le peuple n'est souverain qu'un seul instant, celui où, précisément, il décide d'abandonner sa souveraineté pour la remettre entre les mains de ceux qu'on nomme habituellement souverains, ce qui le conduit aux fers.

Pour Rousseau, le peuple est souverain et le restera. Chaque homme, membre du souverain et sujet, dit la loi et y obéit. On trouve une forme d'anticipation des idées de Rousseau sur la permanence de la souveraineté de la communauté dans quelques passages du *Deuxième traité* de Locke :

> « La majorité investie du pouvoir entier de la communauté, peut user de ce pouvoir pour faire des lois pour la communauté et faire exécuter ces lois par des officiers nommés par elle ; alors la forme de gouvernement est une parfaite démocratie[2]. »

Rousseau qui, lui aussi, écrira une constitution, y accentuera, à la différence de Locke, la puissance de la population en comparaison avec celle des finances et de la propriété :

1. Rousseau (1762) 1966, p. 41.
2. Locke cité par Barker, 1976, p. XXVI.

> « La puissance qui vient de la population est plus réelle que celle qui vient des finances et produit plus sûrement son effet[1]. »

Dans le nouveau Contrat social, chacun s'engage à être membre du corps politique, mais tous abandonnent tout, c'est-à-dire leur prétendue liberté : celle de tuer, de piller, de contraindre ainsi que celle d'être tué, pillé ou contraint par quelqu'un de plus fort. La vraie liberté est réglée, certaine et la société nouvelle en devient le garant. Les biens ne sont plus une possession mais une propriété. Pour Rousseau, les termes à mettre en œuvre peuvent s'énoncer ainsi :

> « Trouver une forme d'association qui défende et protège de toute la force commune la personne et les biens de chaque associé, et par laquelle chacun s'unissant à tous n'obéisse pourtant qu'à lui-même et reste aussi libre qu'auparavant[2]. »

• *La loi, expression de la volonté générale*

Tout, dans la société nouvelle, s'organise autour de la notion de loi qui est réputée être l'expression de la volonté générale. La volonté est générale quand elle est raisonnable, elle est raisonnable quand, premièrement, son objet est lui-même général et, deuxièmement, quand elle pose un principe valable pour toute raison[3]. La volonté générale est infaillible puique la raison est infaillible devant l'évidence des principes. Rousseau, héritier de Descartes, affirme que *la raison est au monde la chose la mieux partagée*, du moins par les hommes éclairés. Il s'ensuit que la volonté de chacun peut être générale : je ne puis que vouloir la loi, si j'écoute ma propre raison, ayant fait taire mes passions. Obéissant à la loi, comme Socrate, je manifeste l'essence même de ma liberté, car, obéissant à

1. *Constitution pour la Corse. In* Rousseau (1765) 1991, p. 904.
2. Rousseau (1762) 1966, p. 51.
3. On n'oublie pas que Rousseau est contemporain de Kant.

la loi, je n'obéis en fait qu'à moi-même. Il peut m'arriver, bien entendu, d'être déraisonnable, il importe donc qu'on me contraigne à être libre, c'est-à-dire à obéir à la raison.

• *Volonté générale ne signifie pas volonté de tous*

On ne confondra pas la volonté générale avec la volonté de tous, laquelle n'est en somme que l'addition des volontés particulières éventuellement soumises aux passions :

> « Il y a souvent bien de la différence entre la volonté de tous et la volonté générale ; celle-ci ne regarde qu'à l'intérêt commun, l'autre regarde à l'intérêt privé, et n'est qu'une somme de volontés particulières [1]. »

Le vote à la majorité n'est donc qu'un moyen commode de présumer la volonté générale et il est logique que la minorité s'incline devant la majorité. Il faut toutefois prendre garde, car il suffit que les passions s'en mêlent pour que la loi de la majorité ne soit plus que la loi du nombre et en aucune manière la loi générale : « Alors il n'y a plus de volonté générale, et l'avis qui l'emporte n'est qu'un avis particulier [2]. »

• *Justice de la loi générale*

La loi générale est juste et s'applique également à tous. Il n'existe plus, comme chez Locke ou chez Montesquieu, une aristocratie de naissance ou de propriété qui distingue certains citoyens parmi la masse des autres. La valeur égalité est hypostasiée et elle est considérée chez Rousseau comme une entité fictive. Elle permet aux citoyens éclairés d'être semblables aux philosophes échappés de la caverne [3]. Mais Rousseau en souligne la difficulté :

1. Rousseau, *ibid.*, p. 66.
2. *Ibid.*, p. 67.
3. Platon, *La République*.

> « Les sages qui veulent parler au vulgaire leur langage au lieu du sien n'en sauraient être entendus. Or il y a mille sortes d'idées qu'il est impossible de traduire dans la langue du peuple [1]. »

Il faut à ces citoyens subir la lente maturation de la dialectique ascendante.

Il arrive même que le peuple soit rebelle envers de bonnes lois :

> « Les peuples ainsi que les hommes ne sont dociles que dans leur jeunesse, ils deviennent incorrigibles en vieillissant ; quand une fois les coutumes sont établies et les préjugés enracinés, c'est une entreprise dangereuse et vaine de vouloir les réformer ; le peuple ne peut pas même souffrir qu'on touche à ses maux pour les détruire, semblable à ces malades stupides et sans courage qui frémissent à l'aspect du médecin [2]. »

• *Les limites de la loi générale*

Si la loi s'applique à tous, elle ne peut opprimer et ne peut rien ordonner contre la liberté inaliénable de l'homme raisonnable ; elle peut tout juste la limiter dans la mesure où il y va de l'intérêt général entre l'intérêt d'un individu, d'un groupe de pression ou d'un parti. Dans la cité idéale, une, dans sa volonté et dans l'expression légale de sa volonté, il ne saurait exister de factions.

Se voulant réaliste, Rousseau concède toutefois que la cité idéale doit être de taille limitée afin d'éviter de rassembler trop d'intérêts divergents. Au-delà de la cité, d'autres cités coexistent avec elle dans l'état de nature, comme coexistaient dans ce même état les souverains tyrans de Hobbes. Il ne saurait y avoir de contrat social universel valable entre les cités, seulement des règles d'hospitalité. L'amour de ses prochains, contrairement à l'utopie du bon abbé Bernardin de Saint-Pierre [3], est fina-

1. Rousseau, *op. cit.*, p. 79.
2. *Ibid.*, p. 81.
3. Cf. *Paul et Virginie*, 1787.

lement limité à ses concitoyens. Mieux vaut une société petite et homogène, qu'une société hétérogène, nous dirions maintenant communautariste et multiculturelle.

• *La religion*

La religion, de même que la loi générale, ne peut opprimer. Puisqu'elle est l'émanation d'une raison qui affirme un Dieu auteur et gardien de tout ordre, en particulier moral, donc civique, puisqu'elle conforte l'homme dans son devoir, elle est la garantie du caractère sacré du Contrat social. L'adhésion d'un athée au Contrat social serait sans garantie, puisque sa morale est sans fondement :

> « Il y a donc une profession de foi purement civile dont il appartient au souverain de fixer les articles, non pas précisément comme dogmes de religion, mais comme sentiments de sociabilité, sans lesquels il est impossible d'être bon citoyen ni sujet fidèle. Sans pouvoir obliger personne à les croire, il peut bannir de l'Etat quiconque ne les croit pas ; il peut le bannir, non comme impie, mais comme insociable[1]. »

La religion naturelle, celle du « vicaire savoyard », sera donc la religion statutaire de la cité.

• *L'influence de Rousseau sur la Révolution*

La Révolution surviendra trente-six ans après la dissertation de Rousseau[2] sur le sujet donné par l'Académie de Dijon : *Quelle est l'origine de l'inégalité des hommes et si elle est autorisée par la loi naturelle,* et vingt-sept ans après la parution du *Contrat social.* On sait l'influence déterminante que Rousseau exerça sur les révolutionnaires. Dès juillet 1790[3], son buste était promené triom-

---

1. *Ibid.*, p. 179.
2. La méditation de Rousseau sur ce sujet de dissertation produira un discours qui sera le point de départ de son œuvre politique.
3. Chronologie. *In* Rousseau, *ibid.*, p. 12.

phalement dans Paris ; en décembre 1791, l'Assemblée constituante votait l'érection d'une statue et l'attribution d'une pension pour sa veuve. Les conventionnels redoublèrent de révérence : le 7 mai 1794, la Convention reconnaissait, par décret, l'existence de Dieu, les sanctions de la vie future et l'immortalité de l'âme ; les 9 et 11 octobre de la même année, les restes de Rousseau étaient solennellement transférés d'Ermenonville au Panthéon.

Le peuple n'était pas en reste : Jean-Jacques, représenté en sage revêtu d'une toge grecque et le *Contrat social* à la main, remplaçait le roi de trèfle des cartes à jouer.

L'égalité était inscrite dans la Déclaration des droits de l'homme : « Les hommes naissent libres et égaux entre eux », et donnait naissance à la conjuration des Egaux. Robespierre pouvait installer pour un temps *le despotisme et la liberté*, ériger l'universalisme et l'anticommunautarisme en mode de fonctionnement des mentalités françaises : on pense à l'écrasement des tentatives de fédération et des particularismes vendéens, bordelais et normands. La République, réputée une et indivisible, adonnée au culte de l'Etre Suprême, mettait en œuvre le dessein de la Raison qui abolissait l'esclavage dans les colonies françaises (16 pluviôse 1794), imposait un emprunt forcé sur les riches (20 mai 1793), mais aussi tentait d'imposer, par les guerres révolutionnaires, son idéologie au reste de l'Europe.

• *Cristallisation des idées de Rousseau*

La Révolution française cristallisait dans les mentalités françaises la philosophie politique et l'organisation sociale de Jean-Jacques Rousseau, tout comme la Révolution anglaise avait cristallisé, un siècle auparavant, la philosophie politique de Locke. A un siècle d'écart, les philosophes anglais et français voyaient leur pensée inscrite — de manière non écrite dans le cas anglais — dans la loi fondamentale de leurs nations respectives. Nous avons vu que l'opposition entre les uns et les autres n'était en aucun cas absolue et qu'une intégration dialectique, c'est-à-dire synthétique, avait permis aux Français, en retard sur les Anglais, d'ajouter la valeur d'égalité à la valeur de liberté. La cristallisation plus précoce des nouvelles institutions anglaises leur permettait en revanche d'échapper à la déification de la Raison génératrice d'intolérance et de refus des différences.

Si la philosophie politique et sociale de Locke convenait à des propriétaires prospères et indifférents aux autres classes sociales, celle de Rousseau nourrissait les fantasmes dictatoriaux des conventionnels. Elle a pu être accusée, sans doute abusivement, de constituer une origine lointaine des théories totalitaires, notamment communistes et staliniennes, contredisant paradoxalement l'indignation initiale de La Boétie : qu'est-ce qui pousse les hommes à s'asservir à d'autres hommes ?

— LE PRISME DE LA MÉMOIRE —

Tout en rappelant les limites des systèmes explicatifs déterministes et généralisants, le lecteur conviendra qu'il serait difficile pour le chercheur et le voyageur interculturel de ne pas en reconnaître le précieux éclairage sur l'histoire des idées des deux peuples. L'approche anthropologique, religieuse, ethno-psychologique* et philosophique des idéologies anglaises et françaises dans le domaine de l'exercice du pouvoir et de la relation hiérarchique, permet de mettre en lumière un certain nombre de valeurs, parfois contradictoires, souvent convergentes, qui formeraient l'*habitus* de chacune des deux nations. Ce corpus de valeurs, fonds commun d'évidences, a été étudié dans une spirale dialectique franco-anglaise et permet de définir, grâce à une cristallisation de ces valeurs, survenue à un siècle de distance, un socle idéologique différent pour les deux pays.

L'éclairage anthropologique souligne le lien entre la catégorie famille nucléaire égalitaire en France et les idéaux de liberté et égalité, tandis que la famille nucléaire absolue en Angleterre encourage la primauté de l'idéal de liberté sur celui d'égalité en stimulant l'individualisme et le désir d'autonomie. Ces idéaux trouvent un prolongement dans les valeurs impliquées par le catholicisme d'une part, et les valeurs du protestantisme d'autre part, où l'image de l'inégalité des hommes face à Dieu et au salut, est reflétée dans la situation d'inégalité des frères de la famille terrestre anglaise.

Comment ne pas mettre en correspondance ces mêmes idéaux avec le cortège d'attitudes et de comportements que nous avons repérés dans le monde du travail et des relations humaines ? C'est ainsi que, côté anglais, ont été soulignées l'inégalité des classes sociales et l'indifférence vis-à-vis des religions ou ethnies dans un système où chacun reste à sa place avec « la cravate » qui convient. L'inégalité des frères entre eux qui les conduisait à chercher fortune ailleurs se traduit à notre époque par une mobilité professionnelle plus importante qu'en France et une organisation pragmatique du travail.

Les Français, attachés à un idéal universel de liberté et d'égalité, se sentent de leur côté investis d'une supériorité morale qui les conduit à vouloir exporter cet idéal au risque de passer pour conquérants, dominateurs et arrogants, stéréotypisation qui perdure dans les relations de travail qu'ils entretiennent avec leurs homologues anglais.

On voit chez ces mêmes Français se profiler, à travers la querelle mythique entre Francs et Gaulois, le même idéal de liberté, d'égalité et de fierté, tandis que les

Anglais seront très tôt conduits à investir le concept de compromis entre races et langues dont aucune ne peut être durablement perçue comme supérieure.

A la lumière de l'éclairage religieux, il a été observé que la morale pragmatique des sectes protestantes : « bien faire sa besogne », se prêtait davantage à la montée du capitalisme. Il importe donc, encore aujourd'hui, de rationaliser l'organisation des tâches et du temps de travail et d'assumer son métier du mieux possible, ce qui n'est pas en contradiction avec une plus grande mobilité professionnelle, en fonction de la rémunération proposée. Souvenez-vous, à ce propos, de l'étonnement que les Français peu mobiles au cours de leur carrière professionnelle provoquait chez leurs homologues anglais. Vous aurez noté également, combien cette attitude morale qui mène au pragmatisme, pouvait heurter les conceptions françaises dans les relations de travail. Une morale pragmatique de rigueur, qui encourage à se donner à sa tâche, se trouve en contradiction avec les relations interpersonnelles qu'aiment à privilégier les Français, dont le temps de travail n'est pas soumis à la même discipline d'organisation et se prolonge souvent tard le soir. L'héritage de la morale catholique éloigne aussi les Français d'une réussite matérielle et professionnelle affichée.

Si l'éclairage tant anthropologique que religieux ou ethno-psychologique apporte des éléments non négligeables et complémentaires dans la construction du socle idéologique de chacun des groupes en présence, la perspective philosophique complète encore ce profil en montrant comment la richesse du dialogue entre philosophes anglais et français pendant deux siècles, a contribué à forger les concepts de pouvoir, de liberté et d'égalité.

La France, enfermée dans une logique curiale, qui se perpétue jusqu'à nos jours chez certains grands patrons, favorise une autorité de pouvoir hiérarchique centralisée et organisée autour de son moteur premier, ce pouvoir étant exercé au nom du peuple qui, selon La Boétie, a accepté de s'asservir à son maître. La Boétie sera le premier à ouvrir le dialogue idéologique en mettant l'accent sur le lien entre égalité et liberté, une égalité naturelle entre les hommes qui serait le fondement de la liberté et devrait les conduire à ne pas se laisser asservir.

Le dialogue idéologique se poursuit avec Hobbes qui ouvre l'ère du Contrat social. Pour lui, les hommes sont égaux à l'état de nature mais ne peuvent survivre dans cet état qui suscite désordre et instabilité. C'est donc l'inégalité qui serait le garant d'un ordre stable, inégalité qui restera incontestée chez les philosophes du Contrat social jusqu'à Rousseau. C'est cette même inégalité que l'on retrouve en écho dans la hiérarchisation de la société anglaise et des classes professionnelles.

La désignation d'un souverain tout-puissant (*pactum subjectionis*) est la conséquence logique de cette inégalité, en accord parfait avec l'absolutisme français et les efforts du jeune roi Louis XIV pour asseoir son pouvoir en France, à l'époque où Hobbes, en exil à Paris, rédigeait le *Léviathan*. Mais c'est aussi le droit de résistance, une première version de l'*Habeas corpus*, qui découle de la conception du pouvoir de Hobbes, puisque le but du Contrat social qu'il promeut est celui de la sécurité de chacun.

Locke s'élèvera contre une conception du pouvoir où les sujets sont soumis à l'autorité primordiale d'un père et où le peuple ne peut gouverner ou choisir ses gouvernants, modèle justifié par Hobbes et défendu à l'époque par les rois Stuarts en Angleterre et Louis XIV en France. Pour Locke, tout part de l'état de nature, où les hommes sont libres et indépendants et par conséquent égaux. Dans cet état de nature, le principe de la propriété résulte du travail et les hommes vont s'unir pour former une société (*pac-*

tum societatis) qui leur permettra de tirer bénéfice de cette organisation et jouir paisiblement de leur propriété. Ce droit à la propriété contribue au fondement de l'inégalité et la légitimise.

La distinction entre pouvoir exécutif et pouvoir législatif s'appliquera entre le roi et le Parlement sur le mode du *gentleman's agreement*, où le principe de *fairness* sera de mise, même si les lois n'ont pas été écrites. On ne peut s'empêcher de relier ce fonctionnement à la tradition orale des institutions anglaises et à la fiabilité dans les relations de travail de l'engagement oral anglais, une fois qu'il a été acquis. Cette conception du pouvoir où le roi règne et le Parlement gouverne évoque également la dissociation au travail entre position hiérarchique et l'échelle de degré d'imposition des décisions.

Fairness, inégalité, *Habeas corpus*, la philosophie de Locke illustre le compromis historique du XVIIIe siècle et ses conséquences. La cristallisation des idées de Locke contribuera à fonder les idéaux de liberté, de consensus et d'indifférence à l'égalité chez les Anglais. Les relations de travail nous offrent une illustration de ces idéaux à travers le désir d'autonomie et la quête de la décision par consensus.

Malgré l'admiration de Montesquieu et de Voltaire pour Locke, il faudra un siècle de plus à la France pour forger et cristalliser la pensée de ses philosophes. Si les Anglais semblent avoir une avance et avoir bénéficié plus tôt de l'*Enlightenment*, les Français iront plus loin dans leur réflexion avec Rousseau. En accord avec Hobbes et Locke sur le devoir pour la société d'assurer la sécurité de l'homme et de préserver sa liberté, il s'en démarquera par l'originalité du Contrat social qu'il propose que les hommes passent entre eux. Le peuple est souverain et le reste : le *pactum societatis* ne se transforme pas en *pactum subjectionis*. Cette société nouvelle s'organise autour de la loi, expression de la volonté générale qui est juste et s'applique à tous, sans distinction de statut social. Les idées de liberté et d'universalisme de Rousseau se trouveront cristallisées dans l'imaginaire de la Révolution française et la pensée du philosophe sera inscrite, de manière écrite, dans la Déclaration des droits de l'homme. Les Français, à un siècle de distance, ajouteront la valeur d'égalité à celle de liberté, progrès à double tranchant, puisque la valeur d'égalité pourra les mener jusqu'à l'intolérance et au refus des différences, et à l'exportation forcée de valeurs qu'ils jugent universelles. Vous aurez sans doute reconnu dans cette dernière description l'exacerbation d'un idéal qui peut aussi être source d'incompréhension et de conflit dans la coopération franco-anglaise en entreprise, d'autant plus que l'exacerbation de l'idéal d'égalité se conjugue avec une dialectique de révolte contre l'autorité à laquelle on se soumet tout en la contestant.

Un pouvoir reconnu, fondé sur l'inégalité des fonctions et des tâches, mais avec recherche de consensus dans la quête de la décision côté anglais, sera en contradiction avec un pouvoir fort, tantôt accepté, tantôt rejeté, dans un rapport conflictuel de soumission et de désobéissance caractéristique des Français, et qui sera incompréhensible aux Anglais, notamment lors de la recherche d'une décision ou d'une solution, où la liberté française ne doit pas être mise en péril, mais où l'on se soumet finalement à la parole ultime du chef.

Le socle idéologique que j'ai tenté de définir ne sera néanmoins qu'un *habitus* différencié, sorte d'humus sur lequel se développeront plusieurs phénomènes à l'époque contemporaine qui, tantôt confirmeront, tantôt infirmeront ou atténueront les différences. En effet comme le souligne Bourdieu, l'*habitus* n'est pas seulement tout ce que l'on a acquis historiquement et il doit être distingué de l'habitude considérée comme reproductrice plutôt que productrice :

> « L'*habitus* est quelque chose de puissamment générateur (...) c'est une espèce de machine transformatrice qui fait que nous "reproduisons" les conditions sociales de notre propre production, mais d'une façon relativement imprévisible [1]. »

Les interactions décrites entre les idéologies françaises et anglaises illustrent bien ces formes de production imprévisibles et également la manière dont l'*habitus*, tout en étant produit de l'histoire, est le plus souvent en décalage avec le temps des événements historiques :

> « L'*habitus* est un principe d'invention qui, produit par l'histoire, est relativement arraché à l'histoire : les dispositions sont durables, ce qui entraîne toutes sortes d'effets d'hysteresis (de retard, de décalage...) [2]. »

Les propos de Pierre Nora font écho à ceux tenus sur l'*habitus* par Bourdieu ; Nora insiste sur l'état provisoire de la réflexion historique : « C'est le propre de la mémoire de ne s'incarner qu'un moment dans un lieu. » Il importe donc de nuancer les résultats de l'étude en considérant que l'*habitus* est symbolisé par des « lieux de mémoire » dont le contenu et même l'origine sont très souvent fantasmatiques. Ainsi en est-il, par exemple, de la devise républicaine « Liberté, Egalité, Fraternité » qui a associé la notion de fraternité à celle de liberté et égalité dont nous avons analysé la genèse dans toute l'étude diachronique. Mona Ozouf souligne combien les Français sont devenus plus sensibles à la vertu de signalisation de ces trois mots qu'à leur poids de signification :

> « Fronton des mairies, revers des médailles, étamine des drapeaux, filigrane des papiers officiels : dans la pierre, le bronze,

1. Bourdieu, 1984, p. 134.
2. Bourdieu, *ibid.*, p. 135.

l'étoffe, le parchemin, on les voit partout, l'une suivant l'autre, la liberté, l'égalité, la fraternité. On les entend aussi, aux distributions des prix, aux réceptions académiques, dans la solennité des assemblées ou la chaleur des banquets, signal des toasts et des vivats. Mais précisément : les voyons-nous vraiment, les entendons-nous encore, ces trois mots obsédants de notre vie publique ? (...) Liberté, Egalité, Fraternité : c'est un indicatif, davantage qu'un impératif ; un état des lieux, davantage qu'un problème ; une évidence, non un tourment [1]. »

Attribuée fictivement à la Révolution, la devise ne s'est en fait dégagée que progressivement, au cours du XIXe siècle, de l'inconscient révolutionnaire. C'est surtout dans les débuts de la IIIe République — la réalité étant décalée d'un siècle par rapport à l'origine fantasmatique — qu'elle s'imposa et supplanta ses rivales. L'école laïque y trouva matière à asseoir sa légitimité face à l'école confessionnelle. Les études historiques, alors remises à l'honneur sous le patronage lointain de Michelet, situèrent à la Révolution le centre de gravité de l'histoire de France. La forte devise y trouva ses origines. On en trouve l'illustration jusque dans les manuels scolaires élémentaires, tel le « Petit Lavisse » commenté par Nora [2]. Les manuels d'instruction civique contribueront à l'indissociabilité des trois termes de la devise :

> « Aux écoliers français, Paul Bert souhaite expliquer le sens des trois mots que le tailleur de pierres vient graver au portail de l'école neuve. Il insiste sur la nécessité de ne jamais les séparer, et le dit en termes efficaces : "Si vous enlevez l'un des trois mots, cela ne marche plus. Sans la liberté, l'égalité peut être le plus abominable des esclavages, car tout le monde est égal sous un tyran. Sans la fraternité, la liberté conduit à l'égoïsme [3]." »

De même, en examinant les « lieux de mémoire » anglais, il conviendra de considérer la genèse de l'indiffé-

1. Ozouf, 1997, p. 4353.
2. Nora, 1997, p. 239 *sq.*
3. Ozouf, *op. cit.*, p. 4381.

rence à l'inégalité avec prudence. L'étude du déclin de l'aristocratie britannique par David Cannadine illustre, là encore, l'ancrage fantasmatique d'une division aristocratique de la société anglaise qui se serait perpétuée et aurait, par contagion, gagné l'environnement professionnel :

> « Il est indiscutable qu'il y a eu des éléments de continuité et de survivance dans l'histoire des classes patriciennes britanniques depuis les années 1880. Mais si l'on considère cette période dans son ensemble, les changements l'emportent de façon écrasante sur les continuités, cinq siècles d'histoire et d'hégémonie aristocratiques ayant été irrévocablement renversés en moins de cent ans[1]. »

Cannadine poursuit sa démonstration en étudiant la dispersion des riches propriétés terriennes :

> « Le témoignage le plus frappant de ce changement de conditions et d'attitudes fut la rapidité et la détermination avec lesquelles de nombreux propriétaires vendirent tout ou partie de leurs propriétés, renversant brutalement le processus séculaire d'accumulation de terres qui avait atteint son apogée durant le troisième quart du XIXe siècle[2]. »

En parallèle à la dilution de la propriété, on assistera à l'éclipse de l'aristocratie dans la classe gouvernante :

> « Lorsque Lord Palmerston, alors Premier ministre, envisagea de confier la charge de sous-secrétaire d'état au Marquis de Hartington, il écrivit à son père, le Duc de Devonshire, pour solliciter ses conseils et son assentiment. Les "jeunes gens", expliquait Palmerston, "qui appartiennent à la haute aristocratie, devraient prendre part à la conduite des affaires publiques et ne devraient pas abandonner l'œuvre de notre machine politique à des classes dont les occupations et les intérêts sont d'un autre ordre". Pendant la plus grande partie du XIXe siècle, ce fut exactement ce que firent ces jeunes aristocrates. Cependant, dans les années 1930, ceux-ci avaient depuis longtemps cessé de pouvoir gouver-

1. Cannadine, 1990, p. 5 (traduit par l'auteur).
2. *Ibid.*, p. 103.

ner pour eux-mêmes et par eux-mêmes, et c'étaient justement ces "classes dont les occupations et les intérêts étaient d'un autre ordre" qui avaient pris le pouvoir[1]. »

Cannadine notera toutefois la spécificité du déclin de l'aristocratie britannique, comparé au caractère révolutionnaire du déclin de l'aristocratie dans la société européenne, rejoignant ainsi les observations que j'ai présentées plus haut sur le caractère « raisonnable » et consensuel de la société anglaise :

> « Considérée dans une perspective européenne élargie, la caractéristique la plus révélatrice du déclin et de la chute de l'aristocratie britannique réside dans sa nature essentiellement modérée et non violente. Les titres héréditaires n'ont pas été abandonnés comme on a pu le voir en France, en Allemagne, en Autriche et en Russie. Il n'y a pas eu de réforme agraire. A la différence de toutes les autres grandes aristocraties européennes, les patriciens britanniques n'ont pas été les victimes d'une guerre civile, d'une invasion armée, d'une révolution prolétarienne ou d'une défaite militaire. En parfait accord avec leurs convictions whigs sur le passé britannique, la plus puissante aristocratie du milieu du XIXe siècle s'éteignit doucement et convenablement, sans un bruit ni un soupir[2]. »

La genèse des idéologies françaises et anglaises, bien que relativisée et considérée avec prudence dans la perspective d'un enchaînement générateur de l'*habitus*, décrit par Bourdieu, et de l'état provisoire de la réflexion historique, énoncé par Nora, illustre bien la richesse des interactions et du dialogue entre ces deux peuples européens qui se rapprochent jusqu'à parfois partager leurs idéaux[3], avant de diverger et suivre chacun leur chemin jusqu'au prochain carrefour qui les fera à nouveau se rencontrer.

Il conviendra donc de considérer la vision des compor-

1. *Ibid.*, p. 234.
2. *Ibid.*, p. 703.
3. Hobbes et Louis XIV ; Locke, Montesquieu et Voltaire, par exemple.

tements et attitudes des deux groupes en interaction professionnelle, comme une photographie à un moment donné de leur histoire qui pourra évoluer de manière convergente ou divergente, au gré des cristallisations nouvelles ou contaminations réciproques qui seront susceptibles de se produire.

Le chapitre suivant qui traite des stratégies se doit de prendre en compte que l'enchaînement générateur de l'*habitus* de chacun des groupes et de leur *habitus* d'interaction est facteur d'influence et de perpétuel changement ou évolution. Ainsi les stratégies proposées aujourd'hui n'auront de valeur que dans une application temporaire liée à la situation d'interaction présente. Il est temps de redonner la parole à nos informateurs dans ce dernier chapitre, considérant qu'ils sont, en tant qu'acteurs de cette interaction, les conseillers les plus avisés et les mieux placés pour nous accompagner dans la recherche et l'approche de solutions.

CHAPITRE 5

Retour de voyage

On disoit à Socrates que quelqu'un ne s'estoit aucunement amendé en son voyage : je croy bien, dit-il, il s'estoit emporté avecques soy.

Montaigne.

Notre voyage interculturel nous a permis dans un premier temps de contraster les attitudes langagières et comportementales des Anglais et des Français. Cette opposition était mise en relief par les acteurs de la communication eux-mêmes et permettait de repérer les aires de frustration et de malentendus possibles entre les deux groupes en présence. Le sentiment d'étrangeté et de différence est le plus souvent à l'origine de ces malentendus. L'autre, dans un premier temps, n'est appréhendé qu'à travers ses différences ; il est perçu comme « déviant » car il ne correspond pas à la norme du premier locuteur, à son *habitus*. Cette représentation de l'autre comme « déviant », a été identifiée comme un jugement ethnocentrique et reste au cœur des difficultés relationnelles entre Anglais et Français.

La suite de notre voyage nous a entraînés dans l'exploration de la mémoire des peuples anglais et français et nous a permis de constater que les deux cultures en présence ont montré, au cours de leur histoire, nombre de similitudes et d'interactions, parfois décalées dans le temps, mais qui témoignent de possibilités de rapprochement et, pourquoi pas, de réussite dans les échanges.

Une fois dépassé le stade de l'ethnocentrisme*, certains des interactants ont manifesté un désir de compréhension et de rapprochement de leurs interlocuteurs. Ils proposent ou suggèrent eux-mêmes des stratégies ou solutions qui sont susceptibles de conduire à une amélioration, voire à un succès des interactions. Au-delà des différences, il est possible de trouver, tant au niveau individuel, qu'à un niveau plus général, des similitudes ou des complémentarités qui permettront aux deux groupes d'avancer sur la voie de la coopération.

— STRATÉGIES D'APPROCHE DE LA LANGUE —

Code-switching et language mix**

Nous l'avons déjà noté, le *code-switching** est reconnu comme étant une aide précieuse lorsqu'il y a risque d'incompréhension purement linguistique. Virginie n'hésite pas à y avoir recours quand elle ne se sent pas sûre d'elle et doit traiter un courrier important :

« Si je dois écrire quelque chose de très important, je l'écris en français, je ne l'écris pas en anglais. Si c'est un truc ou une remarque importante ou un message dont je veux qu'il soit très clair, je préfère l'écrire en français comme ça, je me dis, eux, ils traduiront, mais au moins le mot que j'ai voulu utiliser est là. »

Cette même stratégie associée au *language mix** est adoptée pour les échanges téléphoniques, comme en témoigne Kathryn :

« Votre collègue français vous parle-t-il français ou anglais ?

— Nous parlons les deux. C'est un genre de mélange et d'ajustement. En fait, la plupart de sa formation s'est effectuée au Royaume-Uni, ce qui fait qu'il y a un grand nombre de termes professionnels qu'il a appris en anglais et dont il ne connaît pas l'équivalent en français. Alors nous, on a tendance à jongler avec un tas de mots anglais dans la conversation, ça fait un mélange des deux langues... Mais je me suis rendu compte que lorsque quelque chose le contrariait, son anglais était moins bon, alors on se mettait à parler français. »

Ces stratégies restent toutefois des stratégies individuelles qui offrent une certaine souplesse, en fonction des aptitudes de chacun, et qui s'appuient sur l'intercompréhension des interactants.

Glossaire

Lorsque les deux locuteurs en interaction n'ont pas les compétences requises pour clarifier un point du lexique, un glossaire des termes techniques usuels (assortis d'un descriptif) pour une entreprise donnée peut apporter une aide précieuse, à condition qu'il soit suffisamment détaillé, conçu pour une interaction entre deux cultures données et qu'il soit périodiquement réactualisé. Tom explique :

« En fin de compte, on s'est aperçu que les manuels techniques qu'on utilisait n'étaient pas aussi complets qu'on l'aurait souhaité, comme par exemple celui qu'on utilisait pour la Suède. Quand on ne trouvait pas certains détails dans le manuel technique, on essayait de s'expliquer au téléphone, sans pouvoir faire référence à telle ou telle page, ou tel ou tel article du manuel. Enfin, les

manuels se sont améliorés au fil des années. On y arrive doucement. »

Dans ce cas précis, la prise de conscience du degré de cohérence différent de la traduction d'un même terme ou message technique dans des cultures différentes, se fait très lentement et n'est pas sans rappeler les difficultés rencontrées par les publicistes dans la rédaction et traduction de leurs messages publicitaires. C'est la prise en compte de ce que Blum-Kulka[1] nomme *shifts in coherence in translation* (déplacement de cohérence en traduction) qui permet par exemple à Air Canada de rédiger deux versions d'un même message publicitaire à destination respectivement de sa clientèle anglophone et francophone, ou qui permet à d'autres annonceurs d'éviter les bourdes énormes dues à une traduction mot à mot et qui ont fait date dans l'histoire de la publicité. Je rappellerai la transformation désastreuse de *Body by Fisher* (*body* = corps / carosserie) en *Corpse by Fischer* (*corpse* = cadavre) dans une publicité automobile en flamand[2], ainsi que toutes les variations imaginables sur la traduction de *hair* (poil / cheveu).

Mais on peut citer également les deux versions réussies d'une même publicité pour un carburant :

Put a tiger in your tank (mettez un tigre dans votre réservoir).

Mettez un tigre dans votre moteur.

Réservoir ou moteur, peu importe sans doute l'endroit exact où se trouve le tigre, mais l'imaginaire, qui relaie ici la cohérence de traduction, semble se révéler plus important que la raison.

1. Blum-Kulka, 1986, p. 17.
2. Axtell, 1990, p. 118.

« Eurospeak »

A un niveau plus général, lorsque le management a pris conscience des difficultés liées à la langue, on rencontre des initiatives intéressantes. Dans le cas d'une entreprise binationale, la volonté de trouver un terrain d'entente a conduit à adopter un lexique qui emprunte soit à l'anglais, soit au français, le terme le plus adapté pour désigner l'objet ou le poste que l'on veut nommer. Ainsi, Tony donne l'exemple d'un terme français qui a été choisi de préférence au terme anglais :

« "Chef de chantier", par exemple, celui qui est en charge de la surveillance d'un chantier, on utilise ce mot couramment, on n'utilise pas d'équivalent anglais, c'est "chef de chantier" qu'on utilise. »

Interrogé sur l'absence d'un équivalent dans le lexique anglais, Tony souligne la différence entre traduction et équivalent, et la non-nécessité de traduire lorsqu'un terme parfaitement adapté existe dans l'une des deux langues :

« Diriez-vous qu'il n'y a pas d'équivalent en anglais pour "chef de chantier" ?

— Vous abordez un point intéressant, parce que vous parlez d'équivalent et non de traduction. On dirait "worksite supervisor" ou "foreman", mais le "chef de chantier", littéralement "head of site" est un mot parfait, un terme parfait dans le sens où on l'utilise, quelqu'un qui s'occupe d'un chantier particulier ; on n'a pas besoin de traduire. »

D'une certaine façon, la stratégie privilégiée dans cette entreprise mêle astucieusement culture d'entreprise et intercommunication linguistique, et conduit à développer une forme de langue que Tony dénomme *Eurospeak* mais qui, du fait de sa spécificité lexicale, ne peut être comprise que des initiés, c'est-à-dire des salariés de l'entreprise dans un département bien délimité :

« Nous avons développé une sorte d'Eurospeak, une sorte de "franglais", ni français, ni anglais, et il y a une terminologie qui est presque devenue une langue internationale chez nous. »

Comme le souligne Tony, ce type de stratégie, au risque de choquer les institutions françaises, notamment l'Académie française, favorise la communication aux dépens de la correction de la langue :

« Je suis sûr que votre institution culturelle à Paris serait des plus choquées, mais je crains qu'ici, nous n'assassinions la langue anglaise et la langue française pour trouver un terrain d'entente ; parce que ce que nous recherchons, c'est la communication. Que la grammaire, la grammaire française ou la grammaire anglaise, soit correcte, que l'accent soit correct, tout cela n'a vraiment pas d'importance. »

Cette attitude pose un problème délicat aux Français et aux enseignants français de langue étrangère, pour qui une importance égale est accordée aux compétences de compréhension et de production langagières. Il semble que l'attachement à l'hypercorrection[1] de la langue que l'on apprend, soit bien ancré dans les mentalités et les méthodes d'enseignement françaises. Nous avons souligné[2] que la performance linguistique* n'était pas forcément synonyme de compréhension entre cultures. Si performance linguistique* et hypercorrection ne mènent pas à la compréhension interculturelle, ne faudrait-il pas dans les relations de travail se diriger vers une compétence d'intercompréhension ?

Il est frappant de constater lors de séminaires et de col-

---

1. De plus, l'hypercorrection est en contradiction avec les théories de l'interlangue et la notion de « seuil », *cf.* McLaughlin, 1987.
2. *Cf.* chapitre 2.

loques où les participants sont de nationalités différentes, combien les Belges néerlandophones ou les Allemands, par exemple, prennent part avec aisance aux débats. Rappelons que l'anglais est particulièrement difficile à prononcer pour des francophones[1], ce qui pourrait expliquer en partie leur manque d'aise. Une autre origine à ce manque d'aise semble se trouver dans la peur de perdre la face[2] en cas de faute ou d'imperfection dans l'énoncé. Cette peur de la faute conduirait à des stratégies d'évitement et à une mise en retrait.

On comprend mieux alors que les Français manifestent étonnement et admiration devant la performance de ces Allemands ou Flamands qu'ils jugent meilleurs ; il conviendrait de se demander si ce n'est pas l'absence de réticence devant la faute ou l'imperfection qui expliquerait l'absence de stratégies d'évitement chez ces mêmes Allemands ou Flamands et l'aisance dont ils font preuve, tout en masquant à une oreille française bon nombre d'erreurs syntaxiques ou lexicales. Il est, bien sûr, indispensable de cerner les objectifs avant de modifier les exigences en matière de correction de la langue ; nous verrons toutefois qu'il est intéressant de tenir compte de ces quelques remarques pour établir, suivant les objectifs à atteindre, une dissociation des compétences dans l'apprentissage et la performance linguistiques*.

Chacun sa langue

Lorsque le niveau de compétence de compréhension des participants le permet, la conduite de la réunion peut avoir lieu dans la langue maternelle de chaque interactant. C'est la tendance adoptée dans les réunions de la société bina-

1. On rappellera la gamme de fréquences différente en anglais et en français qui conduit à l'élaboration d'un appareil phonatoire différent chez les Anglais et les Français.
2. *Cf.* Brown & Levinson, Goffman.

tionale où nous avons enquêté : une technique qui rend l'échange plus aisé et moins tendu, puisque chaque participant s'exprime dans sa langue d'origine sans risque de perdre la face, tout en faisant l'effort de compréhension qui s'impose pour contribuer à la réussite de l'échange.

Cette stratégie qui ne requiert pas une maîtrise égale de compétence de production et de compréhension orales, se fonde sur un effort d'intercompréhension qui conduit à redéfinir les compétences en langue des apprenants et à les différencier. Comme l'écrivait Caroline Helfter :

> « Ainsi, parler sa langue mais pouvoir comprendre et lire celle de l'autre — ce qu'on appelle l'intercompréhension — constitue une piste prometteuse, actuellement explorée par plusieurs experts[1]. »

Nous retrouvons ici la dissociation entre les différentes formes de compétences linguistiques*. Si l'objectif à atteindre concerne la compréhension orale des messages énoncés par les locuteurs en présence, la compétence de production sera de moindre importance. La production orale dans la langue maternelle des interactants atténue le danger de malentendus basés sur un emploi ou un transfert pragmalinguistique inadéquats d'un terme ou d'une stratégie de la langue première des locuteurs vers leur interlangue ou vers la langue cible de leurs interlocuteurs.

L'équipe mixte

D'inspiration voisine de la technique précédente, cette stratégie repose, notamment pour les présentations en réunion, sur l'assistance d'un natif qui pourra s'exprimer dans la langue des auditeurs et sera de plus reconnu comme l'un des leurs :

1. Helfter, *Le Monde de l'Education*, juillet 1996.

« La plupart du temps, j'ai recours à une stratégie, explique Jamey. *Par exemple, une des toutes premières présentations que nous avons faite pour Z. en France, nous l'avons faite en français, avec une Française, j'avais Annick avec moi pour faire une grande partie de la présentation. Ça faisait partie de ma stratégie parce que vous brisez tout de suite les barrières (vous faites céder les obstacles, les résistances), parce que non seulement c'est en français, mais "Oh, elle est française, c'est une Française !". Et ça crée tout de suite un climat qui vous ouvre les portes. »*

Jamey insistera aussi sur la rédaction dans la langue maternelle des participants des documents, graphiques, tableaux ou autres transparents présentés :

« Donc ma stratégie c'était d'une part d'avoir Annick pour faire ça et, d'autre part, d'avoir les graphiques en français. Les graphiques étaient rédigés en français. Donc, même si je parle anglais, les graphiques sont en français, en excellent français, ce qui fait que le climat de la réunion change immédiatement. »

L'intercompréhension : une discipline ou une compétence ?

Toutes les techniques présentées, on le constate, font appel à l'intercompréhension des locuteurs, qu'ils soient en contact par courrier ou téléphone, ou qu'ils soient en face à face lors de réunions. Certains interactants développent une attention aux autres et une prise en compte de leur environnement biculturel telles que cela les conduit à agir suivant un code de conduite qui devient une quasi-discipline personnelle :

« Je suis allé à une réunion ce matin où il y avait deux Français. Ça faisait vingt-cinq minutes que nous parlions quand je me suis rendu compte que nous avions parlé

anglais tout le temps, avec ces deux Français dans la salle. Ils parlent tous deux anglais, mais... Je devais faire une petite présentation un peu plus tard dans la matinée et je n'avais pas prévu de la faire en français, mais je l'ai faite en français, par égard pour mes collègues français. C'est une forme de prise de conscience de l'environnement biculturel, si vous voulez, parce que vous vous concentrez sur ces deux cultures. C'est une prise de conscience et il y a une sorte de discipline qui vous force à respecter cet environnement. Cela vient du plus profond de vous, mais c'est une discipline, je ne dirais pas que c'est une contrainte, c'est une discipline. »

Il est certain que les paroles de Tony témoignent de l'avancée de sa réflexion sur les interactions entre les deux cultures au cœur desquelles il évolue. Son profil et d'autres expériences d'expatriation dans divers pays du monde ont sans doute contribué à forger une compétence que Michael Byram (1997) nomme *intercultural communicative competence*. Dans l'extrait cité, Tony manifeste la compétence d'*intercultural speaker*[1], compétence qui transparaît dans le recul qu'il est capable de prendre vis-à-vis de sa propre culture et de son propre fonctionnement. Nous retrouverons la notion de médiateur culturel* dans la suite de ce chapitre et à l'occasion de solutions proposées pour d'autres domaines que celui de l'interaction langagière.

1. Terme repris en français : médiateur culturel.

— VERS UNE MEILLEURE HARMONIE DES COMPÉTENCES PRAGMATIQUES ET / OU THÉORIQUES —

La double formation

Au cours du chapitre 3, la présentation de l'expérience personnelle de Delphine mettait en évidence le bénéfice d'échanges de formation. Au début de son séjour de deux ans dans la maison mère, Delphine, surdiplômée vis-à-vis de ses jeunes collègues de travail anglais, s'était vu attribuer rapidement des responsabilités, mais avait, en retour, bénéficié d'un encadrement très hiérarchisé. De retour en France, elle reconnaît que cet encadrement lui a permis d'apprendre beaucoup sur le plan pratique, et donc de croiser sa formation théorique française avec la formation (*training*) plus pragmatique de la firme anglaise. Voici les comparaisons qu'elle effectue :

« J'ai beaucoup moins appris en un an que je n'aurais appris si j'étais restée là-bas (en Angleterre). *J'ai dû beaucoup plus me débrouiller par moi-même en France. Là-bas, l'encadrement étant plus fort, les gens ont plus de temps à passer avec les chargés d'étude ; j'avais l'impression que je pouvais plus bénéficier. »*

Elle souligne les sessions régulières organisées par les Anglais pour la formation et l'information de leur personnel :

« Tous les mercredis, on a des sessions de formation sur les produits. »

Son embauche dans la filiale française a, bien sûr, été motivée par son expérience de deux ans au service de la maison mère. Elle peut à présent faire bénéficier ses collègues français de ses acquis anglais :

« Quand je suis arrivée (en France), *comme j'avais beaucoup de connaissances venant d'Angleterre sur les produits Z., puisqu'on est très formé en Angleterre, j'en ai fait bénéficier les gens qui étaient avec moi. »*

Elle peut également agir en qualité de médiateur culturel* en expliquant les raisons d'une exigence des collègues anglais mal comprise par les collègues français :

« Par exemple, dans le travail, les Anglais sont un petit peu plus rigoureux sur tout ce qui est vérification des données. C'est des choses que les Anglais font et nous, ici, on avait l'impression que Z. Angleterre nous forçait à faire. Depuis que je suis rentrée, en fait, j'ai un peu expliqué aux personnes qui travaillent dans la même fonction que moi, c'est-à-dire que les gens qui font les données ne sont pas en face du client le jour où le chiffre qu'on avance est faux. »

Ce rôle de médiateur se rapproche, là aussi, de celui décrit par Byram [1] notamment dans son aptitude à dénouer des interprétations conflictuelles sur une tâche à effectuer, d'autant plus que la tâche est demandée par la maison mère, ce qui nourrit le rapport de forces inhérent à la situation.

Pour Jean-Marie, c'est son Service national en tant que coopérant dans une entreprise, au sein d'une filiale anglaise, qui lui a permis d'acquérir la double formation et de se faire embaucher au bout de seize mois dans une autre des filiales anglaises du même groupe français. Son séjour dans la première filiale anglaise lui a permis d'occuper différentes fonctions :

« Au début, je dirais les six premiers mois, j'ai un peu navigué à toutes les fonctions du département finances. »

Il reconnaît que malgré sa formation, son expérience de terrain était limitée :

---

1. Byram, *op. cit.*

« Après tout, après trois ans d'école de commerce et pas mal de stages (plusieurs mois en Ecosse et à Hong Kong), *je n'avais pas une très, très grande expérience professionnelle. »*

Cependant, lui aussi a gravi très vite les échelons de responsabilité :

« Au bout de six mois, j'ai été vraiment l'assistant du contrôleur de gestion de cette filiale pour toute la préparation du budget. »

Son embauche dans la deuxième filiale, à l'issue de son service militaire, lui vaudra directement un poste de contrôleur de gestion et de trésorier de groupe. Au total, c'est une expérience de deux ans et demi dont aura bénéficié Jean-Marie et dont il se félicite :

« Je dirais que mon expérience de deux ans et demi a été vraiment très, très valorisante au point de vue personnel, et disons que ça m'a apporté une certaine ouverture d'esprit. »

Nul doute que cette ouverture d'esprit ainsi que les qualités d'adaptation de Jean-Marie n'aient été appréciées de ses employeurs quand on sait qu'il travaille à l'heure actuelle à un poste où il est chargé de gérer la zone Afrique.

Jean-Marie illustre un autre objectif de la médiation culturelle* décrite par Byram, à savoir :

« La volonté de faire l'expérience des différents stades de l'adaptation et de l'interaction avec une autre culture pendant une période de résidence à l'étranger[1]. »

On notera que Delphine et Jean-Marie appartiennent à la tranche d'âge des plus jeunes personnes interviewées, c'est-à-dire les moins de 30 ans. Les entreprises et leurs recruteurs ne s'y trompent pas. La tendance dans les années 90 est d'éviter l'expatriation de cadres approchant

1. Byram, *ibid.*, p. 50.

la quarantaine qui n'auraient pas bénéficié d'une exposition à une culture étrangère et dont les compétences se limiteraient à leur domaine de spécialisation ; leur sont préférés de jeunes cadres en puissance, plus adaptables du fait de leur âge et de moindres contraintes familiales. Voici un extrait d'un article paru dans l'*International Herald Tribune* qui traitait des choix de carrières en Europe :

> « Les jeunes cadres sont plus flexibles et ont moins de contraintes familiales ou d'emprunts immobiliers. Ils sont à la recherche d'une opportunité et constituent un groupe qui considère que l'Europe entière est un marché de travail. Ces cadres bénéficient d'une expérience d'exposition internationale qui les rend flexibles et ouverts dès le début de leur carrière. Il est clair que de toutes les aptitudes requises par les cadres au XXIe siècle, langues et capacité à travailler dans des cultures diverses seront les atouts clés [1]. »

Ce que les sociétés recherchent parmi les candidats à l'embauche, ce sont à la fois des qualifications validées par des diplômes de haut niveau et également une forme d'intelligence dite « sociale » :

> « Une bonne réussite scolaire est essentielle car elle renseigne sur la volonté de travailler dur, ce qui est aussi une condition nécessaire de l'intelligence sociale qui permet de se débrouiller face à des cultures étrangères et face à des situations nouvelles [2]. »

Non seulement l'âge et les diplômes sont des critères de sélection avant l'exposition à la culture étrangère, mais le séjour de longue durée permet, comme dans le cas de Delphine ou de Jean-Marie, de tester le candidat avant de l'embaucher définitivement :

1. « Careers in Europe : choices and challenges », *International Herald Tribune*, 11-12-97, p. 21.
2. Ms Wehner, recruiting manager, *International Herald Tribune*, *ibid.*, p. 20.

« Aucun candidat ne se présente sans dossier écrit — bulletins trimestriels, thèses et autres. Tout cela est très instructif, mais peut-être la meilleure façon de connaître les candidats est-elle de les voir à l'œuvre dans la vie professionnelle quotidienne, ce que nous réalisons grâce à notre programme de stages[1]. »

Le Service national français à l'étranger constitue jusqu'ici pour les recruteurs un observatoire intéressant du comportement de futurs candidats à l'embauche, comme dans le cas de Jean-Marie :

« Somfy et Virbac font régulièrement appel à des coopérants du Service national à l'étranger (CSNE) et intègrent, en fonction de leurs besoins, ceux dont le comportement sur le terrain retient l'attention[2]. »

Ainsi c'est la notion d'adéquation et d'ajustement au terrain plutôt que la notion d'excellence (*right-performing* opposée à *high-performing*) qui se fait jour à travers les exigences des recruteurs, notion qui rejoint les compétences du médiateur culturel* que nous tentons progressivement de définir :

« Je préfère recruter des candidats en adéquation avec la fonction plutôt que des candidats ayant un haut niveau de performance. La différence se situe entre de jeunes cadres capables de déployer leurs talents et leurs compétences dans leur environnement de travail présent et avec d'autres personnes, et ceux dont les performances se sont accomplies dans le splendide isolement d'une tour d'ivoire[3]. »

Il est à noter que cette compétence se distingue de la simple expérience personnelle d'exotisme recherchée dans le voyage touristique. Il s'agit d'un engagement de l'individu dans sa relation aux autres et à d'autres cultures :

---

1. Mr Braunsburger, Head of management development, *Herald Tribune*, *ibid.*, p. 20.
2. « Comment les PMI recrutent et motivent leurs cadres installés à l'étranger », *L'Usine nouvelle*, 4-1-96.
3. R. Schulze, Head of personnel marketing, *International Herald Tribune*, *op. cit.*, p. 23.

> « La volonté de chercher ou de profiter des occasions de rencontre avec l'autre dans une relation d'égal à égal[1]. »

Cet engagement est associé à un intérêt pour la découverte d'une réflexion différente sur des phénomènes connus ou étrangers de sa propre culture et de celle de l'autre :

> « L'intérêt pour la découverte d'autres points de vue sur des phénomènes familiers et non familiers, à la fois de sa propre culture et de ses propres pratiques culturelles et de celles de l'autre[2]. »

L'équipe mixte

Nous avions rencontré cette stratégie pour résoudre des problèmes d'intercompréhension langagière. Sa mise en œuvre dans un souci de bénéficier d'expériences et de formations croisées se révèle très appréciée par plusieurs cadres interviewés.

On se souvient d'Alison qui soulignait le goût des Français pour les statistiques. Sa formation initiale d'institutrice ne l'avait pas préparée à sa fonction de directrice adjointe d'un département de comptabilité. Son recrutement ne s'était pas fait sur ses diplômes mais sur son expérience d'institutrice dans un quartier défavorisé de Londres au contact d'un environnement multiculturel. On notera au passage le profil d'embauche typique — la moindre importance accordée aux diplômes — décrit avec étonnement par les interviewés français, profil corroboré par les écrits de la littérature traitant des relations industrielles :

> « Un certain nombre d'auteurs ont noté que les cadres britanniques sont moins qualifiés que leurs homologues américains et

1. Byram, 1997, p. 50.
2. Byram, *ibid.*

européens. (...) La plupart des cadres recrutés dans l'industrie n'avaient jusqu'à une période récente reçu peu ou pas du tout de formation professionnelle ou universitaire directement liée à leur emploi. (...) Une étude des cadres européens a révélé que les cadres britanniques étaient les moins diplômés (le pourcentage de ceux qui avaient une formation universitaire variait de 40 % en Grande-Bretagne contre 89 % en France)[1]. »

Malgré la formation interne dispensée par sa société, Alison manifeste sa satisfaction de pouvoir travailler en équipe avec un Français recruté il y a deux ans et qui, du fait de sa formation à l'Ecole nationale de Statistiques en France, lui apporte une compétence qui supplée à son absence de technicité dans le domaine et complète sa propre intuition et son expérience :

« Hugues a une meilleure connaissance des statistiques que moi et pour moi c'est super de pouvoir travailler avec lui, parce qu'il est compétent dans un domaine où je ne le suis pas, ce qui fait qu'on se complète très bien ; nous sommes tous deux, je pense, très ouverts à ce que nous pouvons apprendre l'un de l'autre. *La recherche en Grande-Bretagne se fait plus à l'intuition. On s'éloigne des données et on privilégie l'interprétation. La recherche française est plus sérieuse en ce qui concerne les statistiques et se laisse moins aller à des élans de fantaisie, ce qui peut se produire avec les Britanniques qui laissent complètement les données de côté. »*

Mariage du rationalisme français et du pragmatisme anglais, certainement, mais on retiendra surtout de ce témoignage la volonté de travailler ensemble et d'apprendre l'un de l'autre, qualité indispensable requise par le médiateur culturel* et qui suppose l'acceptation de remettre en question les valeurs de ses propres pratiques :

« La volonté de remettre en question les valeurs et les présup-

1. Jackson, 1992, p. 124.

posés des pratiques culturelles et de leurs produits au sein même de son environnement[1]. »

Hugues, lui-même, se félicite de ce travail en complémentarité qui croise et potentialise les formations réciproques :

« Mon supérieur hiérarchique immédiat, elle était professeur, enfin institutrice, avant de rentrer chez Z., donc elle n'a pas fait d'études spécialement adaptées pour travailler dans le domaine du marketing. Pourtant, c'est quelqu'un qui a une intuition phénoménale. Et ça, je crois aussi que c'est un point très fort.

— Vous pensez qu'il y a une dynamique plus importante, vu les origines différentes ?

— Je pense que ça aide énormément. Je ne pourrais pas travailler aussi bien, peut-être, si je n'avais pas..., ou je ne pourrais pas me remettre en question autant *si je travaillais avec des gens qui avaient le même profil que moi. »*

Le facteur clé, là encore, est la volonté de se remettre en question, sans laquelle cette équipe mixte n'aurait pu se constituer et assurer sa pérennité.

La mixité des équipes constitue également pour Jean-François, cadre supérieur d'une société française, la solution à adopter pour la potentialisation des formations et des pratiques de travail. L'idée lui en est venue lors d'une rencontre avec un directeur général anglais qui faisait partie du même conseil d'administration de la *Confederation of British Industry*[2], alors que Jean-François effectuait une mission d'expatriation de quatre ans à un poste important en Angleterre :

« Le directeur général de cette organisation, un jour, je discutais avec lui, il me disait, "A un moment, j'ai tra-

1. Byram, *op. cit.*
2. Equivalent britannique du MEDEF.

vaillé à New York dans un organisme international"... Et il s'est trouvé à travailler avec un Français, et il disait, "Eh bien c'est là où on a été les mieux, parce que le Français était toujours en train de disséquer les trucs et de chercher toujours le petit machin qui pouvait tout changer, alors il était vachement créatif, vachement inventif et tout. Et par contre moi, j'étais là, allez, on y va, on y va." Et du coup, c'était bien, parce que l'Anglais tout seul, il y va, et puis, il va se planter dans le mur, parce qu'il n'a pas pensé à tout. Et le Français, à force de tout décortiquer, en définitive, il fait rien, et il se fait dépasser par l'autre. Alors, vous mettez les deux ensemble et vous avez à peu près l'analyse. »

Cette discussion a encouragé Jean-François, par la suite, à constituer des équipes mixtes d'ingénieurs :

« On l'a fait dans la société d'engineering — j'ai eu à créer une société d'engineering — on a mis ensemble tous les ingénieurs, on a mis des ingénieurs français et des ingénieurs anglais. Eh bien, ça a marché effectivement très bien. Et dans cette société d'engineering, sans que j'aie eu à dire quoi que ce soit, c'est comme ça que ça s'est passé : il y avait des Anglais qui faisaient toutes les études, et puis, il y avait le Français après qui était là et qui disait, "oui, mais enfin, est-ce que vous avez pensé à machin ?...". Parce que l'Anglais n'a pas l'esprit de synthèse, par contre, il est très pointu, il a une éducation qui va vers la spécialisation. Le Français, de par son système éducatif d'écoles d'ingénieurs, même le système éducatif normal, a une vue beaucoup plus large avec un esprit de synthèse, et donc les deux se marient très, très bien, quelque part. »

Le recrutement des « locaux »

Le recrutement des « locaux », c'est-à-dire de ressortissants du pays étranger avec lequel la société travaille, constitue également un moyen de croiser les expériences. Le « local » se différencie du membre d'une équipe mixte du fait de son isolement au sein d'une société. Il est en quelque sorte l'ambassadeur de la culture de l'autre, la personne ressource sur laquelle on va pouvoir s'appuyer, soit pour faire passer une idée, soit pour faire comprendre une pratique différente perçue comme bizarre, voire rejetée par les salariés de la société où il est embauché, et réciproquement vis-à-vis de ses compatriotes dans la société partenaire.

Ecoutez Christophe, directeur technique et responsable de l'implantation de nouveaux sites industriels à l'étranger pour un groupe français, exposer son point de vue :

« La mondialisation, les relations avec l'étranger influencent-elles les politiques de recrutement et de formation ?

— D'un point de vue organisationnel, il est clair que ça influence notre politique de recrutement puisqu'on a plus de 50 % de notre activité qui se fait sur l'étranger. On est obligés d'avoir premièrement des gens qui parlent des langues, deuxièmement, de plus en plus, et c'est notre souhait, d'avoir des gens qui sont réellement des étrangers, de manière à ce qu'ils puissent retourner dans leur pays d'origine. Et on préfère avoir à l'étranger des locaux, plutôt que des Français expatriés, parce que les locaux s'intègrent beaucoup mieux et sont plus efficaces que les Français expatriés. Ça, c'est la clé du succès. »

Ce témoignage met l'accent sur l'insuffisance de la seule compétence linguistique* et l'importance de la compréhension de la culture étrangère, une idée qui ne cesse de progresser chez les industriels confrontés aux relations internationales.

En ce qui concerne les relations spécifiques entre France et Angleterre, voici les idées que propose Christophe :

« Et ça vaut tout à fait le coup pour une entreprise française qui veut se développer et qui a une stratégie de développement en Grande-Bretagne, d'avoir un Anglais dans sa structure commerciale. Même si l'Anglais travaille chez les Français. Admettons qu'il y a 50 % d'activités à réaliser en Angleterre et que le reste c'est en France. L'Anglais en Angleterre sera 100 % opérationnel alors qu'un Français faisant le même boulot sera 50 % opérationnel. Donc moi, je serais fana d'embaucher des étrangers. Ça aura deux impacts : ça aura un impact sur le client, il aura quelqu'un qui a la même culture en face de lui ; et deuxièmement ça permettra à l'entreprise qui veut exporter d'avoir un interne qui apprécie un peu mieux les attentes du pays — que ce soit d'un point de vue technique, que ce soit d'un point de vue service ou relationnel. »

Andrew, cadre commercial export anglais, « local » recruté par une entreprise hollandaise sur son site français, confirme l'importance du rôle qu'il joue entre culture française et culture anglaise :

« En ce qui concerne les relations franco-anglaises, les relations que vous avez avec votre filiale en Angleterre, diriez-vous que globalement ça se passe bien ?

— Oui, parce que je suis là ! Si je n'étais pas là, ça serait épouvantable, je pense !

— Qu'est-ce qui marche bien ?

— Entre nous et les Anglais, tout, pratiquement. »

Pierre indique que, depuis qu'ils ont filialisé leur activité commerciale avec la Grande-Bretagne, ils ont embauché deux « locaux » qu'ils connaissaient et qui, de retour sur place, leur permettent de traiter leurs affaires au mieux :

« On a un commercial écossais, basé en Ecosse à Glasgow, et un responsable de la filiale, donc un general manager, *qui est anglais et qui est basé dans la région de Londres. On a une instance administrative locale aussi. En fait, nous traitons à travers eux. Nos relations quotidiennes sont avec eux, et eux ont la relation directe avec les clients. »*

C'est vers cette politique de recrutement de « locaux », qui ont assimilé au moins deux cultures, que semblent se tourner un grand nombre d'entreprises, lasses d'envoyer à l'étranger, à des frais très élevés, des cadres qui n'avaient qu'une culture d'entreprise et se révélaient contre-performants du fait de leur inaptitude à communiquer :

> « On avait un grand nombre de candidats qui avaient tout, y compris un très haut niveau de formation avec plusieurs stages intéressants en entreprise. Mais ils avaient aussi l'air arrogant, ne communiquaient pas, ce qui était à l'opposé des profils que nous recherchions pour nos affaires[1]. »

La question du choix entre « local » et expatrié se pose également pour les PMI, comme le signale un article de *L'Usine nouvelle*[2] :

> « Vaut-il mieux envoyer à l'étranger un Français ou recruter un "local" ?... En faveur de la deuxième solution, un moindre coût et la familiarité avec le milieu local. Expatrier un cadre à Detroit ?... Un Français, issu de surcroît d'une PMI, aurait de bonnes chances d'être traité en donneur de leçons... Nous inversons le processus (explique un directeur des ressources humaines). L'entreprise recrute des étrangers effectuant leurs études en France ou y travaillant, et, après un passage dans l'entreprise, notamment au service export, les rapatrie dans leur pays. »

1. Recruitment manager, *International Herald Tribune*, *op. cit.*, p. 23.
2. *L'Usine nouvelle*, *op. cit.*

*Le vécu personnel au service de la médiation culturelle**

Daniel, directeur export d'une PMI, a lui aussi pris conscience de l'importance de la connaissance des valeurs de l'autre culture dans les choix de recrutement. Il s'est entouré d'une équipe dont les membres ont tous un lien avec la culture du pays où il exporte :

« Le fait de connaître les valeurs de l'Angleterre ou d'autres pays vers lesquels vous exportez est-il important ?

— Pour parler très concrètement, moi, personnellement, j'ai vécu aux Etats-Unis. L'autre responsable commercial export qui s'occupe des pays germanophones et de l'Europe du Nord est fils d'un cadre d'une chaîne hôtelière importante. Donc, il a vécu un peu partout dans le monde, au fur et à mesure des mutations de son père. Donc, c'est quelqu'un qui a effectivement la fibre du contact avec l'étranger. Nous avons une responsable de secteur qui a été mariée à un Anglais, donc qui a encore une belle-famille en Angleterre et qui a des contacts étroits avec l'étranger. Notre responsable de secteur des pays d'Europe du Nord et germanophones est allemande, mariée à un Français de la région. Donc, vous voyez, on a, sans en faire un caractère discriminant, on a réussi à rassembler un certain nombre de gens qui effectivement ont une ouverture personnelle sur l'étranger au-delà de la simple connaissance linguistique. »

« Avoir la fibre du contact avec l'étranger » par l'intermédiaire d'un vécu personnel est une compétence de plus en plus recherchée par les recruteurs qui ont bien compris la richesse apportée par le croisement d'expériences vécues dans différentes cultures. La plupart des entreprises au sein desquelles j'ai pu enquêter en ont fait une politique de recrutement. En effet, le contact avec d'autres cultures facilite la prise de distance vis-à-vis de comportements identifiés comme ethnocentriques et nous ramène à une autre qualité du médiateur culturel* qui est justement sa capacité à identifier ces positions ethnocentriques :

> « Le médiateur culturel* repère le malentendu issu de l'ethnocentrisme entre deux personnes, quel que soit leur niveau de compétence linguistique*, et il est capable d'identifier et d'expliquer les présupposés d'une formulation pour en réduire le dysfonctionnement [1]. »

— CONSTRUCTION DE STRATÉGIES D'AJUSTEMENT AU COMPROMIS ET AU CONFLIT —

Rappelons que de nombreux malentendus reposent sur les divergences d'attitudes dans la quête de la décision. La vision du Français agressif qui hausse le ton pour emporter la décision, tout en faisant traîner les débats, n'est pas simplement une stéréotypisation abusive comme le signale Philippe d'Iribarne : l'affirmation vigoureuse des points de vue de chacun, l'utilisation d'une certaine violence verbale pour leur donner du poids, et le choc des convictions et des intérêts font partie d'un fonctionnement normal.

> « L'utilisation d'un discours véhément qui n'hésite pas à “se fâcher” et à “gueuler”, est un moyen non dépourvu d'efficacité pour se faire entendre [2]. »

1. Byram, *op. cit.*, p. 52.
2. D'Iribarne, 1989, p. 29.

À propos de quelques Français non conflictuels

A tel point que les Français qui dérogent à ce fonctionnement étonnent agréablement les Anglais et sont jugés très internationaux dans leur comportement :

« Prenez quelqu'un comme Jacques, commente Jamey, *il est très international, vous savez. Je suis allée à des réunions avec Jacques où se trouvaient à la fois des collègues et des partenaires. Que Jacques soit français ou non, cela n'a rien à voir. Ou encore Mélanie, qui est française et qui est directrice générale du marketing chez P. Son style de gestion... Elle prend des décisions rapides, elle est extrêmement internationale et n'arbore aucune des caractéristiques des Français. Elle est vraiment excellente. C'est un état d'esprit. La question, à la fin de la journée, n'a rien à voir avec le fait d'être français ou anglais. Ce qui compte c'est votre degré d'ouverture d'esprit aux opinions des autres. »*

Une fois de plus nous abordons un des éléments clés de la médiation culturelle* : le degré d'ouverture à la culture et aux pratiques de l'autre. Sans doute, les deux personnes décrites par Jamey avaient-elles un comportement plus consensuel et organisaient-elles leur temps de décision sur un délai plus bref que de coutume chez les Français ; Jacques, interviewé plus haut, manifestait, même dans son expression verbale, des dispositions de coopération et un refus tel du conflit qu'il ne parvenait pas à différencier son attitude de celle de ses partenaires de travail anglais.

Il serait bien sûr trop discriminant de fonder un recrutement sur ce modèle, mais pour ceux qui ne lui correspondent pas, j'ai pu noter quelques tentatives d'ajustement.

Petits ajustements individuels

Vicky, par exemple, usera d'un petit stratagème pour obtenir ce qu'elle souhaite des Français avec lesquels elle se trouve en relation de travail :

« Je pense que les Français aiment la discussion. Alors si j'ai un problème avec un client, ça ne sert à rien d'être d'accord avec tout ce qu'il dit et de dire tout le temps : "Oui, oui, vous avez raison." Parce que les Français n'aiment pas ça. Je pense qu'ils aiment avoir une bonne discussion et c'est juste parce que ça leur plaît d'argumenter avec vous, mais il n'y a rien de personnel contre vous. Moi, je trouve qu'ils sont plus portés sur la controverse, plus du genre à philosopher et à réfléchir. »

Vicky avoue avoir appris à prendre de la distance et ne pas ressentir d'agressivité dirigée contre elle personnellement, lors de ses séjours d'études en France en milieu universitaire :

« C'est comme ça qu'étaient mes amis à l'université en France, toujours à discuter, mais pas contre une personne. C'est simplement, je crois, parce qu'ils aiment faire comprendre leur opinion. Il n'y a rien de tel pour eux que d'avoir son opinion et de l'exprimer. Nous, on est un peu du genre timide et on a tendance à se plaindre beaucoup. »

Lorsque cette forme de « timidité » est perçue côté français, certains ajustements sont possibles, à l'inverse de ceux prônés par Vicky, ainsi que le suggère Daniel :

« Quand ils (les Anglais) *veulent quelque chose et si toi tu veux l'inverse,* il ne faut pas les prendre de front, *il faut trouver des solutions ; à la limite si tu sais que tu as une solution, il faut démolir ta solution. Tu démolis la solution que tu veux et eux, ils vont te reproposer la tienne. »*

Christophe et Pascal ont, eux aussi, compris combien

leurs caractéristiques françaises pouvaient heurter leurs interlocuteurs et être néfastes à la quête d'un accord :

« *Avec les Anglais,* il ne faut pas jouer au Français qui veut imposer son point de vue. *Il faut savoir faire passer les messages de manière à ce que les gens s'approprient les idées et les décisions, même si, en définitive, la décision était quasiment déjà prise, de façon à avoir des gens motivés.* » (Christophe)

« Ils n'aiment pas qu'on les agresse, *ils n'aiment pas qu'on leur donne l'impression d'être supérieur. Je pense qu'il faut savoir écouter.* » (Pascal)

Réflexions croisées sur l'attitude de compromis : Francis et Tony

« *Si je vous dis le mot* compromis, *qu'est-ce que cela suggère pour vous ?*

— *Ça suggère un effort, de toutes façons, et puis une écoute, une attention, et puis une compréhension, certainement.* »

Pour Francis, le compromis fait partie de la vie quotidienne, même en ce qui concerne l'activité professionnelle des Français :

« *Il n'y a pas d'activité professionnelle* (en France) *sans compromis. Un minimum de respect de l'autre fait que le compromis prédomine.* »

Toujours pour Francis, cette attitude doit être bien sûr privilégiée dans les relations de travail avec les Anglais :

« *Il est d'autant plus important lorsqu'on veut parvenir à ses buts, et c'est très important avec les Anglais, de savoir céder sur le futile pour faire accepter l'essentiel.* »

Le même constat sera fait par Tony, côté anglais :

« *Comme on le dit chez nous, si vous vous joignez au groupe, il faut être prêt à donner un peu.* »

Francis comme Tony ont eu à gérer des situations délicates où des compromis ont pu être mis en place :

« Il y a même eu des compromis entre, par exemple, une certaine école française de l'eau, et puis, d'autre part, un certain souci de confort et de respect scrupuleux de règles préalablement établies ici (en Angleterre) *en ce qui concerne l'activité technique. »* (Francis)

De son côté, Tony travaille au cœur de cultures d'entreprises anglaises et françaises très différentes, entre lesquelles il faut trouver des solutions moyennes :

« Il faut trouver un lieu à mi-chemin. Il y a tellement de différences entre le style de gestion de la SNCF et celui de British Railways, la compagnie privatisée. On avance doucement mais sûrement. C'est très difficile de demander à des gens provenant d'un environnement comme celui de British Rail ou de la SNCF d'oublier tout ce qu'ils ont fait depuis dix ou quinze ans. »

Patience, écoute et compréhension constituent la ligne de conduite de ceux qui ont la charge de coordonner les actions et qui deviennent, de ce fait, médiateurs culturels* :

« De toutes façons, on ne peut pas travailler en heurtant les gens. Il est évident qu'on obtient beaucoup plus de choses lorsqu'on est compris et lorsqu'on comprend. Au-delà du langage, parce que s'il n'y avait que le langage, ce ne serait pas un problème. » (Francis)

Le souci d'être compris et de se faire comprendre est le même pour Tony :

« Vous, de votre côté, vous comprenez la situation mais à la fin de la réunion, ce que je fais d'habitude, c'est de m'assurer que tout le monde a effectivement compris, ou de faire tout mon possible pour m'assurer que tout le monde comprend ce à quoi nous avons donné notre accord, mais ce n'est pas toujours facile. »

Peut-on encore parler d'attitude de compromis face aux

talents déployés par Tony et Francis ? Il serait plus juste de parler d'une dynamique où Tony, l'Anglais, et Francis, le Français, se rejoignent dans une volonté d'écoute de l'autre et d'intercompréhension, qui sont les qualités mêmes de médiateurs culturels*.

Éléments de construction pour une stratégie d'entreprise

L'histoire des idées des deux peuples en présence a montré comment la notion de compromis entre gouvernants et gouvernés, côté anglais, et celle de conflit avec imposition d'un pouvoir centralisé et de lois impératives, côté français, s'étaient forgées au cours de l'histoire des deux pays. Jean, que j'avais rencontré lors de mon passage dans sa société binationale, où il occupait la fonction de directeur des ressources humaines, en avait du reste totalement conscience ; dans son cas, il était clair que la recherche de la mise en œuvre d'une stratégie organisationnelle ne pouvait éluder ces deux notions à première vue contradictoires :

« On a des structures qui sont, du côté français, impératives dans beaucoup de cas, alors que du côté britannique, c'est du domaine de l'accord. »

Selon le philosophe Habermas les deux types de fonctionnement : conflit / compromis ne sont exclusifs l'un de l'autre que dans l'esprit des interactants :

> « L'accord et l'influence sont des mécanismes de coordination de l'action qui s'excluent, du moins du point de vue des intéressés. Il est impossible d'engager des processus d'intercompréhension dans l'intention d'aboutir à un accord avec un participant à l'interaction et en même temps dans le but de l'influencer, c'est-à-dire d'exercer sur lui une action causale[1]. »

Les auteurs entendent dans les propos d'Habermas que

1. Habermas. *In* Amblard & *al.*,1996, p. 202.

ces modes d'interaction, accord et influence, s'ils s'excluent du point de vue des acteurs, n'impliquent pas que leur cohabitation est impossible dans les situations d'interaction. Selon leur analyse, il faudra, suivant les cas, tantôt privilégier un modèle, tantôt un autre, suivant la culture de gestion dominante dans l'entreprise.

En ce qui concerne les acteurs français et anglais d'une entreprise binationale, il paraît bien difficile de recourir à une alternance de modes de gestion. Comme le rappelle le directeur des ressources humaines cité plus haut, la difficulté vient de ce que l'on est en présence de « deux cultures qui sont des cultures adultes ». Il ne peut donc y avoir de modèle culturel de gestion dominant. Ainsi pour échapper au choix entre gestion par conflit ou par compromis, il faut avoir recours à un concept « tiers » :

> « Certains dispositifs ne peuvent être fondés que sur la prééminence acceptée d'un monde "tiers" par rapport aux deux mondes initiaux en conflit. Cette articulation de deux mondes hostiles au départ suppose que cette troisième dimension soit au moins présente et puisse servir de monde de référence commun[1]. »

C'est le « monde tiers » par référence à un concept commun sur lequel cette même entreprise binationale et ses directeurs des ressources humaines ont choisi de s'appuyer en fondant leur mode de gestion sur le concept de *fairness*. Rappelons que *fair* signifie : *free from injustice, dishonesty, or self-interest*[2] *(dépourvu d'injustice, de malhonnêteté ou intérêt personnel).*

L'introduction de la locution anglaise *fair-play* dans la langue française au tout début du XXe siècle, correspond à un souci commun de « franc-jeu » ou « jeu loyal »[3]. Ce concept réunit sous une seule locution trois valeurs

1. Amblard & *al.*, *ibid.*, p. 99.
2. *Longman Dictionary of Contemporary English.*
3. *Le Robert.*

communes aux deux cultures et profondément ancrées dans les deux langues[1] :

• *la volonté de justice*, d'être juste vis-à-vis de l'autre, c'est-à-dire de le reconnaître ;

• *la volonté d'honnêteté*, c'est-à-dire la volonté de ne pas tromper l'autre, de l'honorer et d'être honorable ;

• *la volonté de dépasser ses préoccupations personnelles* et de ne pas voir uniquement son avantage.

Ces trois valeurs renvoient, une fois de plus, aux qualités de « médiateur interculturel* » que nous avons déjà mentionnées. Il s'agit d'être capable de remettre en question ses propres valeurs pour faire justice à celles de l'autre, sans quoi ne subsiste que l'affrontement. On retrouve également dans la volonté d'honnêteté la loyauté dans l'honneur, concept développé par d'Iribarne dans son analyse du fonctionnement des entreprises françaises[2] et emprunté à la catégorie du gouvernement monarchique de Montesquieu.

Au-delà de la logique d'action du compromis frileux et prudent qui, selon André Laurent, se contente de « la minimisation du risque, l'évitement de la confrontation et la réalisation du plus petit dénominateur commun[3] ».

Au-delà du choix du conflit comme logique inévitable d'action, le choix du monde « tiers » permet de déplacer ces logiques et de créer dans le cas de la coopération franco-anglaise une synergie et une logique d'action plus productives.

La mise en place d'une stratégie fondée sur le concept de *fairness* ne donne pas encore un recul suffisant pour juger de son efficacité ou de sa réussite, mais on retiendra qu'elle tente de pérenniser un état d'esprit qui favorise la

---

1. *Justice*, *honnêteté*, *intérêt* sont des mots issus du latin et qui ont fait leur apparition en français comme en anglais entre les XIIe et XIVe siècles.
2. D'Iribarne, 1989.
3. Laurent, 1997, p. V.

reconnaissance de l'autre culture et le développement de valeurs transversales communes. De même que pour la langue, l'intercompréhension reste le maître mot dans l'approche de l'accord. Tony comme Francis, nous l'avons vu, sont animés de cet esprit qui leur permet d'avancer et de faire avancer leurs équipes biculturelles.

— VERS UNE MEILLEURE COMPRÉHENSION DE LA DISTANCE ET DE LA HIÉRARCHIE —

Distance d'adresse

L'étude linguistique, parallèlement à l'étude des comportements, avait souligné la difficulté à faire coïncider les stratégies de formes d'adresse d'une langue à l'autre et d'un groupe à l'autre.

En ce qui concerne les pronoms d'adresse, les Anglais adoptent une attitude prudente en privilégiant la forme polie du *vous* français qui évite l'impolitesse d'un tutoiement mal à propos et permet d'attendre l'invitation au rapprochement par l'intermédiaire de la formule rituelle : *on se tutoie ?*

Au-delà de cette attitude expectante, qui n'a d'autre but que le respect de conventions de politesse, l'équipe mixte, une fois encore, va aider à la compréhension des implications relationnelles déterminées au cours d'une réunion ou d'une discussion d'affaires par l'alternance entre *tu* et *vous*. Alison explique combien la présence d'Hugues lui est précieuse pour saisir les nuances d'un échange :

« Les Français ont toute cette histoire de tu *et* vous *que moi, en tant qu'Anglaise, je ne comprends pas bien. Mais quand je vais en France avec Hugues — il est parisien — il comprend tout ça parfaitement et parfois il me dit, "Là,*

il se passe quelque chose d'intéressant parce qu'elle s'est mise à tutoyer *son interlocutrice et l'autre a continué à la* vouvoyer*". C'est vrai, je peux à peu près suivre ce qui se dit mais je ne pourrais absolument pas relever ce genre de nuances.* »

Hugues apportera un concours utile également dans le repérage des stratégies d'adresse directes ou indirectes qui seraient perçues comme abruptes ou discourtoises par un Anglais, car jugées appartenir à un registre d'adresse de supérieur à subordonné :

« Parfois, poursuit Alison, *j'aurais tendance à penser que quelqu'un a été particulièrement grossier, mais Hugues me dit, "C'est la façon d'être des Français, c'est simplement qu'elle se comporte de façon très française". »*

D'autres Français insisteront sur la nécessité d'adopter un registre d'adresse et de requête courtois :

« Il n'y a aucune honte à demander très courtoisement » et sur la nécessité de ne pas aborder une discussion sans réduire préalablement la distance par le biais d'une conversation informelle, sur le temps par exemple :

« Moi, je considère que l'Anglais, déjà dans un premier temps, il faut plus une relation. Alors un Anglais quand il téléphone ou quand on téléphone, on parle d'abord de la pluie ou du beau temps. Et après, on parle boulot. »

Hiérarchie des départements et des tâches

La hiérarchisation anglaise des départements, associée à la parcellisation des tâches, peut être mieux acceptée côté français grâce à une planification plus rigoureuse et anticipée du traitement d'une affaire :

« Du fait qu'ils divisent énormément le travail, explique Daniel, *quand vous vous trouvez à devoir vous faire payer, ça peut être très compliqué. Nous, on essaie de*

travailler à titre préventif là-dessus, c'est-à-dire de leur fournir régulièrement une information. Par exemple, voilà, on vous a facturé tel et tel truc, qui sont à payer pour la fin du mois. S'il y a un problème, s'il vous manque un document ou quelque chose, prévenez-nous. »

Daniel ajoute que l'aide des « locaux » sur place permet, en fin de compte, d'assurer le suivi du paiement :

« *Et puis, on fait faire beaucoup de suivi par nos Anglais sur place.* »

Respect de l'organigramme

Jean-François l'avait signalé plus haut : il importe, pour un directeur français expatrié en Angleterre, de respecter l'organigramme hiérarchique anglais et de placer ce directeur dans la position formelle qui lui incombe, notamment l'inscrire au comité de direction afin qu'il en soit officiellement membre à part entière :

« *En Angleterre, il n'y a pas d'organigramme informel, il n'y a qu'un organigramme dans une société. En France, il y a toujours l'organigramme et puis tout ce qui ne se dit pas autour de l'organigramme, ça n'existe pas en Angleterre. Donc ça, c'est très important la position où on met les gens.* »

On se souvient que les problèmes de management auxquels avait été confronté Jean-François venaient du fait qu'il n'avait pas respecté la structure hiérarchique en ne s'inscrivant pas au *board of directors*.

Relations supérieur / subordonnés

Briser le stéréotype du Français arrogant

Un directeur français en mission en Angleterre se doit de faire preuve de respect dans les formes d'adresse vis-à-vis de ses subordonnés anglais s'il veut établir une relation et se faire accepter, ainsi que le souligne Jean-Marie :

« Moi, j'avais l'exemple d'un directeur général très, très apprécié parce qu'il a su toujours faire le premier pas vers ses collègues, ses subordonnés britanniques. Et c'est pour ça que ça s'est très, très bien passé et qu'il est vraiment accepté. Et si vous ne faites pas cette approche, on vous traitera toujours de "Frenchie" et vous serez jamais vraiment accepté. »

Prendre en compte la parole et l'expérience de chacun

Il importe également pour celui qui remplit, comme Patrice, une mission de cadre en Angleterre de ne pas privilégier un modèle autoritaire d'imposition brutale d'opinions et de décisions :

« A l'époque, j'occupais un poste à l'exploitation, enfin, j'étais responsable de pas mal de personnes, j'avais tendance à écouter, prendre en considération ce qu'ils disaient. Personnellement, ça a toujours été ma position, d'écouter et de communiquer avec les gens qui avaient de l'expérience et qui parlaient de choses intéressantes. »

On peut penser que la même attitude ne prévaut pas seulement dans les interactions supérieurs / subordonnés mais qu'elle doit intervenir à tous niveaux puisque le but est de privilégier la médiation et l'interaction culturelles.

Une expérience de modèle hiérarchique binational

L'expérience que je vous présente maintenant nous fait retrouver le concept « tiers » de *fairness* mentionné plus haut. Dans cette société binationale, le monde tiers de *fairness* se manifeste dans la volonté des dirigeants de ne pas donner l'avantage du pouvoir à un groupe sur l'autre, mais au contraire, de prévoir un équilibre dans l'occupation partagée des postes hiérarchiques :

« Dans l'organisation au niveau du management, explique Marc, *on a à peu près un équilibre entre Français et Anglais. Le principe qu'on a retenu, c'est de ne pas doubler les postes, donc avoir des postes uniques, un organigramme unique avec un mélange, un dosage de Français et d'Anglais à peu près équilibré, mais tenant compte fondamentalement des compétences. »*

Ce mode de répartition a été mis en place chaque fois que possible suivant les compétences et dans la mesure où la sécurité du personnel ou la législation le permettaient. A un niveau inférieur de supervision, les compétences ou la sécurité des équipes ont exigé une organisation plus « anglaise » ou plus « française » :

« Par contre, au niveau des cellules de base d'exploitation, poursuit Marc, *on a considéré qu'il était raisonnable que le premier niveau de supervision, c'est-à-dire le niveau de maîtrise, si vous voulez, soit de même nationalité que les gens qu'ils encadrent parce qu'à ce niveau-là, vous ne pouvez pas exiger des gens qu'ils soient parfaitement bilingues et binationaux. »*

Au bout du compte, voici comment se décline l'organigramme :

« Ce qui fait que même dans les départements binationaux, comme par exemple le département de l'entretien ou des équipements fixes où vous avez moitié Anglais, moitié Français, et dans chaque section c'est binational, vous avez un manager unique qui, lui, peut être français ou anglais, mais en dessous, il a des groupes "leaders" : un groupe "leader" français, un groupe "leaders" anglais et une équipe française et une équipe anglaise. »

La structuration de l'entreprise a reposé sur la création d'un système innovant, car sans précédent, ajoute Jean :

« On avait comme rôle de créer, d'inventer un système

binational biculturel franco-britannique. On a tout inventé nous-mêmes puisqu'il n'y avait aucun précédent, donc tout ce qui est la création, toute la structure, c'est une invention complète depuis le début ; il n'y avait personne sur le marché de compétent en la matière ou que nous connaissions, donc ça a été une création interne. »

Une structuration hiérarchique qui a nécessité des principes de base :

« *On a accepté des principes simples qui étaient premièrement ce qu'on appelle nos valeurs,* explique Jean, *à savoir l'acceptation des différences, à savoir la nécessité de la qualité, de la sécurité, la primauté du service, la nécessité du travail en équipe mais le respect de l'individu dans l'équipe, et puis la création d'une relation à long terme entre les employés et la société.* »

Dans sa forme, le type de management décrit s'inspire du management participatif qui, lorsque la cohérence réglementaire est impossible, tente d'assurer la cohésion par la création d'une culture d'entreprise. Selon Norbert Alter :

> « D'un gouvernement par les règles, les entreprises passent ainsi à un gouvernement par la culture. Cette autre face du management participatif, qu'elle se nomme "projet d'entreprise", "politique d'image" ou "dynamique de communication interne" a un objectif majeur : faire partager à l'ensemble des salariés une mentalité d'entrepreneurs tout en guidant leurs actions dans le sens souhaité par l'entreprise [1]. »

« Faire partager à l'ensemble des salariés une mentalité d'entrepreneurs », c'est faire appel à un agent de pouvoir organisationnel qui échappe au fondement général d'un pouvoir qui découlerait uniquement de prérogatives légales, de droits exclusifs, ou de l'apanage d'imposer des

1. Alter, 1991.

choix. Voici comment Mintzberg décrit cet agent organisationnel :

> « Un agent qui est techniquement inanimé mais qui en fait montre bien qu'il a une vie propre, il s'agit de *l'idéologie* de l'organisation — l'ensemble de croyances partagées par les détenteurs d'influence internes, et cet ensemble se distingue de celui d'autres organisations[1]. »

Dans le cadre des relations franco-anglaises, cet agent qui permet d'échapper à l'imposition autoritaire des choix, insupportable aux Anglais, paraît d'une grande pertinence. En s'écartant du système d'autorité, le système d'« idéologie » apporte un pouvoir mobilisateur et unificateur dans le sens où :

> « Une idéologie lie l'individu à l'organisation ; elle suscite un "esprit de groupe", le "sens d'une mission", en fait, elle permet l'intégration des buts individuels et des buts de l'organisation[2]. »

Au « sens de la mission », s'ajoute la notion de « loyauté », contenue dans la notion de *fairness* :

> « L'idéologie décourage les projets de fuite, ou la volonté d'échapper ou de se soustraire à une situation, elle fait taire la revendication et encourage, par contre, la "loyauté"[3]. »

Ainsi, les systèmes ou institutions à idéologies fortes, à mesure que l'organisation se met en place, créent des précédents qui vont enrichir le caractère épique de l'aventure dans laquelle les salariés se sont lancés. Clark, cité par Mintzberg, introduit la notion de *saga* :

> « Une saga ou un récit épique concernant l'organisation... une compréhension collective d'un accomplissement unique qui repose sur des exploits historiques. Les membres d'une organisa-

1. Mintzberg, 1986, p. 68.
2. *Ibid.*, p. 222.
3. *Ibid.*

tion, quand ils y adhèrent idéologiquement, lui garantissent leur loyauté, sont fiers d'en faire partie et s'identifient à elle[1]. »

Cette fierté et cette identification transparaissent dans le témoignage des dirigeants que nous avons déjà cités, témoin la fière insistance de Jean sur le caractère novateur, historique et aventureux de l'entreprise :

« Par exemple, on a la même hiérarchie des emplois du côté britannique que français. Ça, c'est une invention complètement Z. parce que la hiérarchie des emplois qu'on veut développer a été notre invention. On a décidé que finalement, avec le temps, on sera plus fort que les autres à ce niveau-là. Ça, c'est une invention complète, si vous voulez, je veux dire ça, c'est un des éléments dont Z. pour l'instant peut être le plus fier en termes de structure. Alors que dans une société normale, ça prend des années, des siècles et nous, il a fallu qu'on invente ça en trois ans, deux ans. »

Cependant, les individus qui participent à cette aventure ne se retrouvent pas par hasard, poursuit Mintzberg :

> « Ces individus ne se regroupent pas au hasard, mais ils se rassemblent, parce qu'ils partagent des principes liés à cette organisation naissante. Ils y trouvent au minimum quelque chose pour eux-mêmes ; mais dans certains cas, en plus de la mission, il y a le "sens de la mission", c'est-à-dire, le sentiment que le groupe s'est constitué pour créer quelque chose de nouveau et de passionnant[2]. »

Marc illustre bien le caractère passionnant et unique qu'il affecte à sa « mission » :

« C'est un projet excitant, donc le réaliser, participer à cette réalisation, je trouve que c'est une chance unique dans une carrière. Alors ensuite, le challenge de participer à la mise en place d'une équipe binationale, d'essayer

1. *Ibid.*, p. 224.
2. *Ibid.*, p. 223.

de la faire vivre, je trouve que c'est vraiment un challenge, c'est quelque chose que je n'ai pas eu ailleurs. »

Ainsi, les sentiments de fierté et de passion manifestés par les deux dirigeants français cités confirment les propos de d'Iribarne sur la nécessité d'associer l'honneur à une aventure épique :

> « L'honneur se nourrit difficilement de l'accomplissement laborieux, honnête et obscur de tâches monotones. Il aime les grands défis qui permettent de se distinguer. Il conduit volontiers à s'associer avec passion à une aventure glorieuse où appelle un chef prestigieux, à moins que ce ne soit un petit groupe enthousiaste qui montre la voie [1]. »

Afin de renforcer l'idéologie, il faudra qu'il y ait processus d'identification. Lorsque l'identification est naturelle ou spontanée, comme pour Marc :

> « Le nouveau membre d'une organisation est attiré par l'idéologie de celle-ci, autrement dit, il est "emballé" [2]. »

Lorsqu'il n'y a pas identification naturelle ou spontanée, celle-ci sera limitée et sélective, et s'opérera par l'intermédiaire des systèmes de recrutement et de promotion :

> « De nombreuses organisations ne peuvent dépendre uniquement de processus d'identification qui se développent naturellement. Leurs besoins en loyauté, en dévouement, en fidélité sont trop importants. Aussi, doivent-elles prendre des mesures, destinées à influer sur les processus d'identification. Ceci est le plus manifeste dans les processus de recrutement ; l'organisation sélectionne des candidats à un poste, non pas uniquement en fonction de leur capacité à effectuer le travail, mais aussi parce que leurs systèmes de valeurs sont compatibles avec l'idéologie de l'organisation [3]. »

---

1. D'Iribarne, *op. cit.*, pp. 126-127.
2. Mintzberg, *op. cit.*, p. 226.
3. *Ibid.*, p. 228.

C'est effectivement le système de recrutement qui a été privilégié dans l'entreprise :

« On a été très vigilants à l'embauche, on a essayé de ne pas embaucher, même à des niveaux de management, des gens qui n'avaient pas un certain nombre de traits, de valeurs culturelles, enfin qui pouvaient être acceptables pour l'entreprise. » (Marc)

« Volontairement, on a recruté en fonction de valeurs, on a accepté en même temps que les gens ne sachent pas ! On n'a pas recruté sur les compétences techniques, c'est-à-dire ce qui est tout à fait original dans la démarche, c'est qu'on a fait passer les valeurs avant les compétences techniques. « (Jean)

Au bout du compte, dans ce projet biculturel totalement innovant, la définition des valeurs sur lesquelles est basé le projet d'entreprise rejoint les valeurs définies pour la compétence individuelle de médiateur interculturel*. Ainsi, ce projet d'idéologie participative de management d'entreprise, tout en permettant de respecter les représentations culturelles du pouvoir dans chaque groupe, repose sur les valeurs d'hommes et de femmes qui acceptent les différences et les respectent, dans un système où ces mêmes valeurs prennent le pas sur les compétences techniques.

— BILAN DES COMPÉTENCES ET SAVOIR-FAIRE À METTRE EN ŒUVRE DANS LA COMMUNICATION FRANCO-ANGLAISE —

Trouver des talents

Tous les témoignages le mettent en évidence : dans tous les domaines concernés, langue ou aires sensibles de la communication — fonctionnement théorique / pragmatique, quête de la décision, perceptions de la distance et de la hiérarchie — c'est la compétence d'intercompréhension qui prévaut dans un ajustement conscient et sans cesse renouvelé aux pratiques et références de l'autre, cette compétence constituant elle-même le soubassement de la compétence de médiation culturelle*.

Les entreprises à vocation de coopération franco-anglaise ont pris conscience des limites de la compétence linguistique dans les relations entre les deux cultures et recherchent par différentes voies à recruter des personnels qui ont la compétence d'intercompréhension. Parmi les personnels en poste de plus de 30 ans, on trouvera des « locaux », qui assurent le rôle de « médiateurs » entre les deux cultures qu'ils connaissent, ou des individus qui auront vécu plusieurs situations d'expatriation au cours de leur carrière. Bien qu'une tendance semble se dessiner en faveur des « locaux »[1], on trouve chez les plus jeunes recrutés non « locaux » des profils témoignant d'une exposition à diverses cultures au cours de leur vie personnelle ou privée : mobilité professionnelle des parents lors de l'enfance du jeune recruté ou liens familiaux du mariage, par exemple.

Ces formes de recrutement, même si elles signalent une prise de conscience de la part des employeurs, ne semblent toutefois constituer que des mesures palliatives, ceci pour deux raisons. La première, c'est que ces formes de recrutement s'appuient sur un bassin restreint de candidats éventuels ; la seconde, c'est que l'exposition à des cultures différentes dans un vécu personnel, si elle permet le repérage des différences, si elle permet une première approche de l'intercompréhension, ne conduit pas nécessairement à des compétences et savoir-faire d'intercompréhension. Il faut passer par plusieurs étapes de reconnaissance et de

1. Qui ne sont du reste, suivant le point de vue adopté, qu'une forme d'expatriés.

compréhension des différences, associées à la tolérance et au respect de l'autre, avant d'accéder à une phase plus avancée et productive qui permettra d'œuvrer pour une véritable synergie entre interactants. Voici comment André Laurent décrit le processus :

> « Cette synergie devient le fruit d'un apprentissage progressif où les partenaires confrontent leurs perspectives et leurs modèles et créent sur cette base un nouveau modèle d'action plus performant à partir de leurs traditions respectives [1]. »

Rien d'étonnant à ce que certains remarquent que l'expatriation est susceptible finalement de produire des cadres plus opérationnels que les « locaux », car ils auront eu besoin, au cours de leur expatriation, d'affronter et de résoudre des problèmes qui ne se seraient pas posés aux « locaux », leur permettant ainsi de développer des talents supplémentaires. Dans un article de l'*International Herald Tribune* [2] traitant de l'expatriation des cadres de l'Ouest vers l'Est, le journaliste écrivait :

> « Tandis que certaines sociétés remplacent leurs expatriés par des locaux, ceux que l'on a coutume d'appeler les spécialistes de l'expatriation — des Occidentaux mutés en Europe de l'Est et qui y ont développé des aptitudes spécifiques au cours de leur séjour et de leur travail sur place — restent très recherchés pour des rôles de direction de planification économique et de gestion d'entreprise.
>
> Les cabinets spécialisés dans le recrutement de cadres disent que ces directeurs ont développé des méthodes uniques de résolution de problèmes dans des conditions moins que favorables, ce qui les rend souvent plus créatifs, plus flexibles et adaptables que des directeurs locaux ou bien des cadres venus de l'Ouest et qui n'auraient jamais eu d'expérience d'expatriation. »

1. Laurent, *op. cit.*
2. « Western Managers Thriving in East », *International Herald Tribune*, 25-4-96.

*Définir les talents de médiateur culturel**

Quels sont les outils qui permettent de définir les talents de médiateur culturel* ? Ces talents peuvent être tout d'abord définis par l'intermédiaire de la psychologie du *moi*, issue de la psychanalyse. Cette théorie renvoie au fonctionnement de l'esprit humain et se donne pour objet les fonctions adaptatives du *moi*, c'est-à-dire la prise en considération de ce que Freud appelait *le principe de réalité*, comme l'explique Roland Reitter, spécialiste de gestion stratégique des organisations :

> « Comment tenons-nous compte de la réalité extérieure ? Comment le moi trouve-t-il des mécanismes de régulation lui permettant de faire le lien entre l'intérieur et l'extérieur ? Comment fonctionne l'intelligence dans l'action [1] ? »

En réponse à ces questions, Reitter dégage cinq grandes fonctions adaptatrices :

> « La maîtrise des fonctions cognitives, la transformation des savoirs en décision, la tolérance à l'ambiguïté, le travail sur le temps et le contrôle des pulsions [2]. »

L'approche présentée par Roland Reitter, bien qu'elle concerne les compétences requises pour une nouvelle forme de leadership chez les futurs cadres de l'entreprise, se trouve en coïncidence avec les compétences du médiateur culturel* définies par le chercheur universitaire Michael Byram. Il est remarquable de constater que les analyses des besoins des entreprises puissent rejoindre les préoccupations de la recherche universitaire sur l'enseignement de la compétence de communication interculturelle. La coïncidence met l'accent sur la nécessité accrue

1. Reitter, 1997.
2. *Ibid.*

de cette compétence, en même temps qu'elle ouvre la voie à une prise en compte et un traitement simultanés du problème qui pourraient s'enrichir d'un travail en équipe entre monde du travail et monde de la recherche universitaire. A la lumière de ces deux approches complémentaires, il est possible de déterminer trois phases dans le processus d'accès à la compétence de leadership et dans celui qui permet d'accéder à la compétence de médiation.

Les phases d'accès à la compétence de médiation

La première phase : curiosité et étonnement

Elle concerne la tolérance à l'ambiguïté que Reitter décrit comme « la capacité de tolérer les dissonances cognitives[1] ». Cette forme de tolérance est à rapprocher des attitudes de l'*intercultural speaker* décrites par Byram, à savoir : curiosité et franche ouverture, volonté de suspendre sa défiance à l'encontre des autres cultures et ses convictions envers la sienne.

> « Il s'agit de la curiosité et de la capacité d'étonnement qui se manifestent dans un questionnement permanent et la sincérité des observations, dans la volonté d'essayer tout ce qui est nouveau, plutôt que de se cramponner au familier[2]. »

De cette attitude découle la volonté de rechercher des occasions de confrontation avec l'autre et l'altérité. Parmi les cadres interviewés, Francis que j'ai déjà cité à maintes reprises, manifeste ces caractéristiques. Son expatriation en Angleterre est un choix personnel :

« C'est un choix délibéré de ma part, j'ai levé le doigt pour venir ici.

1. *Ibid.*
2. Byram, *op. cit.*, p. 50 (traduit par l'auteur).

— *Qu'est-ce qui vous a poussé justement à lever le doigt pour venir ici ?*

— *L'intérêt de connaître un autre pays, une autre culture et d'autres façons de travailler. Donc, très égoïstement, c'était motivé par un enrichissement, enfin, le désir de s'enrichir personnellement, de connaître quelque chose d'autre.* »

Je rappellerai qu'il convient de distinguer cette attitude de celle qui consiste à rechercher l'exotisme, attitude qui serait insuffisante pour développer une compétence de relation interculturelle. En effet, au-delà de la recherche de la différence, il y a la volonté de remettre en question ses propres valeurs et préjugés et une volonté d'expérimenter les différentes étapes d'adaptation et d'interaction avec une autre culture afin de s'y intégrer. Francis se montre très satisfait de son expérience :

« *Pourriez-vous expliquer votre satisfaction* (concernant le choix de venir travailler en Angleterre), *en quoi est-ce qu'elle réside ?*

— *Simplement l'excitation, c'est peut-être un mot un peu fort, mais l'intérêt de découvrir un monde qui est un peu différent et de pouvoir s'y intégrer, de pouvoir communiquer avec des gens qui ont une démarche d'esprit qui n'est pas toujours la même, de pouvoir comprendre d'autres références qui ne sont pas les nôtres en France.* »

La deuxième phase : reconnaissance et appréciation des différences

Elle concerne la maîtrise des fonctions cognitives que Reitter définit ainsi :

> « L'objectivité (comprendre comment mes sentiments affectent ma capacité de comprendre le monde), le recul (qui permet, au-delà des idées reçues, la spéculation intellectuelle et la création), la logique (la compréhension des chaînes causales,

des rapports entre les moyens et les fins et des effets systémiques)[1]. »

Cette deuxième phase est à mettre en regard avec l'acquisition des savoirs décrite par Byram :

> « La connaissance des groupes sociaux, de leurs productions et de leurs pratiques dans son propre pays et celui de son interlocuteur, ainsi que la connaissance des processus généraux d'interaction sociétale et individuelle[2]. »

Ces savoirs concernent, entre autres, la connaissance de l'histoire des relations des deux pays au cours de leur histoire et à l'époque contemporaine, les lieux de mémoire des événements historiques de chaque pays qui expliquent les perceptions et représentations croisées des interactants. C'est l'analyse que je vous ai présentée au chapitre précédent et que Byram illustre par l'exemple de l'histoire de Jeanne d'Arc :

> « Un Français qui apprend l'anglais est tôt ou tard confronté aux deux versions de l'histoire — plutôt que l'Histoire — de Jeanne d'Arc. La mémoire collective nationale française de cette histoire diffère de celle des Anglais ; ce sont les relations historiques entre les deux pays résumées dans cette différence qui constituent le savoir envisagé ici.
>
> Il est nécessaire qu'un médiateur culturel puisse comprendre comment cela crée des perceptions différentes, plutôt que de s'attacher à connaître toutes les situations et les exemples spécifiques. La prise de conscience que l'on est un produit de sa propre socialisation est un prérequis à la compréhension de ses propres réactions à l'altérité[3]. »

Marc a compris l'importance de cette démarche dans la mise en place d'équipes binationales :

« Les traits dominants de la culture nationale, vous ne

1. Reitter, *ibid.*
2. Byram, *ibid.*, p. 51.
3. Byram, *ibid.*, pp. 51-52.

pouvez pas les éliminer. Je crois que ce qu'il faut d'abord, c'est développer la connaissance, c'est-à-dire que quand on doit travailler dans des équipes binationales, il faut savoir comment sont les autres ; il faut développer une connaissance au sein du management des gens qui sont concernés par le problème, parce qu'ils ont à gérer des équipes binationales, pour qu'ils comprennent comment sont les autres et que, le sachant, ils en tiennent compte. »

La troisième phase : l'accès à la médiation

La troisième phase concerne la phase de production décrite plus haut par Laurent et que Reitter définit comme « la transformation des savoirs en décision », c'est-à-dire :

> « La concentration (le choix des priorités, l'articulation des tâches à accomplir), l'empathie (la capacité de comprendre la situation et les sentiments d'autrui), la capacité de s'engager, de prendre position, de s'exposer[1]. »

Cette dernière phase, la plus constructive et créative, repose sur les aptitudes que Byram nomme « savoir interpréter et mettre en relation[2] », c'est-à-dire la capacité à identifier les représentations ethnocentriques*, à identifier des aires de malentendus et de dysfonctionnement, à les expliquer et à servir de médiateur lors de représentations conflictuelles :

> « Un médiateur interculturel* est attentif à la façon dont le malentendu s'installe entre deux personnes du fait de leur ethnocentrisme* — quel que soit leur degré de compétence linguistique* — et il est capable d'identifier et d'expliquer les présuppositions d'une formulation afin d'en réduire le dysfonctionnement[3]. »

1. Reitter, *op. cit.*
2. Byram, *op. cit.*, p. 52.
3. *Ibid.*

Cette aptitude d'interprétation et de mise en relation est sous-tendue par l'aptitude à agir en temps réel :

> « La capacité de mettre en œuvre savoirs, attitudes et compétences dans des conditions de communication soumises aux contraintes d'interaction en temps réel[1]. »

C'est la combinaison des attitudes de la première phase avec les savoirs de la deuxième phase et les aptitudes de la troisième phase qui va engendrer la compétence d'action et de médiation en temps réel entre interlocuteurs de pays et de cultures différents.

Nous avons découvert plus haut que ce degré élevé de compétence était à l'origine de créations et de constructions originales dans le cas d'une entreprise binationale. Tony et Marc qui travaillent pour cette même entreprise témoignent de cette volonté et de cette aptitude à dépasser les différences, à interpréter, interagir et construire sur des valeurs communes reconnues positives, dans une action permanente où rien n'est jamais résolu définitivement.

« Nous, avec le groupe de gens qui travaillons ici, nous sommes à la recherche des choses qui nous unissent, les choses que nous avons en commun ; et c'est là-dessus qu'on construit au lieu d'en rester au fait de savoir si on parle une langue différente de l'anglais britannique. C'est comme si quelqu'un vous disait : "Est-ce que mon verre est à moitié vide ou à moitié plein ?" Eh bien, il faut se concentrer sur celui qui est à moitié plein, parce que si on regarde celui qui est à moitié vide, on se concentre sur ce qui est négatif et alors là vous trouverez toujours les choses qui vous diviseront, mais ce ne sont pas celles-là qui vous uniront. Se contenter de dresser une liste des différences, ce n'est pas ça qui vous aidera. » (Tony)

« Je pense que c'est une action à caractère permanent,

1. *Ibid.*

c'est-à-dire que les actions de formations de management, de sensibilisation, d'explication, je pense qu'il faudra toujours en faire. On n'annule pas une culture, la culture, elle n'est pas liée uniquement à l'individu, c'est le résultat de strates accumulées sur des siècles. Je ne pense pas qu'on puisse avoir l'objectif d'annuler la culture, de fondre tout ça dans un moule commun dans lequel, d'ailleurs, personne ne se reconnaîtrait. Je pense que ce qu'on peut obtenir, c'est la reconnaissance de l'autre culture et le développement de valeurs communes. » (Marc)

Au cours des trois phases décrites, il faudra prendre en compte les deux dernières fonctions décrites par Reitter[1] concernant le travail sur le temps et la canalisation des pulsions. On se souvient que le travail sur soi ou la canalisation des pulsions avaient été mis en évidence par Tony plus haut, pour qui la prise en compte permanente de son environnement de travail biculturel était devenue une discipline personnelle.

Le rôle des enseignants de langues étrangères

De toute évidence, la compétence de médiateur culturel* ne peut être innée et si certains individus y sont mieux préparés que d'autres, du fait de leur vécu personnel et d'expériences précoces d'exposition à d'autres cultures, les employeurs ne peuvent se satisfaire de la seule bonne volonté de leurs salariés pour accéder à un degré de compétence qui conduise à la phase de production. Les actions de formation et de sensibilisation deviennent indispensables.

Sans prendre la place des experts en management interculturel ou des psychosociologues de l'entreprise, comment ne pas penser que les enseignants de langue ont

1. Reitter, *op. cit.*

un rôle à jouer, à leurs côtés, dans la transmission des savoirs et savoir-faire qui conduisent à la compétence de médiation culturelle. Ce rôle est complémentaire à celui des experts ou des consultants en entreprise, puisqu'il permet de semer les premiers germes d'une conscience de la nécessité d'une compétence de communication interculturelle dans l'esprit des plus jeunes et de les préparer à développer, par la suite, des savoir-faire d'interaction entre cultures. Jusqu'à présent, il semble que les entreprises aient cherché des talents de ce type chez leurs candidats à un emploi, sans pouvoir les définir avec exactitude.

La mission des enseignants de langue s'enrichit donc de cette dimension nouvelle qui permet d'assurer le lien entre l'école et l'entreprise, entre l'université et l'entreprise, mais aussi de participer à la construction de la communication entre Européens. Nous, enseignants de langue, nous avons les connaissances linguistiques, nous avons les connaissances de civilisation, nous avons les connaissances de littérature et de culture qui sont des atouts privilégiés dans le domaine de l'anthropologie culturelle, et nous connaissons l'importance de la dimension socioculturelle dans la communication. Au sein du Conseil de l'Europe, les enseignants chercheurs en langue ont déjà montré le chemin :

> « Le Conseil de l'Europe est très attaché à donner aux jeunes de ses pays membres une aide à la compréhension et au respect des façons de penser et d'agir des autres, sur la base de convictions et de traditions autres. Par conséquent il cherche à protéger et à promouvoir une connaissance et un usage plus larges de ses différentes langues et cultures comme source d'enrichissement mutuel[1]. »

Le rôle du professeur de langue est tout naturellement souligné :

1. Byram & Zarate, 1995, p. 5.

> « Le Conseil de l'Europe croit fermement que les enseignants de langues ont un rôle central à jouer dans la préparation des jeunes à une citoyenneté démocratique pleine et active au sein de la nouvelle Europe [1]. »

Il appartient aux équipes d'enseignants de langues, fidèles à l'appellation traditionnelle de leur fonction, enseignants de langues *étrangères*, de ne pas oublier *l'étrange* et *l'étranger* dans ce rapport à l'autre, et de se mobiliser pour prendre en charge la dimension interculturelle de leur enseignement. Toutes les langues étrangères parlées au sein de l'Europe sont concernées par cet effort, afin que la construction européenne ne soit pas seulement économique et politique, mais soit aussi celle de la valeur relationnelle des hommes qui la composent.

Enseigner la médiation culturelle à de futurs ingénieurs

C'est une évidence, les étudiants ingénieurs seront appelés à travailler dans un environnement européen ou international. Des actions de formation à la communication interculturelle sont déjà en place dans les Universités de Technologie de Troyes, Compiègne et Belfort. Sous forme de cours inclus dans le cursus de l'ingénieur ou sous forme de DEA ou de DESS, ces actions reposent à la fois sur des cours théoriques et des études de cas : cas franco-anglais, franco-américains, franco-allemands ou franco-espagnols ; elles sensibilisent et développent la prise de conscience de l'importance de la compétence de médiation culturelle dans les rapports professionnels.

En ce qui concerne l'enseignement de cette nouvelle discipline, on opte avec profit pour une progression contrastive fondée sur leurs besoins propres, que ces besoins soient d'ordre linguistique ou d'ordre sociocultu-

1. *Ibid.*

rel. La progression contrastive par le jeu des regards croisés encourage la distanciation permanente, permettant une analyse à plusieurs niveaux simultanément, notamment pour les deux premières phases décrites. Ainsi, par exemple, profitant de l'étonnement de la première phase dans une situation donnée, on pourra analyser l'origine de cet étonnement, croiser ce même étonnement avec une réaction éventuellement réciproque de l'autre partie (réaction en miroir), et aboutir à une distanciation qui permettra tout naturellement l'accès à la maîtrise des fonctions cognitives. La méthode contrastive correspond à la méthode utilisée par l'ethnographie de la communication*, c'est-à-dire le recours à l'investigation de sa propre communauté linguistique pour comparer et contraster avec les pratiques autres et parvenir à la distanciation et la constatation de la relativité de ces pratiques :

> « L'ethnographie ne se limite en aucun cas à l'étude des "autres" ; on peut également étudier avec profit sa propre communauté linguistique. Cependant, la découverte de schémas comportementaux qui opèrent largement hors de la conscience du chercheur natif présente différents problèmes dans la recherche de "l'objectivité". L'un des meilleurs moyens de progresser dans la compréhension de ses propres pratiques langagières est celui qui consiste à comparer et contraster ces pratiques avec d'autres, une méthode qui peut révéler que bien des pratiques de communication perçues comme "naturelles" et "logiques", sont en fait aussi uniques et conventionnelles d'un point de vue culturel que le code langagier lui-même. Les effets engendrés par cette méthode constituent l'une des caractéristiques essentielles de toute ethnographie : le sens du relativisme culturel[1]. »

Les étudiants, à l'issue d'un semestre d'étude, sont unanimes à reconnaître qu'ils ont découvert une dimension nouvelle dans leur relation à l'autre culture. Ce premier

---

1. Saville-Troike, 1989, p. 4 (traduit par l'auteur).

pas en avant vers une citoyenneté européenne, on peut l'espérer, les conduira progressivement, et en fonction de leur rythme de développement personnel, à la phase de construction des nouvelles valeurs et des nouveaux talents essentiels au médiateur culturel dans la coopération de travail en entreprise. Pourquoi ne pas espérer que ces valeurs soient du reste transposables, par la suite, du domaine de médiation étudié à la médiation d'autres cultures ? Un « certain regard décentré », un état de veille permanent caractérisent l'intermédiaire culturel, conscient qu'il ne pourra jamais s'approprier un système culturel autre, mais attentif à la parole et à l'action de l'autre, quelle que soit son origine, pour tenter d'en parler la langue et la culture.

Deux étudiants troyens qui avaient vécu une partie de leur enfance, l'un au Japon, l'autre à Taiwan, ont décidé, à la suite de leur formation à la communication interculturelle, d'y effectuer un nouveau séjour prolongé afin de mieux approcher et comprendre une culture qu'ils n'avaient fait qu'entrevoir depuis leur quartier ou leur lycée français. Je crois fermement que ces jeunes, futurs acteurs de la construction européenne et futurs citoyens d'Europe, seront les acteurs du monde de demain. Dans la grande enquête sur la mondialisation menée par quatre étudiants de l'Essec auprès de jeunes de soixante-quatre universités dans vingt-quatre pays, « 68 % disent vouloir travailler à l'étranger, et 52 % souhaitent le faire dans une multinationale [1] ». Ce monde, non seulement du fait de communications internationales accrues et accélérées, mais aussi du fait de la volonté de participation des jeunes à la mondialisation, ne pourra se passer des nouvelles valeurs et des nouveaux talents développés par ces nouveaux citoyens médiateurs culturels* du monde.

1. « Mondialistes et individualistes, un tour du monde des étudiants », *Le Monde*, 25-26 juin 2000.

EN GUISE DE CONCLUSION : VERS UNE MÉDIATION CORDIALE ?

Nous voici parvenus au terme du voyage. Invités à suivre un itinéraire en pays interculturel, nous avons tout naturellement emboîté le pas des informateurs, à la fois compagnons de route et guides de nos escales, à travers le témoignage vibrant de l'expérience qu'ils vivent quotidiennement. Grâce à eux, nous avons pu pénétrer au cœur des échanges franco-anglais et en découvrir ou redécouvrir les diverses régions.

Notre première étape nous a menés aux rives de la langue de l'autre. Bien des travaux de recherche partent d'hypothèses théoriques et on aurait pu envisager ici des hypothèses ancrées dans l'histoire des deux peuples comme point de départ de l'étude. Or il s'agit d'une étude sur la communication et les relations humaines ; en optant pour une démarche qui partait de la langue, nous partions d'éléments visibles de ces échanges, nous partions de ce qui se vit au quotidien, de ce qui palpite entre les hommes qui se rencontrent et s'affrontent, en un mot nous partions du cœur de l'interaction de communication sans courir le risque de perdre de vue l'objet de notre étude. En effet ce qui se joue dans la communication, c'est bien l'échange langagier en tout premier lieu, puisque le monde du travail rend ces échanges incontournables par le biais des médias de communication : téléphone, fax, courrier électronique et plus récemment la visioconférence. Le discours et les pratiques langagières des interactants nous ont permis de construire le cheminement de notre étude en faisant apparaître les représentations croisées des spécificités anglaises et françaises.

Nous avons vogué ensuite de concert vers des îlots de malentendus qui abritent langue et action, et nous y avons retrouvé dans les comportements les valeurs identifiées dans l'analyse des pratiques langagières. De façon métaphorique, nous avons pu construire trois aires sensibles de la communication franco-anglaise où langue et comportement sont intimement liés. Une première aire concerne le fonctionnement au travail, une deuxième aire concerne la négociation et une troisième les relations de pouvoir. Le fonctionnement dit « pragmatique » des Anglais a été contrasté avec celui dit « théorique » des Français. La voie de la négociation par l'intermédiaire de la recherche du compromis ou de la solution « raisonnable » chez les Anglais a été comparée à la recherche de l'accord par des voies qui incluent l'acceptation du conflit côté français. Les relations de pouvoir se déclinent également en contraste avec une prise en compte de la distance relationnelle et/ou de la distance hiérarchique, l'acceptation de l'autorité ou son rejet, et une plus grande place laissée à l'autonomie et l'individualisme, en regard d'une liberté toujours revendiquée et qui va jusqu'à s'imposer tyranniquement au nom de son universalité.

Ces pratiques ou stratégies langagières et comportementales se font l'écho des racines culturelles profondes des deux peuples en présence. Je vous ai donc invités ensuite à ouvrir les portes de nos mémoires, considérant que ce troisième niveau d'analyse était un complément indispensable à la compréhension de la permanence de valeurs et d'idéologies forgées au fil des siècles et entretenues dans une alchimie contemporaine de mésentente cordiale. L'étude du profil mémoriel des peuples anglais et français met en lumière la transversalité et la pérennité des valeurs culturelles du niveau historique au niveau langagier, et illustre également le retard de l'Histoire sur l'histoire des événements. Ce retard ne peut être évalué que par l'intermédiaire des observables du niveau un et du niveau deux, qui constituent une photo à un moment bien précis de l'histoire de la communication entre Anglais et Français, mais qui portent en eux les germes de leur propre évolution.

La souplesse de l'approche pragmatique interactionniste* a été très favorable à la photographie et à l'approche qualitative du premier niveau d'analyse. Grâce à l'approche pragmatique interactionniste*, l'exploration des marqueurs de la relation interpersonnelle*, des stratégies de politesse, des stratégies d'adresse directes ou indirectes, des modèles assertifs ou non assertifs a mis en relief des fonctionnements souvent divergents et mal compris, qui conduisent au renforcement des stéréotypes traditionnels affectés à chacun des deux peuples et aux incompréhensions et frustrations mutuelles liées à l'échec de la coopération.

Parmi les trois aires sensibles citées plus haut, je reprendrai le domaine de la négociation pour illustrer la construction de la transversalité entre les différents niveaux de l'analyse. La métaphore des stratégies de négociation est présente à la fois dans le langage (niveau un de l'analyse) et dans l'action (niveau deux). Lorsque les stratégies verbales font appel aux formes indirectes d'adresse, à l'*understatement*, aux adoucisseurs ou à la non-assertion, les stratégies comportementales révèlent des attitudes modérées, raisonnables, en recherche d'une voie moyenne et de compromis. Si, au contraire, les stratégies verbales font appel à des formes directes d'adresse, à l'*overstatement*, à des procédés d'ouverture de phrase adversatifs ou à l'assertion, on constate dans les stratégies comportementales des attitudes de fermeté, des prises de position affichées qui laissent peu de place au compromis. En poursuivant l'étude au niveau trois de l'analyse, on trouvera l'illustration du concept de compromis dans l'histoire anglaise et jusque dans le compromis établi par Locke entre *pactum subjectionis* et *pactum societatis*. Côté français, on trouvera la permanence d'un déchirement interne et conflictuel entre liberté et pouvoir, à la fois dans l'histoire ainsi que dans l'idéologie issue de la Révolution et fondée sur la philosophie de Rousseau.

Une mise en garde s'impose envers la systématisation d'une approche applicable et reproduisible indéfiniment à d'autres interactions. Même si le danger du déterminisme guette le chercheur interculturel, il faut reconnaître que l'approche choisie se prêtait particulièrement à l'étude de deux cultures européennes adultes. On ne peut qu'être frappé par la congruence que les structures anthropologiques, les imaginaires de filiation symbolique et les affinités électives religieuses entretiennent avec le développement idéologique, historique et économique des deux peuples. La convergence et la divergence des modèles familiaux, des constructions de généalogie, ou des modèles religieux, correspondent au dialogue incessant d'approche et de rejet de ces deux civilisations adultes à travers leurs similitudes et leurs contrastes. En effet les relations séculaires que ces deux peuples ont entretenues les ont souvent rapprochés ou éloignés au gré des tempêtes ou accalmies de leur histoire mêlée, produisant des modèles reposant souvent sur une inspiration mutuelle comme l'illustre la mise en parallèle des cheminements idéologiques de leurs philosophes réciproques.

A l'issue de notre voyage, nous sommes retournés auprès de nos informateurs, considérant qu'ils étaient les conseillers les mieux avisés pour répondre à notre quête finale. En effet, l'interrogation finale, incontournable conséquence de l'étude, ne saurait éviter la réflexion sur les stratégies qu'il serait possible de mettre en œuvre pour assurer une meilleure coopération entre les deux groupes en présence. Là encore, les informateurs, au cœur de l'interaction, énoncent eux-mêmes des solutions ou trouvent parfois de petits ajustements personnels. A un niveau de management plus élaboré, la direction des ressources humaines d'une entreprise binationale a opté pour un management participatif où chaque salarié œuvre à la mission emblématique de l'entreprise, en même temps qu'un concept clé appelé concept-tiers est mis en place entre les deux cultures afin d'en améliorer le fonctionnement. Je laisserai aux spécialistes du management l'expérimentation de ces choix stratégiques qu'il est toutefois intéressant de continuer à observer, car ils reposent sur une connaissance de l'histoire et de l'idéologie des deux peuples, base de la compréhension des phénomènes de leur interaction.

Pour ma part, j'ai souhaité souligner le rôle des enseignants de langue dans l'initiation à la compétence de médiation culturelle*, rôle complémentaire de celui des consultants en management ou des spécialistes des organisations. En tant que professeurs de langue, et il convient d'insister sur la terminologie professeurs de langues *étrangères*, nous sommes investis d'une mission qui dépasse le simple enseignement de la compétence linguistique*. Le bassin d'emploi de nos élèves et de nos étudiants s'est élargi à l'Europe et au monde entier. De nouvelles compétences sont donc requises qui leur permettent de faire face aux situations de communication avec des cultures diverses. Ces compétences sont de plus en plus recherchées par les directeurs de ressources humaines d'entreprises binationales ou internationales. La compétence de médiation culturelle* a été éclairée par les chercheurs en langues au sein du Conseil de l'Europe. Différentes phases d'accès ont été décrites depuis la simple confrontation avec la différence, jusqu'à la tolérance face à ces différences grâce à une phase cognitive, suivie d'une phase de transformation des connaissances et savoirs en savoir-faire et aptitude à gérer la communication entre un Français et un Anglais (en ce qui concerne l'étude présentée). La mise en œuvre de la compétence de médiation culturelle* reposera donc sur des stratégies d'interaction issues d'une double connaissance de soi et de l'autre afin d'accéder à l'intercompréhension qui, au-delà de la compétence*, voire la performance linguistique*, assurera une coopération harmonieuse entre les acteurs de la communication.

Je ne peux m'empêcher d'éprouver une certaine tendresse pour le héros de Julian Barnes[1], cet Anglais d'un certain âge qui se rendait à Paris pour affaires et qui, adepte de vin de Bourgogne,

> « préférait imaginer quelque réplique française de lui-même, voyageant dans la direction opposée et regardant par la fenêtre un champ de houblon vide : un vieil homme en pull Shetland fasciné par la marmelade anglaise, le whisky, les œufs au bacon, les magasins Marks & Spencer, le *fair-play*, le flegme et le *self-control.* »

Vous avez sans doute, tout comme moi, rencontré quelques-unes de ces « répliques françaises » et quelques informateurs anglais fascinés par la France et les Français. On l'aura cependant compris, cette attirance réciproque, la recherche de son propre reflet dans l'autre, sont des bases de départ encourageantes pour la communication mais ne suffisent pas à déterminer le modèle vers lequel le médiateur culturel* doit tendre. Au-delà du piège de l'exotisme* et de l'acculturation, le médiateur apprend à accepter et à comprendre la différence afin d'être capable de la gérer et de l'utiliser dans sa fonction de communication. Le niveau trois de l'analyse qui apporte la compréhension des différences de construction mémorielle de

1. Barnes, 1998, p. 243.

chacun des peuples en présence est un élément clé de la production de stratégies de gestion de la communication. Langue, comportement et culture, indissociables dans l'étude de l'interaction entre Français et Anglais dans leur milieu de travail, sont également indissociables chez le médiateur culturel*.

Enfin, puisqu'il s'agit de cœur dans cette entente « cordiale » fantoche, déclinée en mésentente « cordiale » au fil de ce récit interculturel franco-anglais, gageons que la dimension des relations observées dépasse le cadre des relations de travail et de l'entreprise pour s'étendre au domaine privé. J'en tiens pour preuve la concordance des témoignages recueillis dans des lieux et des secteurs d'activité très différents. Dans le grand chantier de l'Europe qui se construit avec tous nos voisins proches ou plus lointains, le cœur de la construction repose bien sur la communication entre des hommes de langue, de comportement et de culture différents, indépendamment des systèmes économiques et politiques, comme en témoigne l'actualité récente. Les relations humaines interculturelles resteront indispensables pour solidifier l'édifice, sur la base d'un ciment de médiation interculturelle et, bien sûr, « cordiale ».

GLOSSAIRE

Le lecteur trouvera dans le glossaire tous les mots ou expressions suivis du symbole * dans le corps du texte.

Choc linguistique

Il a pour origine les difficultés d'un apprenant de langue 2 à trouver le mot correct pour désigner des choses ou pour exprimer des idées. Il s'accompagne d'un sentiment d'insuffisance lié au manque de compétence dans la langue 2. (*Cf.* Schumann.)

Code-switching

Changement de langue à l'intérieur d'une même situation de discours.

Endomorphose

Mécanisme décrit par Todd (1990) comme la transformation temporelle d'une variable ou d'une structure n'affectant pas sa distribution dans l'espace. Ce concept rend compatibles l'évolution dans le temps des structures et leur inscription dans des régions anthropologiquement stables.

Compétence linguistique

Compétence linguistique idéale de type chomskyen qui désigne l'ensemble des règles qui sous-tendent la fabrication des énoncés ; cette compétence est conçue en termes d'aptitudes du sujet parlant à produire et interpréter ses énoncés et ne prend en compte ni performance, ni contexte.

Ethnocentrisme — Ethnocentrique

Regard sur l'autre qui se fonde sur les seules références culturelles d'un sujet. La « norme » est celle des valeurs culturelles auxquelles le sujet s'est identifié. L'autre est considéré comme déviant de la norme.

Ethnographie de la communication

Son objectif est de décrire l'utilisation du langage dans la vie sociale, et plus précisément, de dégager l'ensemble des normes qui sous-tendent le fonctionnement des interactions dans une société donnée. Ce courant émane d'un groupe de chercheurs parmi lesquels : Hymes, Gumperz, Goffman, Labov.

Ethno-psychologie

Etudie la psychologie des peuples. On peut citer notamment l'étude des filiations mythiques dont se réclament les peuples pour asseoir leur origine.

Exotisme

Degré d'ouverture excessif à la culture de l'autre qui est idéalisé dans ses différences.

Force illocutoire

Valeur littérale hors contexte d'un mot ou d'une expression en vertu de ses propriétés linguistiques. (*Cf.* C. Kerbrat-Orecchioni.)

Hedging

Stratégie linguistique qui évite l'assertion et les réponses directes.

Interlangue

Langue intermédiaire entre L1 (langue maternelle) et L2 (langue étrangère), construite progressivement par l'apprenant et qui évolue vers la langue cible. (*Cf.* McLaughlin.)

Language mix

Introduction de mots de L1 dans L2 ou inversement dans une situation d'échange où le locuteur ne connaît pas le mot, ou bien ne le trouve pas, ou pense qu'il pourra mieux se faire comprendre.

Linguocentrisme

Regard qui se fonde sur une théorie de la langue construite et partagée tacitement par un sujet à l'intérieur de sa communauté linguistique.

Médiateur culturel — Médiation culturelle

Le médiateur culturel (traduction de *Intercultural speaker*, cf. Byram) a acquis une compétence qui dépasse la simple compétence linguistique de langue étrangère. Il est capable de tolérer les différences chez l'autre, de les comprendre et de les analyser en temps réel pour interagir harmonieusement avec d'autres cultures.

Marqueurs de la relation interpersonnelle — Marqueurs relationnels

Pronoms et formes d'adresse (ex : pronoms personnels d'adresse, prénoms, noms, titres) à destination de l'interlocuteur. Leur sélection par le locuteur renseigne sur son origine sociale et la manière dont il évalue son interlocuteur.

Performance linguistique

En contraste avec la compétence linguistique, elle s'intéresse au discours en contexte, c'est-à-dire en tant que construction d'aptitudes où savoirs linguistiques et savoirs socioculturels sont indissociables.

Pragmatique

Etude de la langue en contexte ; cette approche tient compte de la complexité des aspects cognitifs, sociaux et culturels dans une situation de discours où le locuteur utilise la langue dans le but de produire un effet sur son interlocuteur.

Pragmatique interactionniste

Etude de la langue qui prend en compte l'action dans les rapports sociaux et les rapports intersubjectifs entre les différents acteurs de l'échange (les interactants).

Pragmatisme

Doctrine philosophique fondée par William James (1898) selon laquelle la vérité est une relation entièrement immanente à l'expérience humaine.

BIBLIOGRAPHIE THÉMATIQUE

L'étude de la communication franco-anglaise dans un environnement professionnel nécessite la prise en compte de phénomènes linguistiques, culturels et organisationnels. Cette bibliographie thématique a pour but d'aider le lecteur à se repérer dans chacun des domaines concernés par ces phénomènes. Nous présentons donc trois thèmes bibliographiques : le premier thème s'applique à l'approche linguistique et à la didactique des langues, le deuxième thème est relatif à l'approche diachronique, et le troisième porte sur la gestion des organisations.

Approche linguistique

AGAR, M. — *Language shock*, New York : Morrow and Company, 1994.

AGER, D., MUSKENS, G. & WRIGHT, S. — *Language Education for Intercultural Communication*, Clevedon UK : Multilingual Matters : 96, 1993.

ANDRÉ-LAROCHEBOUVY, D. — *La conversation quotidienne*, Paris : Didier, Credif, 1984.

ARMENGAUD, F. — *La pragmatique*, Paris : PUF, 1985.

ATTARDO, S. — *Linguistic Theories of Humor*, Berlin, New York : Mouton de Gruyter, 1994.

BAILEY, R.W., *Images of English, A Cultural History of the Language*, Cambridge : Cambridge University Press, 1992.

BEAL, C. — *Bonnes intentions, mauvaises impressions, Normes culturelles et lois de la politesse dans les interactions verbales entre Français et Australiens*, Thèse de Doctorat, Centre de Recherches Linguistiques et Sémiologiques, Université Lumière-Lyon II, 1994.

BENVENISTE, E. — *Problèmes de linguistique générale*, 1, Paris : Gallimard, 1966.

BOUSCAREN, J., DESCHAMPS, A. & MAZODIER, C., « Eléments pour une typologie des procès ». *In Cahiers de recherche*, *Grammaire anglaise*, tome 6, Paris : Ophrys, 1983.

BOYER, H. — *Eléments de sociolinguistique, Langue, communication et société*, Paris : Dunod, 1991.

BRAUN, F. — *Terms of Address, Problems of patterns and usage in various languages and cultures*, Berlin / New York : Mouton de Gruyter, 1988.

BROWN, P. & LEVINSON, S. — *Politeness — Some Universals in Language Usage*, Cambridge : CUP, 1987.

BYRAM, M. — *Culture et éducation en langue étrangère*, Paris : Didier, Credif, 1992.

BYRAM, M. — *Culture and Language Learning in Higher Education*, Clevedon : Multilingual Matters, 1994.

BYRAM, M. — *Teaching and Assesssing Intercultural Competence*, Clevedon : Multilingual Matters, 1997.

BYRAM, M. & ZARATE, G. — *Young people facing difference, Some proposals for teachers*, Strasbourg : Editions du Conseil de l'Europe, 1995.

BYRAM, M., ZARATE, G. & NEUNER, G. — *La compétence socioculturelle dans l'apprentissage et l'enseignement des langues*, Strasbourg : Editions du Conseil de l'Europe, 1997.

CALBRIS, G. & MONTREDON, J. — *Des gestes et des mots pour le dire*, Paris : Clé International, 1986.

CHERAIN, E. — *Litote et understatement*, mémoire annexe de DEA, Langue et Culture des Sociétés Anglophones, Institut Charles V, Université Paris VII-Denis Diderot, 1995.

CULIOLI, A. — *Pour une linguistique de l'énonciation — Opérations et représentations*, tome 1, Paris : Ophrys, 1990.

DUNETON, C. — *Parler croquant*, Paris : Stock, 1988.

ECCO, U. — *La recherche de la langue parfaite dans la culture européenne*, Paris : Seuil, 1994.

FLAITZ, J. — *The Ideology of English. French Perceptions of English as a World Language*, Berlin, New York, Amsterdam : Mouton de Gruyter, 1988.

GARCIA, O. & OTHEGUY, R. — *English across Cultures, Cultures across English, A Reader in Cross-cultural Communication*, Berlin, New York : Mouton de Gruyter, 1989.

GILBERT, E. — « Quite, Rather ». *In Linguistique, Cahiers de Recherche*, tome 4, *Grammaire anglaise*, Paris : Ophrys, 1989.

GOFFMAN, E. — *Interaction Ritual, Essays on Face-to-Face Behavior*, New York : Anchor Books, 1967.

GOFFMAN, E. — *La mise en scène de la vie quotidienne*, tome 2, Paris : Les Editions de Minuit, 1973.

GRELLET, F. — *The Mirrored Image*, Paris : Hachette, 1992.

GRIMSHAW, A.D. — *Conflict Talk*, Cambridge : CUP, 1990.

GUILLEMIN-FLESHER, J. — *Syntaxe comparée du français et de l'anglais, problèmes de traduction*, Paris : Ophrys, 1988 (1981).

GUMPERZ, J.J. & GUMPERZ-COOK, J. — « Interethnic communication in committee negotiations ». *In Language and Social Identity, Studies in Interactional Sociolinguistics*, 2, Gumperz (éd)., Cambridge : CUP, 1982.

GUMPERZ, J.J. & COOK-GUMPERZ, J. — « Language and the communication of social identity ». *In Language and Social Identity, Studies in Interactional Sociolinguistics*, 2, Gumperz (éd)., Cambridge : CUP, 1982.

HABERLAND, H. — « Whose English, Nobody's Business », *Journal of Pragmatics*, 13, 1989 : 927-38.

HAGEGE, C. — *L'enfant aux deux langues*, Paris : Odile Jacob, 1996.

HERRING, S. — *Posting in a Different Voice : Gender and Ethics in Computer-Mediated Communication*, Albany : Suny Press, 1996.

HOLLAND, D. & QUINN, Naomi — *Cultural Models in Language & Thought*, New York : CUP, 1987.

HOUSE, J. & BLUM-KULKA, S. — *Interlingual and Intercultural Communication*, Tübingen : GNV, 1986.

HUART, R. — « What *do* you *mean* ? : Attention, une question peut en cacher une autre ». *In Linguistique et Didactique, Cahiers Charles V*, Université Paris VII-Denis Diderot, 1995.

JENSEN, A., JAEGER, K. & LORENTSEN, A. — *Intercultural Competence — A New Challenge for Language Teachers and Trainers in Europe*, tome 2 : *The Adult Learner*, Aalborg University Press, 1995.

KERBRAT-ORECCHIONI, C. — *Les interactions verbales*, tome 1, Paris : Armand Colin, 1990.

KERBRAT-ORECCHIONI, C. — *Les interactions verbales*, tome 2, Paris : Armand Colin, 1992.

KERBRAT-ORECCHIONI, C. — *Les interactions verbales*, tome 3, Paris : Armand Colin, 1994.

KRAMSCH, C. — *Context and Culture in Language Teaching*, Oxford : Oxford University Press, 1993.

LABOV, W. — *Sociolinguistique*, Paris : Les Editions de Minuit, 1976.

LAKOFF, G. & JOHNSON, M. — *Les métaphores de la vie quotidienne*, Paris : Les Editions de Minuit, 1985.

LAKOFF, R. — « Language in Context ». *Language*, vol. 48, n° 4, 907-927, 1972.

LEECH, G.N. — *Principles of Pragmatics*, Londres, New York : Longman, 1983.

LEEDS, C. — *English Humour*, Paris : Belin, 1989.

LEVINSON, S.C. — *Pragmatics*, Cambridge : CUP, 1995 (1983).

LOVEDAY, L. — *The Sociolinguistics of Learning and Using a Non-Native Language*, Oxford : Pergamon Press, 1982.

MALTZ, D.N. & BORKER, R.A. — « A cultural approach to male-female miscommunication ». *In Language and Social Identity, Studies in Interactional Sociolinguistics*, 2, Gumperz (éd)., Cambridge : CUP, 1982.

McLaughlin, B. — *Theories of Second Language Acquisition,* Londres : Edward Arnold, 1987.

Narcy, J. P. — *Apprendre une langue étrangère : didactique des langues : le cas de l'anglais*, Paris : Les Editions d'Organisation, 1990.

Narcy, J. P. — *Comment mieux apprendre l'anglais*, Paris : Les Editions d'Organisation, 1991.

Phillipson, R. — *Linguistic Imperialism*, Oxford : OUP, 1992.

Riviere, C. — *Exercices commentés de grammaire anglaise*, Paris : Ophrys, 1988.

Salins, G. de — *Une introduction à l'ethnographie de la communication*, Paris : Didier, 1992.

Sapir, E. — *Linguistique*, Paris : Gallimard, collection Folio/Essais, 1991 (Editions de Minuit, 1968).

Saville-Troike, M. — *The Ethnography of Communication, An Introduction*, Oxford : Blackwell, 1989.

Scollon, R. & Scollon, S.W. — *Intercultural Communication*, Oxford UK, Cambridge USA : Blackwell, 1995.

Searle, J.R. — *Speech Act Theory and Pragmatics*, Dordrecht : Reidel Publishing Company, 1980.

Simpson, J. — *The Concise Oxford Dictionary of Proverbs*, Oxford : Oxford University Press, 1993.

Swan, M. — *Practical English Usage*, nouv. édition, Oxford : OUP, 1995.

Tannen, D. — « Ethnic style in male-female conversation ». *In Language and Social Identity, Studies in Interactional Sociolinguistics*, 2, Gumperz (éd.), Cambridge : CUP, 1982.

Tannen, D. — *You Just Don't Understand*, New York : Morrow and Company, 1990.

Thomas, Jenny — « Cross-cultural pragmatic failure ». *Applied Linguistics*, 4 : 2, 91-112, 1983.

Thomas, Jenny — « Cross-cultural discourse as an "unequal encounter" ». *Applied Linguistics*, 5 : 3, 226-235, 1984.

Trudgill, P. — *Sociolinguistics — An Introduction to Language and Society*, Londres : Penguin Books, édition revue, 1995.

Verschueren, J. — *Handbook of Pragmatics, Manual*, Amsterdam / Philadelphie : John Benjamins Publishing, 1995.

Vicher, A. & Sankoff, David — « The Emergent Syntax of Pre-sentential Turn Openings ». *Journal of Pragmatics*, 13, 1989, 81-97.

Vince, J. — « Quelques néologismes à fonction euphémique en anglais contemporain britannique ». *In Travaux de linguistique énonciative, Cahiers Charles V*, n° 13, Université Paris VII-Denis Diderot, 1991.

Wierzbicka, A. — *The Semantics of Grammar*, Amsterdam : J. Benjamins, 1988.

WIERZBICKA, A. — *Cross-cultural Pragmatics, The Semantics of Human Interaction*, Berlin, New York : Mouton de Gruyter, 1991.

WILLIAMS, R. — *Keywords — A Vocabulary of Culture and Society*, Londres : Fontana Press, 1988.

WILLING, K. — *Talking it through, Clarification and problem-solving in professional work*, NCELTR Research Series, Sydney : David Nunan, 1992.

YAGUELLO, M. — *Les mots et les femmes*, Paris : Payot, 1978.

YAGUELLO, M. — *Les fous du langage, Des langues imaginaires et de leurs inventeurs*, Paris : Seuil, 1984.

YOUNG, L.W.L. — « Inscrutability revisited ». *In Language and Social Identity, Studies in Interactional Sociolinguistics*, 2, Gumperz (éd)., Cambridge : CUP, 1982.

ZARATE, G. — *Représentations de l'étranger et didactique des langues*, Paris : Didier, Credif, 1993.

Approche diachronique

ALBERT, M. — *Capitalisme contre capitalisme*, Paris : Seuil, 1991.

AMOSSY, R. — La notion de stéréotype dans la réflexion contemporaine, *Littérature*, nº 73, février 1989.

ASHCRAFT, R. — *La politique révolutionnaire et les « Deux traités du gouvernement » de John Locke*, Paris : PUF, 1995.

BARKER, E. — *Social Contract, Essays by Locke, Hume and Rousseau*, Oxford : OUP, 1976 (1947, 1960).

BARNES, J. – *Outre-Manche*, Paris : Denoël, 1998.

BARBLAN, A. — *L'image de l'Anglais en France pendant les guerres coloniales 1882-1904*, Berne : Peter Lang, 1974.

BEDARIDA, F. — *La société anglaise du milieu du* XIXe *siècle à nos jours*, Paris : Seuil, collection Points Histoire, 1990.

BLOM, H. — « Le débat d'Amsterdam », *Le Débat*, nº 96, sept./oct. 1997.

BORY, J.-L. — *La Révolution de Juillet, 29 juillet 1830*, Paris : Gallimard, 1972.

BOURDEL, L. — *Groupes sanguins et tempéraments*, Paris : Maloine, 1960.

BOURDIEU, P. — *Ce que parler veut dire — L'économie des échanges linguistiques*, Paris : Fayard, 1982.

BOURDIEU, P. — *Questions de sociologie*, Paris : Editions de Minuit, 1984.

BRESC, H. — « L'Europe des villes et des campagnes (XIIIe-XVe siècle) » *In* Burguière, *Histoire de la famille*, vol. 1, Paris : Colin, 1986.

BRIGGS, A. — *A Social History of England*, Londres : Penguin Books, 1985.

BRUILLON, M. — *Sometimes a tourist, sometimes migrant... English-spea-*

king communities in France and Spain, British Area Studies Conference, Université Paris 13, 20-21 septembre 1996.
BURGUIERE, A. — *Histoire de la famille*, vol. 1, *Mondes lointains, mondes anciens*, Paris : Armand Colin, 1986.
BURGUIERE, A. — *Histoire de la famille*, vol. 2, *Le choc des modernités*, Paris : Armand Colin, 1986.
CANNADINE, D. — *The Decline and Fall of the British Aristocracy*, Londres : Picador, 1990, rééd. 1992.
CHARLOT, M. (sous la direction de) — *Religion et politique en Grande-Bretagne*, Paris : Presses de la Sorbonne Nouvelle, 1994.
CLASTRES, P. — *La société contre l'Etat*, Paris : Les Editions de Minuit, 1974.
CUVILLIER, J-P. — « Peuples germaniques et peuples romano-barbares au temps des lois ». *In* Burguière, *Histoire de la famille*, vol. 1, Paris : Colin, 1986.
DEMORGON, J. — *L'exploration interculturelle*, Paris : Armand Colin, 1989.
DEMORGON, J. — *Connaissance historique et stratégique des cultures européennes*, Cours, Deug de Psychologie, Centre de Télé-Enseignement de l'Université de Champagne-Ardenne, 1995.
DEMORGON, J. — *Complexité des cultures et de l'interculturel*, Paris : Anthropos, Economica, 1996.
DISSELKAMP, A. — *L'éthique protestante de Max Weber*, Paris : PUF Sociologies, 1994.
ECCO, U. — *Le nom de la rose*, Paris : Grasset, 1987.
FOUCAULT, M. — *Les mots et les choses*, Paris : Gallimard, 1966.
GAUCHET, M. — *La Révolution des droits de l'homme*, Paris : Gallimard, 1989.
GIBSON, R. — *Best of Enemies, Anglo-French Relations since the Norman Conquest*, Londres : Sinclair-Stevenson, 1995.
GOSCINNY & UDERZO — *Astérix chez les Bretons*, Paris : Dargaud, 1966.
HEFFER, J. & SERMAN, W. — *Des révolutions aux impérialismes 1815-1914*, Paris : Hachette, 3e édition, 1988.
HOBBES, T. — *Léviathan*, Paris : Sirey, 1971 (1651).
HOBBES, T. — *Le citoyen ou les fondements de la politique*, Paris : Flammarion, 1982 (1642).
HUME, D. — *Enquête sur l'entendement humain*, Paris : Aubier. Montaigne, 1969 (1748).
JOHN, P. & LURBE, P. — *Civilisation britannique*, Paris : Hachette Supérieur, 1992-1993.
JOYCE, P. — *Class*, Oxford : Oxford University Press, 1995.
JULLIARD, J. — « Le peuple ». *In* Nora, *Les lieux de mémoire*, III. *Les France*, 1. *Conflits et partages*, Paris : Gallimard, 1992.

La Boetie, E. de — *Le Discours de la servitude volontaire*, Paris : Payot, 1993 (1574).

Lalande, A. — *Vocabulaire technique et critique de la philosophie*, Paris : PUF, 1972.

Leruez, J. — *Le système politique britannique depuis 1945*, Paris : Armand Colin, 1994.

Levi-Strauss, C. — *Race et histoire*, Paris : Gonthier, 1961.

Levi-Strauss, C. — *Le regard éloigné*, Paris : Plon, 1983.

Locke, J. — *Deuxième traité du gouvernement civil*, Paris : Librairie philosophique J. Vrin, 1977 (1690).

Locke, J. — *Essai philosophique concernant l'entendement humain*, Paris : Librairie philosophique J. Vrin, 1972 (1755).

McDowall, D. — *An Illustrated History of Britain*, Harlow : Longman, 1989.

Miroglio, A. — *La psychologie des peuples*, Paris : PUF, collection Que Sais-je, 1971.

Montaigne, M. de — *Essais*, Paris : Garnier-Flammarion, 1969 (1580).

Montesquieu — *De l'esprit des lois. In Œuvres complètes*, Paris : Gallimard, La Pléiade, 1951 (1748).

Montesquieu — *De l'esprit des lois*, I, Paris : Gallimard, Folio collection Essais, 1995 (1748).

Nora, P. (sous la direction de) — *Les lieux de mémoire*, III. *Les France*, 1. *Conflits et partages*, Paris : Gallimard, 1992.

Nora, P. (sous la direction de) — *Les lieux de mémoire*, III. *Les France*, 2. *Traditions*, Paris : Gallimard, 1992.

Nora, P. (sous la direction de) — *Les lieux de mémoire*, Paris : Gallimard, collection Quarto, 1997, 3 vol.

Norton — *Anthology of British Literature*, tome 2, New York : W.W. Norton C°, Inc., 1968.

Ozouf, M. — « Liberté, Egalité Fraternité ». *In* Nora, *Les lieux de mémoire*, Paris : Gallimard, collection Quarto, 1997, tome 3.

Poirier, F. — « La Grande-Bretagne et la France : un long face-à-face ». *In France Grande-Bretagne*, Paris : ministère des Affaires étrangères, ADPF, 1996.

Poliakov, L. — *Le mythe aryen — Essai sur les sources du racisme et des nationalismes*, Bruxelles : Editions Complexe, 1987.

Purcell — *King Arthur*, Arles : Harmonia Mundi, 1979.

Revel, J. — « La cour ». *In* Nora, *Les lieux de mémoire*, III. *Les France*, 2. *Traditions*, Paris : Gallimard, 1992.

Rigaud, J. — *L'exception culturelle*, Paris : Grasset, 1995.

Rosanvallon, P. — *L'Etat en France de 1789 à nos jours*, Paris : Seuil, collection Points Histoire, 1990.

ROUSSEAU, J.-J. — *Du Contrat social*, Paris : Garnier-Flammarion, 1966 (1762).

ROUSSEAU, J.-J. — *Constitution pour la Corse. In Œuvres complètes III*, Paris : Gallimard, La Pléiade, 1991 (1765).

ROUSSEAU, J-J. — *Essai sur l'origine des langues. In Œuvres complètes V*, Paris : Gallimard, La Pléiade, 1995 (1781).

RUBINSTEIN, W.D. — *Capitalism Culture and Decline in Britain 1750-1990*, Londres : Routledge, 1994.

SCOTT, M. — *The I Hate the French Official Handbook*, Londres : Arrow Books, 1992.

TAWNEY, R.H. — *Religion and the Rise of Capitalism*, Londres : Penguin Books, 1990 (1922).

THOMAS, LLOYD D.A. — *Locke on Government*, Londres : Routledge Philosophy Guide Book, 1995.

THOMAS, Yan — « A Rome, pères citoyens et cité des pères ». *In* Burguière, *Histoire de la famille*, vol. 1, Paris : Armand Colin, 1986.

TODD, E. — *L'invention de l'Europe*, Paris : Seuil, 1996 (1990).

VOLTAIRE — *Lettres philosophiques. In Mélanges*, Paris : Gallimard, La Pléiade, 1961 (1734).

VOLTAIRE — *Le Mondain. In Mélanges*, Paris : Gallimard, La Pléiade, 1961 (1736).

VOLTAIRE — *Le Philosophe Ignorant. In Mélanges*, Paris : Gallimard, La Pléiade, 1961 (1766).

VOLTAIRE — *Dictionnaire philosophique*, Paris : Garnier, 1967 (1764).

WEBER, M. — *L'éthique protestante et l'esprit du capitalisme*, Paris : Plon Pocket, 1964 (1947).

Gestion des organisations

ALTER, N. — « Une gestion du désordre », *Sciences humaines*, nº 5, avril 1991.

ALTER, N. — *Sociologie de l'entreprise et de l'innovation*, Paris : PUF, 1996.

AMBLARD, H., BERNOUX, P., HERREROS, G. & LIVIAN, Y-F. — *Les nouvelles approches sociologiques des organisations*, Paris : Seuil Sociologie, 1996.

AXTELL, R.E. — *Do's and Taboos around the World*, New York : Wiley, 1990.

AXTELL, R.E. — *The Do's and Taboos of Hosting International Visitors*, New York : Wiley, 1990.

AXTELL, R.E. — *Gestures, The Do's and Taboos of Body Language Around the World*, New York : Wiley, 1991.

BOLLINGER, D. & HOFSTEDE, G., *Les différences culturelles dans le management : comment chaque pays gère-t-il ses hommes ?* Paris : Editions d'Organisation, 1987.

CERTEAU, M. de — *L'invention du quotidien*, 1. *Arts de faire*, Paris : Gallimard, 1990 (1980).

DEVAL, P. — *Le choc des cultures, Management interculturel et gestion des ressources humaines*, Editions Eska,1993.

DUBAR, C. — *La socialisation, Construction des identités sociales et professionnelles*, Paris : Armand Colin, 1991.

GAUTHEY, F. & XARDEL, D. — *Le management interculturel*, Paris : PUF, 1990.

HALL, E.T. — *La dimension cachée*, Paris : Seuil, collection Points Essais, 1978.

HALL, E.T. — *Le langage silencieux*, Paris : Seuil, collection Points Essais, 1984 (traduction de *The Silent Language*, 1959).

HALL, E.T. & MILDRED R. — *Understanding Cultural Differences — Germans, French and Americans*, Yarmouth USA : Intercultural Press, Inc., 1990.

HALL, E.T. & MILDRED R. — *Guide du comportement dans les affaires internationales — Allemagne, Etats-Unis, France*, Paris : Seuil, 1990.

HOFSTEDE, G. — *Cultures and Organizations, Software of the Mind*, Glasgow : HarperCollinsPublishers, 1994 (McGraw-Hill International [UK] Limited 1991).

HOFSTEDE, G. — *Vivre dans un monde multiculturel — Comprendre nos programmations mentales*, Paris : Les Editions d'Organisation, 1994.

HOFSTEDE, G. — « Riding the waves of commerce : a test of Trompenaars "model" of national cultural differences », *Int. J. Intercultural Rel.*, vol. 20, n° 2, pp. 189-198, Pergamon, Elsevier Science Ltd, 1996.

IRIBARNE, P. d' — *La logique de l'honneur*, Paris : Seuil, 1989.

JACKSON, M.P. — *An Introduction to Industrial Relations*, Londres : Routledge, 1992.

JEGU, G. — *Etude comparative sur les formations initiales d'ingénieurs en France et en Grande-Bretagne*, Mémoire de Maîtrise d'Administration Economique et Sociale, Paris X-Nanterre, 1995.

LADMIRAL, J.-R. & LIPIANSKY, E.-M. — *La communication interculturelle*, Paris : Armand Colin, 1989.

LANE, C. — *Industry and Society in Europe*, Aldershot UK : Edward Elgar, 1995.

LAURENT, A. — « Réinventer le management au carrefour des cultures ». *L'Art du Management*, dossier spécial, *Les Echos*, 4-5 avril 1997, pp. V-VI.

MINTZBERG, H. — *Le pouvoir dans les organisations*, Paris : Les Editions d'Organisation, 1986.

MOLE, J. — *Mind your manners, Managing Culture Clash in the Single European Market*, Londres : Nicholas Brealey Publishing Ltd, 1992.

PATEAU, J. — *Approche comparative interculturelle, Etude d'entreprises françaises et allemandes*, Thèse de Doctorat, Etudes germaniques, Paris X-Nanterre, 1994.

PATEAU, J. — *Une étrange alchimie, la dimension interculturelle dans la coopération franco-allemande*, Levallois-Perret : CIRAC, 1998.

PLATT, P. — *French or Fœ ? Getting the Most out of Living and Working in France*, Londres : Culture Crossings Ltd, 1994.

REITTER, R. — « Leaders, avez-vous donc une âme ? Se comprendre soi-même et comprendre les autres : démarche indispensable à l'action de diriger ». *L'Art du Management*, dossier spécial, *Les Echos*, 9-10 mai 1997, pp. II-IV.

SAINSAULIEU, R. — *La démocratie en organisation*, Paris : Librairie des Méridiens, 1983.

SAINSAULIEU, R. — *L'identité au travail*, Paris : Presses de la Fondation nationale des sciences politiques, 1988 (3e éd.) (1977).

SAINSAULIEU, R. (sous la direction de) — *L'entreprise, une affaire de société*, Paris : Presse de la Fondation nationale des sciences politiques, 1992.

SCHENZER, H. — *La coopération interculturelle franco-britannique*, Mémoire de DEA, Sciences de l'Homme et Technologie, option : Economie, Université de Technologie de Compiègne, 1996.

SEYLYE, H.N. & SEYLYE-JAMES, A. — *Culture Clash : Managing in a Multicultural World*, Lincolnwood USA : NTC Business Books, 1995.

TROMPENAARS, F. — *Riding the Waves of Culture*, Londres : The Economist Books, 1993.

COLLECTION "PARTAGE DU SAVOIR"

Parrainée par Edgar Morin

Parce que l'Université n'a pas seulement vocation à transmettre et créer des savoirs, mais également à les faire partager au plus grand nombre, Le Monde de l'éducation a décidé, en 1997, encouragé par Jean-Marie Colombani, directeur du Monde, de créer le prix Le Monde de la recherche universitaire, avec le concours de la Fondation d'entreprise Banques CIC pour le livre, de la Fondation Charles Léopold Mayer, et le soutien de l'Unesco.

Notre ambition commune est triple : décloisonner les lieux de production du savoir et encourager la recherche universitaire en lui offrant un autre canal de valorisation, une audience élargie au grand public ; créer une dynamique d'échange entre le monde éditorial et les universités et impulser un débat d'idées permanent autour des savoirs ; encourager, enfin, les chercheurs à aborder des problématiques de recherche visant à réduire les clivages entre l'espace de production des connaissances et les besoins des hommes.

Le prix est ouvert aux titulaires d'un doctorat ayant soutenu, au sein d'une université française ou étrangère, une thèse rédigée en français et non publiée. Les travaux font l'objet d'une sélection effectuée par un comité de lecture rassemblant une centaine de personnalités des communautés scientifique et culturelle. Un jury final attribue la possibilité à cinq jeunes docteurs d'être publiés chez Grasset dans cette collection que nous avons souhaitée grand public, "Partage du savoir".

En lançant cette collection, nous avons voulu signifier très fortement combien les chercheurs sont impliqués dans l'élaboration de la société de demain. Ils inventent au jour le jour, parfois dans la solitude, de nouveaux savoirs dont les prolongements pourront être essentiels pour l'humanité. Cette collection, destinée à faire découvrir à un large public les nouveaux territoires de la pensée contemporaine, est donc, avant tout, un hommage rendu à leur travail.

ANNE-LINE ROCCATI
Rédactrice en chef.

DANS LA COLLECTION
« PARTAGE DU SAVOIR »

RACHEL BEAUJOLIN
Les vertiges de l'emploi
L'entreprise face aux réductions d'effectifs

RAYMONDE COUDERT
Proust au féminin

ON' OKUNDJI OKAVU EKANGA
Les entrailles du porc-épic
Une nouvelle éthique pour l'Afrique

RACHEL GASPARINI
Ordres et désordres scolaires
La discipline à l'école primaire

NACIRA GUÉNIF SOUILAMAS
Des « beurettes » aux descendantes d'immigrants nord-africains

MARIE-CÉCILE MOULINIER
Au risque de naître : maternité et sida

BRUNO REMAURY
Le beau sexe faible
Les images du corps féminin entre cosmétique et santé

TRACEY SIMPSON
Le dernier poème du dernier poète
La poésie de Jim Morrison

AGNÈS VILLECHAISE-DUPONT
Amère banlieue
Les gens des grands ensembles

Cet ouvrage a été réalisé par

FIRMIN DIDOT

GROUPE CPI

Mesnil-sur-l'Estrée

pour le compte des Éditions Grasset
en mars 2001

Photocomposition Nord Compo
59650 Villeneuve d'Ascq

Imprimé en France
Dépôt légal : mars 2001
N° d'édition : 11870 – N° d'impression : 54925
ISBN : 2-246-61281-0